Verbum ✳ ENSAYO

ALEJO CARPENTIER:
UN SIGLO ENTRE LUCES

Verbum ✳ ENSAYO

Directores de la colección:
JOSÉ MANUEL LÓPEZ DE ABIADA
PÍO E. SERRANO

ÁLVARO SALVADOR
ÁNGEL ESTEBAN
(Editores)

Alejo Carpentier:
Un siglo entre luces

EDITORIAL  Verbum

ESTA OBRA HA SIDO EDITADA CON LA AYUDA DE LA
CASA DE AMÉRICA;
LA FUNDACIÓN CAROLINA
Y LA UNIVERSIDAD DE GRANADA

© Álvaro Salvador y Ángel Esteban, 2005
© de cada texto su autor, 2005
© Editorial Verbum, S.L. 2005
Eguilaz, 6-2º Dcha. 28010 Madrid
Apartado Postal 10.084. 28080 Madrid
Teléf.: 91-446 88 41 - Telefax: 91-594 45 59
e-mail: verbum@telefonica.net
I.S.B.N.: 84-7962-318-7
Depósito Legal: SE-3228-2005 E.U.
Diseño de cubierta: Pérez Fabo
Fotocomposición: Origen Gráfico, S.L.
Printed in Spain /Impreso en España por
PUBLIDISA

ÍNDICE

Presentación

Alejo Carpentier es, sin duda, uno de los más grandes e influyentes escritores hispanoamericanos del siglo XX, y uno de los fundadores de la literatura cubana contemporánea. Cuando en 1977 le fue concedido el Premio Cervantes, Carpentier recordaba las siguientes frases del genio del idioma: "Una de las cosas que más debe dar contento a un hombre... es verse, viviendo, andar con buen nombre por las lenguas de las gentes, impreso y en estampa." Ese fue, precisamente, el destino de nuestro escritor, que ha cumplido ya cien años y su obra ha dejado una huella indeleble en el espacio cultural hispánico y en civilizaciones muy diversas.

Su personalidad es múltiple, como múltiple es su obra, y por eso ha llegado a interesar a un público muy heterogéneo. Domina todos los estratos de la lengua, desde el más culto hasta el habla popular de su tierra; trabaja también con lenguas clásicas y modernas, por lo que sus escritos generan una riqueza léxica fuera de lo común. Pero lo más interesante es la cantidad de registros y tonos que poseen sus novelas, pues allí se dan cita los mejores escritores y personajes de la literatura universal, los maestros de la música y los próceres de la historia. La obra completa de Carpentier es una sinfonía de voces de varios siglos, en la que cada individuo reivindica su cultura, su país, su clase social, su tiempo. Por allí pasan ilustrados europeos, esclavos africanos de la Colonia y la época de la independencia, eruditos de todas las tallas, militares, dictadores, campesinos, burgueses, descubridores, conquistadores, héroes y villanos, aristócratas, obreros, etc.

La gama de argumentos, situaciones, diálogos, referencias literarias, reflexiones sobre la historia europea y americana, es indudablemente una de las más completas de toda la tradición literaria hispánica. Por todo ello, la narrativa del cubano no sólo ha generado una muchedumbre de lectores, sino que ha provocado un enorme caudal de reflexión crítica en el campo de la literatura, la antropología, la música, la historia e incluso la arquitectura. La profesión de su padre, junto con los estudios inacabados de principios de los años veinte, le otorgan una peculiar intuición del espacio urbano que cristaliza en las magníficas descripciones de sus novelas y, sobre todo, en el homenaje a La Habana en *La ciudad de las columnas*.

Por todo ello, no es extraño que durante todo el año 2004, a los cien años de su nacimiento, haya habido numerosas iniciativas para conmemorar una fecha tan señalada. En la primera semana de julio, nos reunimos en la Casa de América un grupo de escritores, profesores, historiadores y antropólogos, para continuar reflexionando sobre los fundamentos de nuestra civilización contemporánea, siguiendo las pautas que trazara Carpentier en alguna de sus obras maestras: *El siglo de las luces, Los pasos perdidos, El acoso, La consagración de la primavera, El reino de este mundo*, etc. Llegados de diversos puntos de Cuba, Venezuela, Estados Unidos y España, durante tres días discutimos las ponencias que se publican a continuación.

Sirva este homenaje como muestra del enorme reconocimiento internacional que ya comenzó a recibir en vida, desde que en 1956 consiguiera en premio francés al mejor libro extranjero por su obra *Los pasos perdidos*. Más tarde llegaron, entre otros muchos galardones el homenaje nacional de Cuba con ocasión de su septuagésimo aniversario, el Doctorado Honoris Causa por la Universidad de La Habana en 1975, el Premio Alfonso Reyes en Ciencia y Literatura en 1975, el Premio Internacional Cino del Duca el mismo año y el Premio Miguel de Cervantes en 1977. Y, sobre todo, como él decía de Cervantes, el premio de "andar con buen nombre por las lenguas de las gentes, impreso y en estampa", en este siglo (1904-2004) de luces para el escritor cubano.

ÁLVARO SALVADOR
ÁNGEL ESTEBAN

El Caribe de Alejo Carpentier: Transculturación, poscolonialismo y relatos de emancipación

LANDRY-WILFRID MIAMPIKA
Universidad de Alcalá

DEVENIR POSCOLONIAL DE CALIBÁN

Sin lugar a dudas, el Caribe es, hoy en día, uno de los focos más productivos y densos del pensamiento poscolonial. Desde las nociones de transculturación y de criollización, que son contribuciones innegables a la teoría poscolonial, el Caribe es un laboratorio histórico de migraciones humanas que aporta una profunda reflexión sobre la interculturalidad, y sobre las relaciones entre identidades y literaturas desde la ficción o el ensayo. La aportación del Caribe a la teoría poscolonial parte, entre otras, de una relectura de *lo caribeño* desde las figuras conceptuales y metafóricas de Calibán y Próspero, dos personajes creados por Shakespeare en *La tempestad*. Sobre la interacción entre pensamiento poscolonial y el Caribe tomando como eje la figura de Calibán, Peter Hulme afirma con razón: "a mediados del presente siglo, buena parte de la teoría y la crítica poscoloniales convergen en torno a lecturas de *La tempestad*, de Shakespeare. Especialmente en la poderosa reescritura de la obra realizada por Aimé Césaire, la relación predominante es la que se establece entre Próspero y Calibán, colonizador y colonizado, un modelo tomado del Caribe hacia África y enclavado en la lucha anticolonial por el propio Fanon". En el mismo trabajo, Peter Hulme añade más adelante: "Además de Fanon, Césaire y Ortiz, esa área relativamente pequeña ha aportado teóricos poscoloniales de la importancia de Édouard Glissant, George Lamming, Roberto Fernández Retamar, C.L.R. James, por nombrar sólo a unos pocos".[1]

La fábula de Próspero y Calibán gobierna el imaginario del Caribe. Por ello, en toda su desmesura barroca y carnavalesca, las literaturas caribeñas se asumen como lugar de desencuentros, y de intento de

---

[1] Peter Hulme, "La teoría postcolonial y la representación de la cultura en las Américas", *Casa de las Américas* (Cuba), 202. 3-8, 1996, pp. 6 y 7 respectivamente.

superación de conflictos entre Calibán y Próspero. Por ejemplo, para
Edward W. Said, "cada nueva reinscripción americana de *La tempestad*
supone así una versión local de la antigua y grandiosa leyenda, reforzada y modificada en función de las presiones de una historia cultural y
política por hacer".[2] En algunas de esas inscripciones, la fábula de Calibán y Próspero ha sido retomada e imaginativamente recreada por algunos escritores caribeños: entre otros por el poeta martiniqueño Aimé
Césaire en *Une tempête* (1969), y por el poeta y ensayista cubano Roberto
Fernández Retamar en *Calibán. Apuntes sobre la cultura de nuestra América*
(1973)[3]. La consecutiva apropiación de Calibán (y no de Ariel) frente a
Próspero –que ilustra el absoluto cultural e ideológico occidental–, es
"una afectuosa disputa con Shakespeare acerca del derecho a representar lo caribeño".[4] Para los pensadores caribeños, Calibán, el legendario
personaje de Shakespeare encarna la resistencia, la insumisión y la
hibridación cultural en el Caribe, anunciando, en las literaturas, otro
devenir que favorece "la restauración de la comunidad y la reapropiación de la cultura",[5] de su propia cultura en el marco de un intenso proyecto de descolonización y de recuperación de una memoria colectiva
común. La reapropiación de la figura de Calibán orienta igualmente la
creación caribeña, de forma general, en una perspectiva de superar la
crisis epistemológica de la historia y de la etnografía aunque ambos
campos pertenecen según Paul Ricoeur a la "lógica de las posibilidades
narrativas".[6] Por ello en el Caribe, la narrativa fundamentalmente ha
cumplido, en muchas ocasiones, una función crítica hacia la historio-
grafía tradicional, la historia oficial y la hagiografía histórica dando una
visión problemática de la historia del continente americano. El sustrato
de esta visión problemática remonta a la historia lejana y cercana a la vez
de la plantación esclavista.

---

[2] Edward W. Said, *Cultura e imperialismo*, Barcelona, Anagrama, 1996, p. 331.
[3] Roberto Fernández Retamar ha compilado todas sus reflexiones sobre Calibán
en un libro definitivo. Cf. *Todo Calibán*, La Habana, Letras Cubanas, 2000.
[4] Edward W. Said, idem.
[5] Edward W. Said, ob. cit., p. 332
[6] Paul Ricoeur, *Historia y narratividad*, Barcelona, Paidós, 1999, p. 154.

PLANTACIÓN, TRANSCULTURACIÓN Y CRIOLLIZACIÓN

Desde su instauración en el siglo XVI hasta el siglo XIX, la plantación esclavista constituye un terreno de encuentros, de transmisión y de reproducción del inconsciente colectivo del que el poeta martiniqueño Édouard Glissant ha llamado *el migrante desnudo*[7], es decir, el esclavo transplantado a las Américas sin ningún bien material. Para este *migrante desnudo*, el recurso a un África mítica fue un *arma milagrosa* (según los versos de Aimé Césaire) en la resistencia contra la despersonalización y el desarraigo al que estaba sometido en la plantación donde se le destinaba a las labores agrícolas. Desde entonces, la plantación funciona como la matriz fundadora y constituye el vector económico, el eje determinante de las fronteras geográficas, sociales y étnico-culturales de las sociedades caribeñas. A pesar de ser un espacio de violencia socioeconómica y racial, la supervivencia obliga a los esclavos a re-crear mediante la memoria —únicamente—retazos de las culturas materiales y espirituales de sus tierras de origen. Por ello, a partir de las interacciones en el seno de la plantación se fragua el intenso proceso que el padre de la etnología afrocubana Fernando Ortiz, en su libro *Contrapunteo cubano del tabaco y el azúcar* (1940), llama *transculturación* para revelar la formación de los contornos identitarios, étnicos y socioculturales en América Latina y del Caribe. Ese mismo proceso, que Édouard Glissant denomina *criollización* (*créolisation*), se manifestó en el surgimiento de formas culturales inéditas en el Archipiélago caribeño y el Caribe continental: música, bailes, costumbres, lenguas (la lengua *créole* en Martinica, Guadalupe, Guayana y en Haití), creencias y prácticas mágico-religiosas (el vudú en Haití, la santería en Cuba), arte culinario, hábitos alimenticios, ritos funerarios, concepción de la familia y farmacopea, que llevan la impronta o las huellas del migrante desnudo, huellas sostenidas por una relación mitad real, mitad mítica con África Negra.[8]

---

[7] Cf. Édouard Glissant, *Introducción a una poética de lo diverso*, Barcelona, Ediciones del Bronce, 2002. Trad. de Luis Cayo Pérez Bueno.

[8] La resistencia se realiza fundamentalmente en los barracones, los ingenios y las plantaciones que son los principales espacios de resistencia fundamentalmente a partir de una vigorosa literatura oral. Entre otras formas de resistencia en el Caribe, Jaime Arocha señala la recuperación del mito de Ananse. Este mito de origen africano sustenta la supervivencia de la memoria en el litoral pacífico colombiano. Léase su ensayo: *Ombliga-*

La historia de la plantación funda y constituye la base socio-étnica del Caribe insular, Brasil y el sur de los Estados Unidos en plena consolidación del capitalismo emergente. Su dinámica configura la unidad y la diversidad histórica, socio-antropológica, étnica, lingüística, mágicoreligiosa y musical y las tradiciones populares, en particular, el carnaval en el Caribe. Ha sido uno de los pilares de la ensayística del Caribe ya que desde ella se construyen imágenes y representaciones actuales del negro en el inconsciente social colectivo caribeño. Tomando la plantación esclavista como punto de partida y elemento decisivo en la *transculturación* o *criollización* en el Caribe, *Le discours antillais* de Édouard Glissant y *La isla que se repite* de Antonio Benítez Rojo, indagan en la complejidad antropológica de la sociedad antillana y la describen. A partir de la teoría del caos, la relectura de la dinámica sociocultural del Caribe de Antonio Benítez Rojo, se insiste sobre los rasgos distintivos recurrentes como el caos repetitivo e inherente a todas las islas del Caribe. Más allá de las diferencias, el Caribe aparece y reaparece en *La isla que se repite* como un caos sin límites ni centro donde habría una isla que asimismo se repite, siendo diferente cada vez. Desvío, caos, repetición, fuerza de concentración del mar, vigencia de lo impredecible, fluidez paradójica de la naturaleza y de las historias, barroco insular, reiteración de numerosos mitos, juego polirrítmico y el carnaval presentes en el Caribe insular o continental son algunos de los rasgos que confluyen en toda la zona.

Édouard Glissant, conocido por su fecunda producción de conceptos como "caos-mundo", "totalidad-mundo", "relación", "opacidad", "desvío" y "antillanidad" como claves para entender la condición identitaria caribeña, dilucida en su ensayo *Le discours antillais* una poética fundamental de lo caribeño. *Le discours antillais* es una obra subversiva que indaga en la despersonalización masiva de los migrantes desnudos, las consecuencias coloniales en la formación de una cultura antillana, el rechazo de la fuente africana en el inconsciente colectivo antillano, los

---

dos de Ananse. Hilos ancestrales y modernos en el Pacífico colombiano (Santafé de Bogotá: Centro de Estudios Sociales, Universidad Nacional, 1999). También véase "Miss Nancy y otros relatos" (279- 302) de Lolia Pomares en *Geografía humana de Colombia: Los afrocolombianos* (Colombia, Instituto Colombiano de Cultura Hispánica, 1998) de Luz Adriana Maya Restrepo.

mecanismos reales o velados que sostienen la dependencia y los des-equilibrios que pervierten a todas las capas sociales en la sociedad anti-llana actual. *Le discours antillais* no es sólo una obra subversiva de crítica y teoría de literatura y de reflexión sobre el arte que propone una etno-poética del cuento criollo a partir de una nueva relación entre la lengua y el lenguaje, es también una aproximación analítica y teórica de la resistencia soterrada gracias al desvío.

Ambos ensayos son inventarios de la diversidad y la unidad del Caribe desde una perspectiva antropológico-literaria. Mediante la con-fluencia implícita de la antropología cultural e histórica, la historia de las ideas, la sociología de mentalidades, las estructuras económicas, la subversión de los imaginarios y la teoría y crítica literarias, ambos textos se adentran en la intensidad de las construcciones identitarias, las estra-tegias de supervivencia simbólica e imaginaria, las formas de resistencia —por la astucia, el compromiso, o a veces, la contemporización— y la subversión del orden dominante en la plantación. Desde una búsqueda de convergencias y confluencias (*caribeñidad, antillanité, créolisation, crio-llización, creolization, créolité, creolness*), *Le discours antillais* y *La isla que se repite* exploran la fundación y la memoria colectiva y difusa del Caribe, como lugar ilimitado y sin centro, atravesada por una isla fragmentada, una omnipresencia del caos, una imprevisibilidad permanente de la naturaleza y de las historias, un archipiélago rítmico con estéticas barro-cas y míticas.

A partir de la memoria de la plantación como configuradora de transculturación o de criollización, la *caribeñidad, lo caribeño* o *la antilla-nidad* son diseñados como perpetuos movimientos que encierran en sus lindes identitarios el ritmo como objeto estético y el Caribe como área rítmica, la conjunción de la oralidad, la palabra y la memoria, una biblioteca invisible de origen africano como instrumento de resistencia que constituye además un factor indudable de integración cultural.[9]

---

[9] Manuel Moreno Fraginals, *La Historia como arma y otros estudios sobre esclavos, inge-nios y plantaciones*, Barcelona, Editorial Crítica, 1999 [1983], p. 167.

ALEJO CARPENTIER: TRANSCULTURACIÓN Y POSCOLONIALISMO

En su ensayo, *Transculturación narrativa en América Latina* (1982), el crítico uruguayo Ángel Rama retoma el vocablo "transculturación" forjado por Fernando Ortiz y lo considera como una norma que asumen los narradores latinoamericanos y caribeños en sus prácticas literarias. Según Ángel Rama, el uso fecundo del neologismo de Ortiz en la nueva narrativa latinoamericana y caribeña opera mediante una transmutación productiva en tres dimensiones; a saber, "los asuntos, la cosmovisión y las formas literarias"[10]. Desde estos tres niveles, la transculturación ha organizado el texto literario como un espacio de debate sociológico, de mediación intercultural, de negación de la historia oficial o de los vencedores, de arqueología de las mitologías profundas de América Latina y el Caribe, propiciando renovadas propuestas de diálogos, de encuentros y desencuentros, de convivencia de razas y culturas en lo que el poeta cubano Gastón Baquero llama el "Caldero de América"[11]. Entre los narradores de la nueva narrativa latinoamericana y caribeña –desde Jorge Luis Borges hasta Julio Córtazar, pasando por Juan Rulfo, Gabriel García Márquez, Carlos Fuentes, José Donoso, Mario Vargas Llosa, José Lezama Lima, Guillermo Cabrera Infante– destaca el más universal de los escritores cubanos Alejo Carpentier como uno de los máximos exponentes de la transculturación y su relación con las nuevas teorías sobre poscolonialismo en el Caribe y en la América continental.

Si entendemos por narrativa poscolonial, aquella que cuestiona la hegemonía cultural e histórica occidental a través de la irrupción de la historia de los otros o del otro, una historia dominada y silenciada, la obra de Alejo Carpentier es uno de los puntos de encuentro precursores y más consolidados de lo poscolonial y de la transculturación en la narrativa caribeña y latinoamericana. Desde una perspectiva poscolonial y transcultural, su creación narrativa revela las experiencias históricas de los dominados desde una tensión permanente entre historia, cultura impuesta y resistencia con propuestas alternativas desde las culturas de *los de abajo*, para retomar un título de una novela de Mariano Azuela.

---

[10] Angel Rama, *Transculturación narrativa en América Latina*, Montevideo, Fundación Ángel Rama, 1989 [1982], p. 34.

[11] Cf. Gastón Baquero, *Indios, blancos y negros en el caldero de América*, Madrid, Ediciones de Cultura Hispánica, 1991.

Igual que para escritores caribeños de otros ámbitos lingüísticos, como el poeta martiniqueño Édouard Glissant, para Alejo Carpentier el hecho literario funciona como un proceso de "indagación" o de "exploración" de la realidad en sus múltiples facetas interculturales: el tejido literario contribuye, desde las posibilidades de la ficción, a una prospección alternativa de una antropología caribeña y latinoamericana proponiendo fundamentos teóricos implícitos en la actividad narradora. Con ello Alejo Carpentier, prosigue las indagaciones de los fundadores de la antropología en el Caribe: los cubanos Fernando Ortiz y Lydia Cabrera, y el haitiano Jean Price Mars[12], entre otros.

A lo largo del itinerario artístico de Alejo Carpentier, se perciben unas constantes temáticas: el tiempo, el espacio, la música y la arquitectura. Más allá de estas temáticas recurrentes, su obra creadora restituye fundamentalmente temas épicos como la Historia y el destino colectivo de los de abajo en las Américas y el Caribe. En una entrevista lo confiesa: "Amo los grandes temas, los grandes movimientos colectivos. Ellos dan la más alta riqueza a los personajes y a la trama".[13] Mediante un proceso de mediación intercultural, su narrativa –donde florecen las culturas negadas y sus confluencias con otras, las interacciones entre las identidades cubanas, caribeñas y latinoamericanas– inaugura una vocación erudita y ecuménico-mítica, que se desarrolla a través de la apropiación de mitos de la antigüedad grecolatina, los mitos bíblicos de la tradición judeocristiana, los mitos de origen africano y los mitos amerindios. El manejo de diversas tradiciones culturales y la apelación a sus planos mitológicos, integrados como elementos vivos de la conciencia colectiva latinoamericana y caribeña, da lugar a una nueva funcionalidad en sus obras literarias destacando el valor de estos en las sociedades contemporáneas. En *El siglo de las luces* (1962) y *La consagración de la primavera* (1978) se aprecia una abundancia extraordinaria de mitos de distintas procedencias culturales que aparecen como referencias intertextuales o intratextuales.

La utilización de las teorías literarias generadas por el propio Alejo Carpentier (*lo real maravilloso, el barroco*) y otras teorías plasmadas (*la teo-*

---

[12] Cf. Jean Price Mars, *Así habló el tío*, La Habana, Casa de las Américas, 1968. Prólogo de René Depestre. Trad. de Virgilio Piñera.

[13] Cf. Salvador Arias (Ed.), *Recopilación de textos sobre Alejo Carpentier*, La Habana, Casa de las Américas, 1977, p. 69.

ría de los contextos enunciada originalmente por Jean-Paul Sartre) en sus
novelas incluye desde especulaciones antropológicas hasta delimitacio-
nes de las funciones del novelista latinoamericano en relación con sus
contextos. Su teorización de *lo real maravilloso* dialoga con *le réalisme merveilleux* (el realismo maravilloso) del escritor haitiano Jacques Stephen
Alexis[14], con puntos de inflexión sobre la historia y las constantes del
Caribe. En dichas teorías, las referencias míticas –como ejes de la estética de *lo real maravilloso* y la teoría del *barroco*– ensanchan el imaginario
simbólico e intercultural, y por ende, la semantización ideológica e histórica del tejido textual. Igualmente, estos rasgos considerados esencialmente americanos por Alejo Carpentier, están estrechamente relacionados con la transculturación, y ponen de manifiesto la simbiosis de los
valores étnico-culturales que intervinieron en la configuración de la
identidad cultural latinoamericana y caribeña, entendiéndose la identidad como una construcción histórica y social dinámica, renovada, continua y abierta. A partir de una reivindicación identitaria ni fija ni esencialista, la apropiación mítica de la historia y el proyecto de emancipación de los seres humanos, la intención implícitamente expresa, en la
obra narrativa de Alejo Carpentier, explora las relaciones existentes
entre historia y sociedad, literatura y antropología, representaciones e
imágenes sociales e ideológicas del negro –como otro y como miembro
de una comunidad cercana– y de su cultura de origen africano.

SUBVERSIONES NEGRAS Y RELATOS DE EMANCIPACIÓN

Es cierto que la entrada de los negros desde el siglo XVI modifica el
panorama étnico– antropológico de las islas del Caribe dada la diversidad

---

[14] Finalmente, Jacques Stephen Alexis, novelista y autor del ensayo "El realismo
maravilloso de los haitianos", ha visto posiblemente eclipsado su mérito hasta aquí por
la sombra de Alejo Carpentier. Pero si Alexis aprovechó las reflexiones de su predecesor,
éste por su parte había reflexionado sobre Haití, lo que atestigua de algún modo una
división de tareas en una obra común y con idéntico objetivo. Cf. Laroche, Maximilien,
"El Caribe francófono", *América Latina: palavra, literatura e cultura*, Ed. Ana Pizarro, Sao
Paulo, Fundaçao Memorial da América Latina, 1995, p. 521. Leer igualmente el ensayo
de René Depestre, *Buenos días y adiós a la negritud*, La Habana, Casa de las Américas,
1985. El artículo de Jacques Stephen Alexis fue publicado en la revista *Présence Africaine*
(Francia), n° 8-10, pp. 245-271, bajo el título de "Le réalisme merveilleux".

de su procedencia y de sus respectivas culturas y lenguas. Pero durante siglos, la distancia entre discursos y realidad constituye el telón de fondo de la cuestión racial: la historia del negro en América y el Caribe ha sido una historia de colisiones y resistencias.[15] A pesar de su participación en los grandes episodios de la Historia como las guerras de las independencias y la vigencia fecunda de sus remanentes a través de sincretismos de todo tipo, la marginalidad socio-política y la resistencia social ordenan aún su vida cultural y cotidiana. Desde su llegada al Caribe, el negro invade todo el imaginario sociocultural como una realidad diferida, como interrogante histórica, ideológica y sujeta a distintas tipologías basadas o no en lo social que se fundan en un imaginario que recoge miedos, aprehensiones, prejuicios raciales y estereotipos sociales de todo tipo:[16] el negro es víctima de un imaginario social que lo discrimina y lo coloca en un lugar marginado del discurso social e ideológico. Por ello, en el Caribe, la cuestión racial es un espacio constante de debate sociológico, político-ideológico e identitario ya que sobredetermina todos los fundamentos culturales de las naciones del área.[17] Así pues, el problema negro constituye, en numerosas ocasiones, uno de los focos centrales tanto de las creaciones culturales como de las investigaciones sociológicas y antropológicas. Los relatos de emancipación como la *négritude* y el *negrismo* intentan resolver dicha tensión desde una escritura sobre y a partir de la alteridad negra con discursos que dejan de representar al negro como un elemento exótico, y que reivindican el lugar debido en el imaginario por haber contribuido a la construcción de las identidades culturales. Consciente de ello, Alejo Carpentier ha dedicado, desde muy temprano, buena parte de su obra a los motivos temáticos de ascendencia africana transplantada en Cuba y en el Caribe: poemas, ballets, obras de teatro, relatos, novelas,

---

[15] Cf. Rogelio Rodríguez Coronel, *Ensayos críticos*, Panamá, Editorial Portobelo, 1997, p. 197.

[16] Fuera del poema dedicado al ciudad de Dakar (escrito durante una escala en 1925), África Negra no forma parte de las referencias de Jorge Luis Borges. Ni lo moreno ni lo africano forman parte de sus recurrentes fascinaciones como los espejos, los laberintos, la prosa de Stevenson, el traidor disfrazado de héroe, las tareas imposiblemente infinitas, los libros de arena, las bibliotecas fantásticas, la fluidez improbable del tiempo.

[17] Erwan Dianteill, *Le savant et le santero. Naissance de l'étude scientifique des religions afro-cubaines (1906-1954)*, París, L'Harmattan, 1995, p. 9.

reflexiones sobre la música. Por ello, en su aproximación estrecha entre la historia y la sociología de la cultura del Caribe, sus textos de ficción se pueden considerar como hechos estéticos con resonancias socio-históricas, antropológico-culturales que discuten marcos establecidos por la tradición y que proyectan nuevos marcos de experiencias históricas, representaciones transculturales y ansias humanas.

De *Écue-Yamba-Ó* (1932) –punto de partida de sus anhelos cubanos y caribeños– a *El reino de este mundo*, los personajes negros de Alejo Carpentier se proyectan en calidad de herederos y portadores vivos de la presencia africana transculturada en el Nuevo Mundo: por ejemplo para Menegildo, el protagonista de *Écue-Yamba-Ó*, Ti Noel (hilo conductor) y demás personajes de *El reino de este mundo*, la cultura de origen africano es una alternativa de resistencia que permite reafirmar una identidad negada frente a la cultura colonial o neocolonial dominante. Como relato iniciático, *Écue-Yamba-Ó* está situada, sin lugar a dudas, en la frontera del diálogo entre literatura y antropología por ofrecer (por mediación del texto) el imaginario sociocultural del negro cubano, sus mitos, sus costumbres, sus creencias mágico-religiosas, sus formas de sentir y de pensar. Esta primera novela publicada de Alejo Carpentier funciona como documento etnográfico —Carpentier asistió a una ceremonia de iniciación de los *ñáñigos*— por su lograda capacidad de representación transcultural y de particularidades socio-antropológicas de tradiciones de distintos orígenes: narraciones populares, mitos, leyendas, cuentos, canciones populares, suspersticiones, prohibiciones, valores éticos y religiosos, representaciones culturales negras de Cuba subyacen en el corpus de la novela. Se puede afirmar que en medio de las corrientes narrativas regionalistas de los años 30, *Écue-Yamba-Ó* es a la vez una novela de la transculturación por su "redescubrimiento" y apropiación de tradiciones cubanas de origen africano negadas hasta entonces en la cultura legítima, y también por su reelaboración en el tejido narrativo como material digno de ser objeto literario. Los procesos de *invención* y *selección* de dicha transculturación transcurren en los tres niveles enunciados por Ángel Rama: lengua, estructuración narrativa y cosmovisión. En lo que respecta a la *lengua*[18], Alejo Carpentier emplea,

---

[18] Sobre las particularidades lingüísticas en la narrativa de Alejo Carpentier, véase el artículo de Sergio Valdés Bernal. Cf. "Caracterización lingüística en Alejo Carpentier", Revista *Universidad de La Habana* (Cuba), 214, 1981, pp. 134-150.

a menudo, como en buena parte de las novelas regionalistas, peculiaridades sintácticas y léxicas del español de los negros de Cuba, español que difiere de la norma lingüística conocida o impuesta para expresar una identidad de grupo. Además, como en muchas novelas regionalistas de la época, *Écue-yamba-Ó* posee un glosario propuesto al final que corresponde al espíritu de entonces. En cuanto a la *estructuración literaria*, *Ecué-Yamba-Ó* responde a una narrativa crítico-social estructurada a partir de mitos de origen africano que definen los rasgos de los personajes. Además de la utilización del mito como armazón estructurador, la singularidad de *Écue-Yamba-Ó* radica en una simbiosis de los cultos afrocubanos, en la revelación del pensamiento mítico de los negros cubanos, en su confrontación con el mundo urbano, así como en la tensión entre tradición y modernidad, además de la resistencia colonial.

A partir de Menegildo y de su familia, *Écue-Yamba-Ó* está estructurada por una *cosmovisón* que privilegia las concepciones míticas de los personajes sincretizadas con las creencias católicas. El sincretismo de ambas visiones que impregna la conciencia mítico-religiosa rige la vida de los personajes de la novela, personajes que son configurados por restos de una dialéctica cultura-naturaleza que afirma una resistencia y afirmación de la ascendencia africana. Es cierto que *Écue-Yamba-Ó* refuerza, en cierta medida, algunos tópicos sobre los negros, en general, y, en particular, en la sociedad cubana en aquella época: un esencialismo negro, la reducción del negro a la música, la primacía de lo sensorial sobre lo racional, la impulsividad arraigada en la configuración de los personajes y la relación con la naturaleza. Pero como agente transculturador, Alejo Carpentier procura, en dicha novela, revelar el mestizaje de la sociedad cubana mediante la recuperación de las fuentes culturales y el papel de las comunidades rurales, sin olvidar la necesidad de entrar en la historia del Caribe y de Latinoamérica, objetivo que lograría en obras posteriores como *El siglo de las luces*, *Concierto barroco* y *La consagración de la primavera*[19].

_____

[19] "La identificación del protagonista con el campesino blanco cubano parte del reconocimiento de valores comunes, propios del sentimiento de nacionalidad, y es a la vez muestra de la importancia que Carpentier concede a componentes básicos de la cultura como la lengua y las costumbres". Cf. Margarita Mateo Palmer, "¡*Écue-Yamba-Ó*! y su contexto hispanoamericano y caribeño", Revista *Imán* (Cuba), II, 1984-1985, p. 131.

En *El reino de este mundo*, el mito es un relato de emancipación que aparece como referencia y mitificación de diversas instancias que amplían el plano simbólico de toda la novela. En ésta se independiza el mito (del vudú) que organiza la forma literaria y funciona, a la vez, como fuerza revulsiva que sirve de fundamento ideológico-religioso contra la esclavitud y opera a favor de la reivindicación histórica y social en el Haití del siglo XVIII. Así, en *El reino de este mundo*, la *realidad* se adquiere exclusivamente por *repetición* o *participación* en la Historia desde el mito, es decir, el mito configura la inteligencia histórica. Se puede afirmar, con Gilbert Durand, que en esta novela el mito "va por delante de la historia, da fe de ella y la legitima, del mismo modo que el Antiguo Testamento y sus "figuras" garantizan para el cristiano la autenticidad histórica del Mesías."[20] En el mismo orden de ideas, Mario Vargas Llosa[21] ha subrayado la habilidad narrativa de Alejo Carpentier legitimada a través de recursos retóricos –metonimia, elipsis, animación de lo animado, desplazamiento o juego entre objetividad y narración subjetiva, acumulación progresiva de detalles naturales, históricos y de caracterización de los personajes– que convierte a *El reino de este mundo* en un texto clásico en el que la inteligencia mítico-histórica nutre todas las formas posibles de resistencia para proyectos legítimos de emancipación humana.

Desde *El siglo de las luces* (1962), hasta *La consagración de la primavera* (1978) pasando por *Concierto barroco* (1974), lo "negro americano" en la narrativa de Alejo Carpentier no es una alternativa étnico-cultural que se opone a toda costa a la cultura europea o a cualquier otra cultura dominante o colonial en el Caribe. Los personajes negros representan y participan legítimamente en una nueva conciencia humana y sus diferentes formas culturales a partir, por ejemplo, del sincretismo de los bailes populares cubanos y el ballet en *La consagración de la primavera*. En *Concierto barroco*, la nueva conciencia se sustenta en la fusión de las músicas como factor de entendimiento humano, donde la música de los negros (a través de Filomeno) contribuye como un elemento más de un universal "concierto barroco" que aparece como metáfora de las posibi-

---

[20] Gilbert Durand, *De la mitocrítica al mitoanálisis. Figuras míticas y aspectos de la obra*, Barcelona, Anthropos, 1993, p. 33.
[21] Mario Vargas Llosa, Mario, "¿Lo real maravilloso o artimañas literarias?", Revista *Letras Libres* (México), II. 13, 2000, pp. 32-36.

lidades del encuentro de las culturas en el devenir de la Historia contemporánea.

DEL CARIBE A LA UTOPÍA TRANSCULTURAL

El Caribe, y las expresiones artísticas y literarias de sus diásporas
diseminadas por el mundo, comparten más allá de la balkanización,
más allá de las diferencias coloniales y la diversidad de lenguas, rasgos
comunes en torno a una intensa búsqueda identitaria desde la plantación como matriz social, cultural y económica fundadora de lo caribeño: persiguen una búsqueda angustiosa y angustiada de la memoria, de
la definición de los contornos de un lugar infinito, sin centro, que gira
en torno a una isla fragmentada pero a la vez única y diversa. Por ello,
entre las temáticas centrales de las literaturas caribeñas aparecen: la
lucha entre la memoria y la desmemoria, la dialéctica entre fundación y
origen, el intento de suplantación de Próspero por Calibán, el exilio y
su correlativa tensión entre arraigo y desarraigo, la diversidad étnica y
sus conflictivas relaciones, la creatividad en las pulsiones musicales, la
catarsis del carnaval, la dependencia colonial o neocolonial, la presencia del mar con sus imprevisibles huracanes, sus ciclones inesperados, su
prodigiosa fauna y flora. El fecundante y mágico mar caribeño no sólo
condensa olores, colores y sensaciones, sino que se vislumbra como un
compendio de una historia caribeña singular. La obra de Alejo Carpentier condensa estas angustias a partir de la inmersión en una cultura ori-
ginada en la plantación mediante el proceso de reconstrucción imprevisible de una memoria colectiva común marcada por la violencia estructural y por diferenciaciones simbólicas y étnicas.

Alejo Carpentier forma parte de lo que Ángel Rama llamó los
narradores de la transculturación, entre los cuales figuran, José María
Arguedas, Joao Guimaraes Rosa, Gabriel García Márquez y Juan Rulfo.
Su obra es confluencia de varias teorías y prácticas narrativas que funciona como un espacio de contacto y de conciencia donde la inteligencia mítica transculturada es parte de la heterogeneidad caribeña y latinoamericana. Sus aportaciones teóricas y novelescas, como la de otros
autores como Édouard Glissant, constituyen lo que Edward W. Said
llama, en *Cultura e imperialismo*, "nuevas e imaginativas reconceptualiza-
ciones de la sociedad y la cultura" que llevan implícitas un proyecto de

descolonización, de resistencia y de proyección de alternativas socioculturales e históricas novedosas. En esa concepción enmarcada en las
perspectivas poscoloniales, la literatura es uno de los vectores esenciales
que obliga al novelista caribeño a la función de descubridor y de explo-
rador, es decir, de emprender la búsqueda de las raíces, de desvelar la
fundación de las sociedades, de revelar la exploración de El Dorado y de
destacar su otredad caribeña a partir de la tensión permanente entre
"acá" (El Caribe), "allá" (Europa) y el "Gran-allá" (África). Por ello,
muchos novelistas consideran que la novela en el Caribe tiene una vocación de inventario de diversas modalidades vitales donde la realidad histórica linda con lo ficticio, y donde conviven de forma permanente lo
mítico, lo ir-real, lo objetivo y lo subjetivo para expresar los miedos y las
esperanzas de la colectividad.

Partiendo de una relación directa entre mito, religiosidad y política, de un concepto cultural de las razas, la obra de Alejo Carpentier destaca, entre otras, la idea de la ilustración y su repercusión en los procesos
sociales y políticos en el Caribe, la tensión entre centro y periferia, entre
sociedad colonial e impulsos de emancipación sobrepasando la configuración de los personajes más allá del arquetipo delimitado por la historia. Como dice el escritor mexicano Carlos Fuentes, "la obra entera de
Carpentier es una doble adivinación: a la vez, memoria del futuro y pre-
dicción del pasado".[22] En efecto, a partir de una especie de arqueología
de la memoria histórica, la novelística de Alejo Carpentier utiliza la literatura como mediación que favorece otras percepciones culturales por
encima de las representaciones exóticas del negro caribeño y la explotación de la ladera exótica de sus raíces africanas en Cuba y sus estereotipos inseparables del ron, el tabaco, la caña de azúcar o la salsa. De forma
general, su narrativa sugiere una poética que supere la exclusión o la
negación larvada o explícita de las culturas, en particular, de las culturas
negras, mediante una revitalización de una utopía aún posible y necesaria en la hibridación de historias, culturas e identidades en el Caribe.

El conjunto de su obra es un verdadero inventario ficticio de "principios y de fundaciones"[23] de lo caribeño y lo latinoamericano, diría

---

[22] Carlos Fuentes, *La nueva novela hispanoamericana*, México, Cuadernos de Joaquín Mortiz, 1969, p. 51.
[23] Roberto González Echevarría, *Alejo Carpentier: el peregrino en su patria*, México,
UNAM, 1993, p. 33.

Roberto González Echevarría. Es una creación que propugna la transgresión de la noción de cultura hegemónica, de historia eurocéntrica,
del tiempo único y evolutivo. Es un intersticio abierto de "representación y de representatividad"[24] de clases, de etnias, de identidades alternativas que tiene por finalidad desmontar prejuicios, desmitificar versiones legitimadas por la historia de los vencedores con el fin de mitificar
otras instancias culturales, históricas y humanas mediante un compromiso por "buscar y restaurar la especificidad del subalterno como sujeto
de la historia".[25] En ese sentido, las precursoras intuiciones de Alejo
Carpentier se cruzan con la *Poética de la relación* de Edouard Glissant.
Desde su primer ensayo, *Soleil de conscience* (1956) hasta *Traité du Tout-
Monde* (1997), Édouard Glissant augura un proyecto utópico fecundante que insiste sobre una conciencia intercultural inventiva y un acercamiento de las alteridades humanas, de las "diferencias, que al ajustarse,
oponerse y amoldarse desencadenan lo imprevisible"[26] en el encuentro
de lo Uno y lo Diverso. Más allá de los relatos ideológicos y totalitarios
heredados del historicismo etnocéntrico de Hegel y su proyecto de civilización de otras culturas, las prácticas literarias poscoloniales y el arte
de la traducción son espacios que favorecen la connivencia humana y la
conjunción de identidades variables, fragmentadas, más allá de culturas, etnias e Historias inventando identidades rizomáticas, abiertas, múltiples y alejadas de la identidad de raíz-única occidental. Para Édouard
Glissant, el fenómeno de la *criollización* vivido en el Caribe desde la llegada de los *migrantes desnudos* es el mismo que atraviesa el mundo contemporáneo. Por su imprevisibilidad y su capacidad de generar inéditos
encuentros con las culturas más alejadas, el *mundo se criolliza* y "exige
que los elementos heterogéneos concurrentes "se intervaloricen", es
decir, que no haya "degradación o disminución del ser, ya sea interno o
externo, en ese contacto o mezcolanza".[27]
    De *Écue-Yamba-Ó* hasta su última novela, *El arpa y la sombra*, la narra-
tiva de Alejo Carpentier lleva, implícitamente, la necesidad urgente de
una conciencia transcultural que tendría como fundamento básico, la

---

[24] John Berveley, "Introducción". *La voz del otro: testimonio, subalternidad y verdad
narrativa, Revista de Crítica Literaria Latinoamericana* (Perú), 36. 7-18, 1992, p. 7.
    [25] John Berveley, ob. cit., p. 9.
    [26] Edouard Glissant, ob. cit. p. 98.
    [27] Idem., pp. 20-21.

concepción de una cultura renovada, creadora, diversa e integradora de modalidades provenientes de distintos horizontes haciendo de la humanidad un verdadero "concierto barroco", sin dejar de vehicular una utopía posible. Una utopía que cristaliza diversas poéticas culturales sustentando un espacio inédito de connivencia, de conocimiento y de intercambio de memorias sin diferenciación de etnias, culturas e historias. Desde el concepto de *transculturación* –entendido como vocablo epistemológico que implica traslado, movimiento, dinamismo, transferencia creativa y resultado imprevisible de costumbres, valores y usos– su evolución narrativa profundiza en la necesidad de una conciencia de experiencias históricas híbridas que amplían un imaginario intercultural renovado que trasciende el *racialismo*, las violencias étnicas y los fundamentalismos religiosos, prefigurando otras configuraciones identitarias y representaciones transculturales sin esencialismo ni exclusivismo.

El siglo de las luces muestra el fracaso de la utopía de la Razón, del Progreso, de la Ilustración y de la Emancipación humana de la revolución francesa del siglo XVIII. La novela es una crítica de la revolución de las luces, posible "centro solar de aspiraciones" humanas como diría Carlos Fuentes, es decir, una revolución que debía ser compartida por todos los seres humanos y liberar la humanidad de las fuerzas retrógradas y del oscurantismo. Pero dicha revolución, en su praxis, niega su propia proyección de emancipación negando, por ejemplo, entre otros, la Revolución Haitiana emprendida por esclavos y su trascendencia en el Caribe y en América Latina. A la luz de esta novela, el conjunto literario de Alejo Carpentier se vislumbra como una perpetua angustia de emancipación humana que intenta resolverse a partir de la tensión entre hegemonía cultural e histórica de Occidente, historias de resistencias poscoloniales, épica y destino de colectividades dominadas que despliegan el mito como autoconciencia de la necesidad de cambios históricos y sociales. En este proyecto de emancipación humana, la literatura – y otras artes– aparece como fecundo relato que sugiere un inédito marco intercultural y ecuménico abierto a la contemporaneidad, a la modernidad, y al encuentro global de culturas.[28]

---

[28] Estas propuestas precursoras de Alejo Carpentier con otros teóricos del encuentro y cruces de culturas en el marco de un debate cada vez más necesario e inevitable en nuestros días. Entre otros autores que han reflexionado sobre esta temática

Bibliografía

ACHÚGAR, HUGO. 1992. "Historias paralelas/historias ejemplares: la historia y la voz del otro". *La voz del otro: testimonio, subalternidad y verdad narrativa*. *Revista de Crítica Literaria Latinoamericana* (Perú), 36. 21-49.

AÍNSA AMIGUES, FERNANDO. 1996. "Nueva novela histórica y relativización del saber historiográfico". Revista *Casa de las Américas* (Cuba), 202. 9-18.

BAJTIN, MIJAIL. 1987. *La cultura popular en la Edad media y el Renacimiento*. Barcelona: Alianza.

BASTIDE, ROGER. 1969. *Las Américas Negras: las civilizaciones africanas en el Nuevo Mundo*. Madrid: Alianza Editorial.

BENÍTEZ ROJO, ANTONIO. 1998. *La isla que se repite. El Caribe y la perspectiva posmoderna*. Barcelona: Casiopea.

BERNABÉ, JEAN, CHAMOISEAU PATRICK Y CONFIANT RAPHAËL. 1989. *Éloge de la créolité / In Praise of Creoleness*. París: Gallimard. Edición bilingüe. Trad. inglesa de M.B. Taleb - Khyar.

BUENO, SALVADOR. 1986. *El negro en la novela hispanoamericana*. La Habana: Editorial Letras Cubanas.

CABRERA, LYDIA. 1992 [1954]. *El Monte*. Miami: Ediciones Universal.

CARPENTIER, ALEJO. 1983 [1933]. *Écue-Yamba-Ó*. México: Siglo XXI editores. T. I.

————. 1983 [1949]. *El reino de este mundo*. México: Siglo XXI editores. T. II.

————. 1983 [1954]. *Los pasos perdidos*. México: Siglo XXI editores. T. II.

————. ALEJO. 1990 [1962]. *El siglo de las luces*. México: Siglo XXI editores. T. V. 3ª ed.

————. 1990 [1974]. *Concierto barroco*. México: Siglo XXI editores. T. IV. 3ª ed.

————. 1990 [1979]. *El arpa y la sombra*. México: Siglo XXI editores. T. IV. 3ª ed.

————. 1996 [1978]. *La consagración de la primavera*. México: Siglo XXI editores. T. VII. 7ª ed.

————. 1996 [1958]. *Guerra del tiempo*. México: Siglo XXI editores. T. VII. 7ª ed.Carpentier, Alejo. 1991. *Conferencias*. México: Siglo XXI editores. T. XIV.

————. 1990. *Ensayos*. México: Siglo XXI editores. T. XIII.

————. 1975. *Entrevistas*. La Habana: Editorial Letras Cubanas.

————. 1981. *La novela latinoamericana en vísperas de un nuevo siglo y otros ensayos*. México: Siglo XXI editores.

CORNEJO POLAR, ANTONIO. 1996. "Mestizaje, transculturación, heterogeneidad". *Asedios a*

destacan: Claudio Guillén en *Entre lo Uno y lo Diverso* (Barcelona, Crítica, 1985) y en *Múltiples moradas* (Barcelona, Tusquets, 1998), Tzvetan Todorov en *Cruce de culturas y mestizaje cultural* (Madrid, Júcar, 1988), Néstor García Canclini en *Culturas híbridas* (México, Grijalbo, 1989), Léopold Sédar Senghor en *Diálogos de las culturas* (Bilbao, Mensajero, 1995), Édouard Glissant en *Poétique de la Relation* (París, Gallimard, 1990), James Clifford en *Dilemas de la cultura* (Barcelona, Gedisa, 1995) y Edward W. Said en *Cultura e imperialismo* (Barcelona, Anagrama, 1996).

la heterogeneidad cultura. Libro de homenaje a Antonio Cornejo Polar. Eds. José Antonio Mazzotti y U. Juan Zevallos. Philadelphia: Asociación Internacional de Peruanistas. 493-512.

CHAMOISEAU, PATRICK y CONFIANT, RAPHAËL. 1999. *Lettres créoles. Tracées antillaises et continentales de la littérature*. París: Gallimard.

DELEUZE, GILLES y GUATTARI, FÉLIX. 1988. *Mil mesetas: capitalismo y esquizofrenia*. Valencia: Pre-textos.

DURAND, GILBERT. 2000. *Lo imaginario*. Barcelona: Ediciones del Bronce.

DIANTEILL, ERWAN. 1995. *Le savant et le santero. Naissance de l'étude scientifique des religions afro-cubaines (1906-1954)*. París: L'Harmattan.

————. 2000. *Des Dieux et des signes: initiation, écriture et divination dans les religions afro-cubaines*. París: Éditions de l'École des Hautes Études en Sciences Sociales.

ELIADE, MIRCEA. 2000a. *El mito del eterno retorno*. Madrid: Alianza.

FERMOSELLE, RAFAEL. 1998. *Política y color en Cuba: la guerrita de 1912*. Madrid: Editorial Colibrí.

FERNÁNDEZ FERRER, ANTONIO. 1998. *La isla infinita de Fernando Ortiz*. Alicante: Instituto de Cultura "Juan Gil-Albert".

FERNÁNDEZ RETAMAR, ROBERTO. 1973. *Calibán. Apuntes sobre la cultura de nuestra América*. Buenos Aires: La Pléyade.

FUENTES, CARLOS. 1969. *La nueva novela hispanoamericana*. México: Cuadernos de Joaquín Mortiz.

GIRARD, RENÉ. 1995. *La violencia y lo sagrado*. Barcelona: Anagrama.

LAVOU ZOUNGBO, VICTORIEN (Ed.). 1997. *Los negros y el discurso identitario latinoamericano*. Revista *Marges* (Universidad de Perpignan, Francia), 18.

LÉVI-STRAUSS, CLAUDE. 1968. *Antropología estructural*. Buenos Aires: Editorial Universitaria de Buenos Aires.

GLISSANT ÉDOUARD. 1990. *Poétique de la Relation. Poétique III*. París: Gallimard.

————. 1996. *Introduction à une poétique du divers*. París: Gallimard. [*Introducción a una poética de lo diverso*, Barcelona, Ediciones del Bronce, 2002. Trad. de Luis Cayo Pérez Bueno]

————. 1997 [1956]. *Soleil de conscience. Poétique I*. París: Gallimard. [*Sol de la conciencia*, Barcelona, Ediciones del Cobre, 2004]

————. 1997 [1969]. *L'intention poétique. Poétique II*. París: Gallimard.

————. 1997 [1981]. *Le discours antillais*. París: Gallimard.

————. 1997. *Traité du Tout-Monde*. París: Gallimard.

GONZÁLEZ ECHEVARRÍA, ROBERTO. 1993. *Alejo Carpentier: el peregrino en su patria*. México: UNAM.

HULME, PETER. 1996. "La teoría postcolonial y la representación de la cultura de en las Américas". Revista *Casa de las Américas* (Cuba), 202. 3-8.

MÁRQUEZ RODRÍGUEZ, ALEXIS. 1984. *Lo barroco y lo maravilloso en la obra de Alejo Carpentier*. México: Siglo XXI editores.

————. 1992. *Ocho veces Alejo Carpentier*. Venezuela: Grijalbo.

MIAMPIKA, LANDRY-WILFRID. 1997. "Ficción y mitos de origen africano en *Écue-Yamba-Ó* y

El reino de este mundo" de Alejo Carpentier". Revista *Estudios de Historia social y económica de América* (Universidad de Alcalá, España), 15. 309-328.

————. 2000. "Poéticas de la Relación: *diversalidad* y literatura". *Teorías postcoloniales*. Eds. Ana Bringas y Belén Martín. Vigo: Universidad de Vigo. 25-34.

————. 2001. "Détours caribéens: résistance, mémoire et créolisation". *Las Casas frente a la esclavitud de los negros: visión crítica del Undécimo Remedio (1516)*. Ed. Victorien Lavou. Revista *Marges* (Universidad de Perpignan, Francia), 21. 265-286.

MORENO FRAGINALS, MANUEL. 1999 [1983]. *La Historia como arma y otros estudios sobre esclavos, ingenios y plantaciones*. Barcelona: Editorial Crítica.

ORTIZ, FERNANDO. 1940. *Contrapunteo cubano del tabaco y el azúcar*. La Habana: Jesús Montero Editor.

PAGEAUX, DANIEL-HENRI. 1988. "Images noires de l'Amérique Latine ". Revista *Notre Librairie* (Francia), 91. 58-65.

————. 1984. *Images et mythes d'Haïti, Carpentier, Dadier, Césaire*. París: L'Harmattan.

SOSA RODRÍGUEZ, ENRIQUE. 1982. *Los ñáñigos*. La Habana: Casa de las Américas, 1982.

RAMA, ÁNGEL. 1989 [1982]. *Transculturación narrativa en América Latina*. Montevideo: Fundación Ángel Rama.

VARGAS LLOSA, MARIO. 2000. "¿Lo real maravilloso o artimañas literarias?". Revista *Letras Libres* (México), II. 13: 32-36.

VV.AA. 1997. *Postcolonialisme. Décentrement, déplacement, dissémination*. Revista *Dédale* (Francia), 5-6.

Edipo a la búsqueda de la historia en la obra de Alejo Carpentier

INMACULADA LÓPEZ CALAHORRO
Universidad de Jaén

Edipo a la búsqueda de la historia o Edipo a la búsqueda del tiempo en la obra de Alejo Carpentier, ambos títulos se comprenden en el análisis de la obra del cubano. De este modo también recordaríamos el libro de Philippe Ariès, *El tiempo de la historia*, de mediados del XX, y que manifiesta una necesidad de amistad con la historia, propugnando "la simultánea comprensión de la originalidad radical de su tiempo y de las supervivencias aún presentes en una sociedad que es la suya" (Ariès, 1988: 18). Esta visión de la historia permite distinguir las singularidades de las distintas sociedades a la vez que ayuda a comprender el porqué del presente. Como acaba afirmando el autor en su último capítulo titulado "La historia de la cultura moderna", resulta que "a una civilización que elimina las diferencias, la Historia tiene que devolverle el sentido perdido de las peculiaridades" (Ariès, 1988: 278).

La obra de Alejo Carpentier está plagada de dualidades. El tiempo se hace tiempo del hombre y tiempo de la historia[1], del mismo modo que en constante relatividad andan los términos de civilización y barbarie, acción y contemplación, mito e historia o cultura y naturaleza. Tales dualidades se conectan con la dualidad física de Europa y América, asimilada a la dialéctica acá / allá, y, quizá a la de su propia figura, definido como el autor *in-between* (De Maeseneer, 2003: 349), y que también responde a la comparación implícita con otro autor de dualidad geográfica e idiomática como es Plutarco (López Calahorro, 2001: 335). Bajo los efectos de esta dualidad personal, vemos otras dualidades históricas, como aquella que enfrenta al más puro clasicismo el arcaísmo griego. Son, por ejemplo, los textos mutilados y enigmáticos de los compañeros del protagonista de "Derecho de asilo", recordados desde su prisión que

---

[1] Recordemos el siguiente texto del autor: "hay un inconciliable desajuste entre el tiempo del Hombre y el tiempo de la Historia. Entre los cortos días de la vida y los largos, larguísimos años, del acontecer colectivo" (Carpentier, 1993: 83)

lo aísla de la historia colectiva, teniendo a la vista el fijo y parmenidiano Pato Donald de la "Ferretería-Quincalla de los Hermanos Gómez".

En dos aportaciones recientes al imaginario carpenteriano he considerado que en esta dualidad se visualiza el dualismo estoico heredado de Heráclito, en la que se pone de relieve la atracción por la tensión de los contrarios como instrumento de recuperación de la armonía universal. En esta tensión tiene cabida tanto la guerra como el fuego, que bien trasladará el autor cubano a los enfrentamientos protagonizados por la dualidad de los protagonistas de sus obras, cuyo punto más álgido se materializará en las luchas de la calle de episodios históricos fundamentales para la historia de la humanidad. Los dos tiempos, el de la historia y el del hombre, están en la dualidad de las aguas de Heráclito, siempre semejantes y diferentes a un tiempo, eterna presencia de la diferencia y la semejanza.

Y bajo esta dualidad, Alejo Carpentier cuestiona la esencia humana. Lejos de provocar en todos los casos una constante universal, aleja al hombre de la posibilidad de repetirse. Para ello el argumento más claro es el uso de los célebres contextos. Contextualizar al hombre significa, al menos en principio, dotarlo de un espacio y un tiempo, que deben considerarse en todos los casos, irrepetibles. Para el estoicismo la esencia humana es la misma. Es el alma universal que hace del hombre un ciudadano del mundo, integrado en la naturaleza. Pero la tensión procede de una asunción cultural, que es su compromiso con la sociedad, un compromiso con la polis que se entiende en términos de tarea u oficio. Dicho de otro modo, es el deber de ejecutar la acción. El hombre, igualado por su esencia, se diferencia por la ocupación u oficio que debe ejecutar. De nuevo se trata de una dualidad, que somete a una tensión al individuo, y que no deja de traducirse en esa tensión más amplia que ha interesado a la literatura occidental desde sus inicios con Homero, la tensión cultura y naturaleza.

En todo este juego, de dialécticas y de dualidades irresolubles, seguimos insistiendo que en Alejo Carpentier es crucial la mirada hacia el Mundo Clásico y que pude interpretarse en los términos que señala Elina Miranda (2003: 134), de modo que se "evidencia en verdad el afán de una justa recepción y su propuesta deviene vía de recuperación de los 'respetados', pero arrinconados textos clásicos", y que permite este diálogo desde el presente con la historia. En esta relación se percata de cómo el texto clásico y la realidad se iluminan mutuamente (ibid.). Pero cabe también la diferencia, la que distingue ambas realidades, bajo la premisa de que la *historia* se superpone a lo mítico. El texto clásico es utilizado pero desde una "justa recepción" que, en otros términos, *recontextualiza* lo heredado. Este juego con los textos hace de la intertextualidad algo más que un simple recurso. Los intertextos que jalonan el entramado carpenteriano brotan desde la profundidad de la escritura del siglo XX poniendo en juego conceptos y modelos literarios que evidencian la profundidad de su tratamiento, desde las coordenadas de un lector-escritor único. Por poner un ejemplo, sin duda puede observarse la relación del cubano con uno de los textos fundamentales de la literatura occidental, las *Geórgicas* de Virgilio. En una crónica de Alejo Carpentier de 1928 (*Carteles*, 7 de octubre de 1928) nos transcribe el autor las palabras del "gran director Eisenstein con motivo del estreno de su película *La línea general*:

> Es éste el primer cuadro monumental, basado en los documentos campesinos y agrícolas, que realiza el cine [...] No vamos a pintar una lucha con cañones, banderas al viento, y caballería haciendo temblar la tierra. ¿Acaso conoce el Occidente los resultados que hemos obtenido en el frente pacífico interior? ¿Oyó hablar alguna vez del heroísmo de las primeras ofensivas de los pioneros de la revolución agrícola? Después del patetismo de la gran lucha, después del incendio y la rebelión, he aquí la vida cotidiana del campesino, el establo, las lecherías [...] Hacer venerar las estadísticas de tropeles mugientes, las selecciones de granos; ésa es la labor que nos hemos impuesto [...] Crece el centeno; se percibe el perfume de la savia de los pinos; la tierra ha sido labrada bajo el sudario de una primera nevada [...] ¡La época del vapor y la electricidad se inaugura!... Corren diez, cien arados mecánicos [...] ¿Qué emoción queréis que sintamos, después de esto, por la *Canción de Rolando*?

Finalmente concluye Carpentier: "¿Si Virgilio reviviera en nuestro siglo, y fuera *cineasta*, no serían estos sus ideales?...".

La importancia de los textos clásicos es, por consiguiente, fundamental en el análisis de los textos de Alejo Carpentier. Pueden quedar citados, formando parte de ese cúmulo erudito que el escritor poseía, casi inagotable. Pero hay también, junto a este gran bagaje intelectual, el reposo del pensamiento clásico que permite el análisis de la realidad desde el diálogo con el pasado. Eso nos ocurre con el libro de Virgilio *Geórgicas*, el libro de la vida cotidiana del campesino, el que vive tranquilo mientras César realiza la lucha a lo lejos. En *El reino de este mundo* hay una convergencia y una divergencia a un tiempo con respecto a *Geórgicas*: la que encuadra al hombre en el espacio de la naturaleza cultivada por la mano del hombre y la que lo introduce en la propia lucha, respectivamente. En la misma línea de coincidencias hay dos ámbitos que se contraponen: el de la naturaleza y el de la ciudadela como espacio artificial y de cemento creada por el también artificial Henry Christophe. Frente a la obra de Virgilio, el espacio y la acción propia del César son invadidas por quien en principio está en el otro lado, justamente el esclavo. De este modo Alejo trasgrede el espíritu de *Geórgicas*. Y lo hace desviándose del modelo, para burlarse en primera instancia del lector-receptor. Es una práctica que podemos advertir desde la ironía de la Rosario-Penélope de *Los pasos perdidos* a la Sofía que deja de ser Ulises o Eneas para convertirse en otra cosa. Se trata de la ironía de la inversión, que atrae en más de una ocasión al escritor cubano.

Esta relación con el modelo clásico de trasgresión en unos casos, de ironía en otros, no obstante, tiene siempre un claro componente de fidelidad. La esencia del pensamiento clásico llega a la literatura de Carpentier adaptando el texto de Aristóteles que define la tragedia: "no es la imitación de los seres humanos, sino de la acción y de la vida" (*Poética* 1450a 16). El carácter vendrá después de la reivindicación del mito y del pensamiento. De este modo, explicamos por qué los personajes carpenterianos ni se definen "por apetencias particulares, ni [...] por una canalización de las emociones y actitudes a través de una desviación corporal. Representan papeles, como es el caso del Primer Magistrado o del Amo mexicano; simbolizan un colectivo –el de los negros– como Menegildo y Ti Noel [...]. Sólo son funciones" (De Maeseneer, 2003: 67). La confluencia de esta forma de mostrar a los personajes, representando papeles, como si fueran símbolos, junto con esa constante referencia a las representaciones de tragedias (que tenía su realidad en las representaciones que se hacían en la colina de la Universidad), tiene en Víctor Hugues su muestra más elocuente. Como si fuera un simple esclavo del destino, exclama a Sofía que "Me faltaba representar un papel: el de ciego. En él estoy ahora" (Carpentier, 1989: 400). Sobre la representación de los papeles como actores, hay dos aspectos reseñables: por un lado la relación con el concepto del mundo como teatro (Collard, 1986: 512), pero también con la filosofía neoestoica, en concreto la de Epicteto, por la que cada hombre debe cumplir con su tarea. Y esta tarea tiene que ver con un demiurgo que reparte los papeles[2]. El teatro tiene, por consiguiente, un peso enorme en la obra de Alejo, puesto que no es simplemente metáfora de una representación circunstancial, sino una representación de la esencia humana, inalienable. Las tragedias griegas entran de este modo de lleno en medio de la naturaleza de *Los pasos perdidos* con la puesta en escena de *Las troyanas* que manifestaban su esencia milenaria en comunión con otros ritos.

Al estar desprovistos los personajes de caracterizaciones que abunden en su descripción psicológica, sólo podemos distinguirlos por el resultado de sus acciones. Esto permite una objetividad en la observación, sin prejuicios de conductas ni de valores previos. Tan importante es la observación que incluso los personajes serán sometidos a esta posibilidad de conocer externamente su obra, como si fueran auténticos espectadores que pueden comprobar sus representaciones. De este modo cobra especial fuerza la frase anteriormente citada que exclama Víctor Hugues, sobre ese último papel que le quedaba por representar. Es ejemplo de la toma de conciencia, o lo que es lo mismo, la reivindicación de que el fin de la obra carpenteriana es el conocimiento.

La relación con el mundo clásico, por consiguiente, puede traducirse en la creación de estos personajes que interactúan a través de acciones absolutamente objetivas, provocadas por los viajes o por situaciones especialmente épicas, como son las confrontaciones de la historia. La épica se entiende, consecuentemente, en su estado más originario, en el de la objetividad de la narración. Son situaciones que sirven de excusa para comprobar cómo los distintos personajes se adaptan, qué opciones eligen y hacia dónde acaban por dirigirse[3]. El espacio físico acá/allá es, por consiguiente, algo más que un motivo vindicador de opciones diferentes de existencia. Es una dualidad más siempre relativa, porque en ningún caso los personajes son mejores o peores por su relación con un espacio concreto, sino por su capacidad de concluir su elec-

---

[2] "Recuerda que eres el actor que quiera el autor, si quiere una pieza corta, de una pieza corta, si una larga, de una larga; si quiere que representes a un mendigo, represéntalo con talento; si quiere que hagas de cojo, de magistrado o de hombre común, esto te corresponde a ti, representar bien el papel que se te ha asignado; en cambio, escogerlo, es propio de otro" (Epicteto, *Manual* XVII)

[3] Es el tema del *bivium* (Florio, 1998: 182)

ción a partir de una observación previa que les permite acabar actuando. Creo que puede explicarse suficientemente de este modo el contenido épico en Alejo Carpentier, como una incitación a la acción posterior derivada de la observación de la realidad.

Del mismo modo que es relativa la dualidad acá / allá, también lo es la dualidad mito / historia. En todo caso, los límites entre el mito y la historia no son claramente distinguibles. De hecho, en principio el término *mythos* significaba cualquier relato, como el término *epos* significaba, simplemente *palabra*. Esta es, entre otras causas, una de las razones por las que no hay claras ni definitivas diferencias entre el discurso heredado por la tradición y el averiguado por la investigación, pues fácilmente "la historia se convierte en mito o el mito se transforma en narración histórica" (Alvar, 2002: 11).

Fundamental en la obra carpenteriana es, por consiguiente, la relación entre la historia y el mito. El mito es siempre recuperable por lo que tiene de universal, mientras que la historia instala al hombre en la conciencia del tiempo. Es fácil la trasgresión entre el mito y la historia, de modo que tal error actúa e incide sobre el comportamiento humano. Eludir la diferencia propiciada por la ubicuidad temporal y espacial deviene en conflictos, pues "los más agudos problemas culturales e incluso políticos [...] se plantean por [...] querer prolongar la mitología de una parte, o por querer aceptar de otra que el más hermoso de los mitos es aquel que, sin renunciar a la larga historia del descubrimiento de sí mismos, nos vuelve otra vez a situar –pero como hombres– en la naturaleza" (Lledó, 1996: 38).

Coincidentemente, en la obra de Alejo Carpentier los conflictos humanos se producen, en general, en este marco descrito por el filósofo español, es decir, donde o bien hay personajes que quieren prolongar la mitología o bien querer estar en el ámbito de la naturaleza pero siendo ya hombres. De este modo tan sencillo podemos recordar al protagonista de *Los pasos perdidos*, pretendiendo volver al espacio natural, considerándose a sí mismo un Ulises de una Penélope que sólo lo ha sido en función de un concepto adquirido por un libro. Podríamos plantearnos, en este sentido, cuáles habrían sido los pensamientos del protagonista de no haber tenido la lectura de la *Odisea*, es decir, si habría fallado en su viaje y regreso de no haber estado contaminado no ya por la cultura occidental que representa, sino por la ilusión de un mito. La tensión es más patente aún en *El reino de este mundo*, o en *Concierto barroco*, pues los mundos opuestos, llevados al contraste del color de los personajes, ejercitan continuamente la dialéctica cultura y naturaleza casi sinónimo de mito e historia. Pero estamos en principio ante una tensión irresoluble, dado que en el tiempo de la historia no puede darse ya la naturaleza, sino que todos los personajes presentados están contaminados por la cultura. Por eso los personajes más puros, como pueden serlo Filomeno, el descendiente del "negro Salvador"), los negros de *La consagración de la primavera*, o Ti Noel, no pueden escapar de su naturaleza ya transformada. El ser descendiente del personaje del poema épico, actuar en la danza importada por una rusa, o cultivar los campos y sacar el ganado son simples argumentos que impiden a sus poseedores representar una naturaleza sin estar sometida a la cultura. El conflicto en ningún caso puede resolverse, y he aquí que el planteamiento de irresolución nos acerca al final de la tragedia griega. No es posible, ni interesa ponerlo de manifiesto, tener un final feliz, aun cuando se considere que parte de las obras de Alejo están connotadas de pesimismo y otras de optimismo. Todas, en cambio, y creo que es posible distinguirlo en todos lo casos, están determinadas por la capacidad de lucidez de sus personajes, como única solución plausible. Sólo quienes pueden transformarse y dar muestras de evolución son quienes comprenden su esencia que se traduce en términos de lucidez. Por esto, aunque en principio parece que no le interesa una caracterización completa de los personajes al autor cubano, en cambio, sí hay un claro interés por manifestar la esencia humana desde la esencia clásica, describiéndose en términos de 'lucidez' o conocimiento.

La lucidez se relaciona con uno de los grandes mitos griegos que es Edipo. En el juego dicotómico carpenteriano es posible constatar la oposición al término con la presencia de la oscuridad. El siglo de las luces es el siglo que sale de la oscuridad de la humanidad, pero también hay otras citas en la obra de Alejo que manifiestan su importancia. Una especialmente significativa está en la inversión de la lucidez y que es el verso de *Ilíada* I, 48 con el que se da título al relato "Semejante a la noche". La noche es la inversión del día, pero también la oscuridad de la cólera del dios luminoso Apolo, como la cólera inicial de Aquiles, pues la diosa de la ceguera, Ate, pone un velo a la razón-luminosidad de los hombres. Es una ceguera externa, y por ella tienen lugar miles de versos de la *Ilíada*. Frente a este inicio el final de la obra de Homero se cierra con una conciliación final entre el héroe griego y el padre del troyano muerto lamentando ambos que la lucha sólo engendra dolor. Por esta razón este libro de Homero se toma como fundamento de la tragedia. En él no hay final feliz, sino una unión en la conmiseración humana y, cómo no, la lucidez de aquella conclusión.

Las guerras se suceden y desde el comienzo de la literatura occidental con el libro de Homero hasta la contemporaneidad del autor cubano, todo parece repetirse. Es "la inmutabilidad de ciertos sentimientos humanos y de ciertos comportamientos del hombre" (Chao, 1985: 109) como el propio Alejo confirma. No obstante, hay también un elemento añadido, y muy significativo cuando se trata de la primera obra de nuestra literatura, y es la defensa de la historia frente al mito. Desde aquí se preludia la lucidez de los personajes carpenterianos, traducida en términos de conocimiento. El personaje inicial evoluciona desde su creencia de que va a defender a la hermosa Helena, a la constatación de que es la búsqueda de nuevas rutas de comercio lo que hace al hijo del talabartero, como a los distintos soldados de la historia, luchar siguiendo a los grandes héroes. De alguna manera traslada Carpentier al inverso héroe de la *Ilíada* la constatación de la primera obra de Historia, en sentido moderno, de la literatura occidental: *La guerra del Peloponeso* de Tucídides. Para constatar que lo acaecido corresponde, en términos tucididianos, a *la causa más verdadera*, Carpentier ha escogido a un hijo de talabartero, convertido posteriormente en soldado, y sólo a través de la observación de sus ojos inversos los lectores tenemos la oportunidad de comprobar que la historia se impone al mito. Pero la transformación de la concepción de la realidad en el hijo del talabartero, que va del mito al logos, se entiende en una inversión hacia la lucidez con respecto al título, la del conocimiento. Para tener lucidez, podríamos concluir, hay que *caer* en la decepción que el discurso razonado impone a la naturaleza que se eleva como mítica. El ser humano, con su tiempo y su historia, con su conocimiento lúcido aunque desdichado, es el gran descubrimiento del pensamiento clásico. En la caída hacia la historia, mejor dicho aún, en la necesidad de esta caída, el mito de Edipo, más hombre que mito, dibuja, desde el imaginario clásico, este viaje hacia el pasado. Conocer el pasado, es decir, la propia historia, es lo único que permite al hombre la lucidez. Y esto, además, es más importante cuando el mito se refiere a un personaje que puede considerarse paradigma de la trasgresión como es Edipo.

EL EJEMPLO DE UN MITO EN BUSCA DE SU HISTORIA: EDIPO

Citando en otro lugar a Sergio Eisenstein (Chao, 1985: 9-10), Alejo recuerda que "si te pones a ver, poco nuevo se ha dicho desde *La Odisea* de Homero. Lo que ha variado es el orden de relación de los acontecimientos, sus significados –de lo personal a lo colectivo–, su dimensión histórica". El mito de Edipo, que en este caso nos ocupa, también está en la *Odisea*, concretamente en el capítulo destinado al *descensus ad inferos* de Odiseo (*Odisea* 11, 271-280). Allí nos cuenta Odiseo que se encontró con la madre de Edipo, conocida entonces con el nombre de Epicasta[4]. De ella nos cuenta que bajó al Hades después de suicidarse dejando a su hijo numerosos dolores para el futuro.

Transgredir es superar un espacio ajeno violándolo, rompiendo sus fronteras legítimas, y provocando en todos los casos una consecuencia negativa, como resultado de un error. La trasgresión es sinónima en cierto modo del término griego *hybris*. Si hablamos de la trasgresión de espacios, como es ocupar el espacio público y privado ajenos, así como la del tiempo, el modelo mítico que nos sirve de referente, sin duda alguna, es Edipo. Edipo es un ejemplo único del más absoluto de los desórdenes.

Como señalábamos al principio, Edipo está de distintos modos en algunas novelas de Alejo Carpentier. En *El acoso* hay una clara presencia de elementos arquitectónicos, como "partenones enanos, templos griegos de lucetas y persianas", "desorden de columnas que mal paraban a un dórico en los ejes de una fachada", "cariátides desnarizadas", "vasos romanos" (Carpentier, 1992: 51), y "metopas en los balcones, frisos que corrían de una ojiva a un ojo de buey, repitiendo cuatro veces, lado a lado, en fundición vendida al metro, el tema de la Esfinge interrogando a Edipo" (ibid.: 51-52). El motivo de la Esfinge reconduce un mito que en principio no forma parte de la estructura de este relato cuyo origen son las *Coéforos* de Esquilo[5]. El mito de Edipo, no obstante, ocupa un

---

[4] Posteriormente se conocerá como Yocasta
[5] Los dos modelos en principio son las *Coéforos* de Esquilo y la *Electra* de Sófocles

lugar importante no sólo en esta obra de Alejo, sino en el conjunto de su obra. En el caso concreto de *El acoso* se deja ver una confusión de papeles de las tragedias. Quien se cree Orestes vengador y que puede ser perdonado por las Furias,[6] es un Edipo condenado a su destino de parricida involuntario. Confundiéndose con un héroe de tragedia, el personaje es un terrorista que se descubre como "bachiller de provincia", que lo sabe después de que "por tres días, hubiera bajado a los infiernos" (ibid.: 58). Pero el protagonista nunca llega a ser consciente de que ha asumido una función, un papel, que no le corresponde, como ser rey cuando no se debe ser. Ésa es su tragedia y por eso debe ser eliminado.

La relación más significativa con el mito de Edipo viene a través de una frase que, en forma de coro, se pronuncia en la novela: "*Era necesario* -dicen todos, con la conciencia en diálogo, buscándose en la Historia" (ibid.: 114). La Historia introduce al hombre en el orden de la conciencia y del conocimiento, en el orden del hombre que se debe al tiempo. Es un orden obligatorio, como el concepto *ananke* (necesidad) que persiste en la tragedia de Esquilo. Pero recordando la diferencia que Carpentier propugnaba entre tiempo de la historia y tiempo del hombre, podríamos hacer una exégesis mayor sobre el tiempo del hombre, y para ello considero sugerente analizarlo en función de lo que podemos distinguir como los tiempos de Edipo, que serían, el tiempo de la espera, el del observador, el de la lucidez y el de la inversión.

1. *El tiempo de la espera*

> Cuatro años duró la ansiosa espera, sin que los oídos bien abiertos desesperaran de escuchar, en cualquier momento, la voz de los grandes caracoles que debían de sonar en la montaña para anunciar a todos que Mackandal había cerrado el ciclo de sus metamorfosis, volviendo a sentarse, nervudo y duro, con testículos como piedras, sobre sus piernas de hombre (Carpentier, 1995a: 35)

En Edipo, hay un tiempo de la espera. Se trata del que antecede a la llegada de Creonte del oráculo de Delfos. La obra comienza *in media*

---

[6] Aunque no es el personaje consciente de esta posibilidad de semejanza, sino el lector, pues en ningún momento sabemos que este personaje tenga competencia sobre los textos griegos, a diferencia del protagonista de *Los pasos perdidos*.

res cuando Edipo recibe en el palacio a un grupo de jóvenes y ancianos suplicantes. La ciudad, mientras tanto, "rebosa toda a la vez de incienso y toda a la *vez* de peanes y lamentos" (vv. 4-5). La peste se ha adueñado de la ciudad de Edipo, que como salvador de la misma a manos de la Esfinge, es el que *debe* encontrar la solución al *miasma*. Su inquisición a partir de este momento detiene el tiempo de la ciudad, a la espera de esta revelación que le devuelva el ritmo. Ha habido así un tiempo de la espera, el que corresponde al tiempo del viaje (vv. 74-75) hacia el oráculo y que debe concluir en el momento en que empieza la tragedia. Por eso exclama Edipo: "Y al darse la circunstancia de que el tiempo ya transcurrido hasta hoy se ajusta a la teórica duración del viaje, me preocupo pensando en qué negocios anda metido, pues se retrasa más de lo debido, más del tiempo adecuado"(vv. 73-75).

El tiempo de la espera es en Carpentier un tiempo de la ausencia y también del viaje. Uno de los libros de Carpentier donde más claramente queda expuesto este tiempo es *El siglo de las luces*. En él hay una acción inicial, la que se desarrolla en la casa de La Habana, y una final, desde que parte Sofía en busca de Víctor Hugues, hasta acabar llegando a la casa de Madrid. Estas dos partes son mínimas en extensión con respecto al total de la obra, marcada por las acciones y viajes de la pareja Esteban y Víctor. No obstante, el personaje de Sofía, que aparece sólo en este comienzo y final de la obra, acaba por ser el más relevante. Es un personaje ausente, olvidado de la escena pero que, en tanto Esteban y Víctor andan en sus descubrimientos y desilusiones del poder, ha realizado la acción de casarse. El parangón de Esteban con Eneas a su regreso a la casa de la Habana se cercena con una Sofía casada y acompañada por su marido en el relato del viajero. Pero aunque se ha casado, Sofía ha estado esperando. Es un tiempo sin evolución tanto para el personaje como para su entorno, tan sólo modificable a partir de la vuelta del mensajero, Esteban, el que trae noticias de Víctor, del mismo modo que Edipo esperaba las noticias del mensajero enviado al oráculo de Delfos. La espera es, de todas formas, engañosa, pues todos los espectadores (incluido Esteban) imaginamos hasta entonces una Sofía inmóvil.

Esteban vuelve a la casa de La Habana en la que ha estado esperando Sofía. Es el tiempo que ocupa Sofía a la espera de las palabras que, como el viajero Eneas, debe relatar Esteban. Es, a su vez, un tiempo que se invierte a partir del relato, un relato que, por otra parte, Sofía no aceptará, tal y como ocurre con Edipo cuando escucha a Creonte después de su viaje a Delfos. Por eso tendrá que emprender el viaje, único modo de comprobar la verdad como la inquisición que buscará conscientemente Edipo, mientras que Esteban pasa a ocupar, inversamente, el tiempo de la espera. La espera y el viaje están, como apuntaba el Edipo de Sófocles, en íntima conexión.

En *El reino de este mundo* la espera es la que ocupa a Ti Noel mientras Mackandal debe volver de sus metamorfosis que lo visten con los trajes de animales (Carpentier, 1995a: 34). Vuelto a su condición de hombre, a Mackandal "algo parecía quedarle de sus residencias en misteriosas moradas; algo de sus sucesivas vestiduras de escamas, de cerda o de vellón" (ibid.: 36). Son los restos de su ausencia de hombre. Luego, ante su presencia y convertido en hombre, como si fuera el rey que puede eliminar las desgracias del pueblo, "las interrogaciones se apretaban, cobrando, *en coro*[7], el desgarrado gemir de los pueblos llevados al exilio para construir mausoleos, torres o interminables murallas. ¡Oh, padre, mi padre, cuán largo es el camino! ¡Oh, padre, mi padre, cuán largo es el penar!" (ibid.: 37). En *Edipo rey*, los niños y los ancianos se sientan junto al que ha sido investido rey, recordándole los vestigios anteriores, el haberles librado de la esfinge. Del rey esperan que ahora los libere de la epidemia que asola al pueblo de Tebas, él que también es un hombre: "Pues bien, estamos sentados suplicantes, sin llegar a compararte con los dioses ni yo ni estos jóvenes, pero sí juzgándote el primero de los hombres en las desgracias de la vida y en los tratos con los dioses" (vv. 31-34).

2. *El tiempo del observador: ver para dejar la apariencia (la compasión)*

> En el camino pudo observar que por todos los flancos de la montaña, por todos los senderos y atajos, subían apretadas hileras de mujeres, de niños, de ancianos, llevando siempre el mismo ladrillo, para dejarlo al pie de la fortaleza que se iba edificando como comejenera, como casa de termes, con aquellos granos de barro cocido que ascendían hacia ella, sin tregua, de soles a lluvias, de pascuas a pascuas. Pronto supo Ti Noel que esto duraba ya desde hacía más de doce años [...] (Carpentier, 1995a: 76).

---

[7] La cursiva es nuestra

Para los griegos la observación era algo fundamental. La *theoría* (que significa 'visión, contemplación') no era una simple observación de hechos particulares, sino algo que busca la "*idea*, es decir, como una forma vista" (Jaeger, 1962: 10). Lejos de buscar el yo objetivo, los griegos descubrieron la "conciencia paulatina de las leyes generales que determinan la esencia humana" (ibid.: 11). Por eso, en lugar del individualismo, su principio era el humanismo, y el *epos* heroico servía para irradiar "la fuerza educadora a todo el resto de la poesía" (ibid.: 15). Por eso no interesan los caracteres individuales, sino los lógicos dependientes de las leyes esenciales. Edipo quiere ser el observador, el que compruebe la realidad por sí mismo, como hace el protagonista de "Derecho de asilo" cuando observa al inamovible Pato Donald en la "Ferretería-Quincalla de los Hermanos Gómez". Es la búsqueda de la verdad o de la esencia. Frente al escaparate sin tiempo, el hombre está también ahora paralizado, observando, bajo el sofisma de la flecha de Zenón de Elea, en un "tiempo sin tiempo" (Carpentier, 1985: 144). Él observa, pero también la historia lo observa a través del tiempo, porque siempre se cumple la amenaza que Creonte lanza a Edipo, que "sólo el tiempo muestra al hombre justo" (v. 614). Edipo comprende su ceguera cuando conoce su historia, es decir, después de haberla observado de primera mano, de la voz del criado, anciano ya, que lo entregó para que no se cumpliera la profecía. Mientras tanto, no ha querido escuchar a Tiresias, el ciego profeta, ni a Creonte, pues Edipo precisa de "la clara evidencia" (v. 754), para aceptar su historia. Las palabras de Edipo van en esta línea, en su camino a la verdad: "Por eso necesito verlo" (v. 768), exclama Edipo ante Yocasta, justo antes de iniciar el relato de su historia. No hay destino ineludible (Reinhardt, 1991: 141), lo que es ineludible es el tiempo, que "todo lo comprueba" (v. 1213). De este modo, no importa "el largo tiempo transcurrido" (v. 1141), pues el tiempo del hombre siempre es alcanzado por ese otro tiempo, el de la historia, que lo observa desde su distancia.

En la prosa de Alejo hay distintos textos que subrayan la importancia de la visión: "Yo, en cambio, he visto, cómo la palabra emprendía su camino hacia el canto, sin llegar a él; he visto cómo la repetición de un mismo monosílabo originaba un ritmo cierto; he visto, en el juego de la voz real y de la voz fingida que obligaba al ensalmador a alternar dos alturas en tono, cómo podía originarse un tema musical de una práctica

extramusical." (*Los pasos perdidos*: 310); en *El recurso del método* el Primer
Magistrado exclama "Veo, luego soy" (*El recurso del método*: 285) que
recuerda al verso de Homero en el que "Héctor vio –*enoesen*– con los
ojos" (*Ilíada* 15, 422)[8]; finalmente, entre otros ejemplos, también es
relevante el texto que acompaña el regreso de Esteban: "Esta noche he
visto alzarse la Máquina nuevamente. Era en la proa, como una puerta
abierta sobre el vasto cielo que ya nos traía olores de tierra por sobre un
Océano tan sosegado, tan dueño de su ritmo, que la nave, levemente llevada, parecía adormecerse en su rumbo, suspendida entre un ayer y un
mañana que se trasladaran con nosotros" (Carpentier, 1989: 85); o el de
Colón: "Yo no hallo ni jamás he hallado escriptura de latinos ni de griegos que certificadamente diga el sitio, en este mundo, del Paraíso Terrenal, ni lo he visto en ningún mapamundi" (Carpentier, 1994: 317).

Es importante *observar* porque sólo el que observa puede iniciar un
regreso veraz. Lo sabe Esteban después de haber acompañado a Víctor y
comprender que el aparente héroe es tan sólo eso, aparente. Lo sabrá
también la propia Sofía después de haber ido en su búsqueda y estar
con él. En la observación el motivo de la ropa ocupa un lugar importante. La ropa representa lo más visible del ser humano, pues distingue su
tiempos, sus edades, como distingue su función, ser rey, mensajero o
criado. El enigma de la Esfinge resuelto por Edipo es, por otro lado, el
de los tiempos del hombre, criatura destinada al paso del tiempo y que
se corresponde con las etapas descritas en Carpentier a través de los distintos vestidos, que van del pañal a la levita de la funeraria

> Entre lo que ha sido el yacer y va a ser el andar vestido. [...] Del pañal pri-
> mero al traje solemne que lleva en su entierro, es un viaje de topo de camisa en
> camisa, de levita en levita, hasta penetrar –esta vez vestido por otro– en la fune-
> raria (Carpentier, 1985: 126)

Las ropas ocupan ese lugar importante en un Edipo que acabará
marchando a Colono vestido de harapos. De la importancia del vestido
sabe la práctica Sofía que lleva nuevas ropas para ver a Víctor y cumplir
un nuevo papel. El mejor ejemplo es el de Víctor Hugues, que ostentará
toda una gama desde los disfraces iniciales a las ropas que se descubrirá

---

[8] La inclusión del término griego en cursiva la hace Lledó, manifestando el doble
sentido del término entre ver y pensar o reconocer (Lledó, 1998: 383)

cuando se vea como un parricida de tragedia. Y, cómo no, ese hermoso vestido de "casaca verde con puños de encaje salmón" (Carpentier, 1995a: 110) que vestirá finalmente Ti Noel descubriéndose a sí mismo bajo la esencia de hombre, y no de animal, con una tarea ya impuesta a sí mismo, como la que se impuso Edipo, de eliminar el mal de su tierra. El vestido sirve, por consiguiente, para la presentación de la esencia del hombre a través de sus distintas etapas. El vestido permite que la observación tenga éxito, puesto que se reconoce al hombre que se tiene delante, su función y su nombre (Choza y Choza, 1996: 48). Edipo vestirá como un rey cuando reciba a su pueblo para ayudarlo. Frente a este Edipo, al Edipo cegado se le conocerá cuando llegue a Colono por su traje[9]. El traje concede al hombre su función en el teatro del mundo, en el que se nos vincula a las distintas funciones sociales.

También "El reino de este mundo" ofrece un claro ejemplo del observador. Ahí está Ti Noel cuyos ojos observan y describen el mundo de negros dominador de otros negros que construían la Ciudadela. Sus ojos van descubriendo la tierra de Mackandal, su tierra. "Al cabo de varios días de marcha, Ti Noel comenzó a reconocer ciertos lugares. Por el sabor del agua, supo que se había bañado muchas veces" (Carpentier, 1995a: 71). El observador nos describe así mismo otro tiempo de espera y miasma de otra realidad: escapando del poder de Henri Christophe, Ti Noel marcha a la ciudad de el Cabo, y "halló a la ciudad entera en espera de una muerte. [...] Nadie dormía en el Cabo. Nadie se atrevía a pasar por las calles aledañas. Dentro de las viviendas se rezaba en voz baja, en las habitaciones más retiradas" (ibid.: 80).

En casi todos los personajes de Carpentier hay una evolución parecida: observan la realidad desde una distancia que no los involucra directamente en la acción, sino que los mantiene distantes hasta que se lanzan a la acción. Esto ocurre claramente con el personaje de *Los pasos perdidos*, que en la selva observa los ritos, concluyendo con un "Nos vemos como intrusos, prestos a ser arrojados de un dominio vedado" (*Los pasos perdidos*: 296). Son espacios ajenos a los observadores, como el

---

[9] En este sentido le dice Teseo a Edipo las siguientes palabras: "Te reconozco, hijo de Layo, por haber oído referir a infinidad de personas antes de ahora las sangrientas destrucciones de tus ojos, y ahora mismo me reafirmo aún más, por haberlas oído a lo largo de este trayecto. En efecto, tu atuendo y tu desventurado aspecto nos evidencian que eres quien eres y con mi compasión hacia ti..." (*Edipo en Colono*, 551-556)

que ocupa Edipo en Tebas. Finalmente, el que observa, como Edipo, recuerda el inicio y comprende en él el juego del tiempo, "el recuerdo de la taberna de Puerto Anunciación donde la selva vino a mí en la persona del Adelantado. [...] y me parece que se pintan, tras de mi frente, las letras con ornamentos de sombras y de guirnaldas, que componían el nombre del lugar: *Los recuerdos del Porvenir*. Yo vivo aquí, esta noche, de tránsito, acordándome del porvenir –del vasto país de las Utopías permitidas, de las Icarias posibles. Porque mi viaje ha barajado, para mí, las nociones de pretérito, presente, futuro." (*Los pasos perdidos*: 364). Por su parte, en el texto griego Edipo es ejemplo de una *utopía permitida*: la de ser hijo y padre, engendrador y engendrado (vv. 1210).

3. El tiempo de la lucidez

> Ti Noel comprendió oscuramente que aquel repudio de los gansos era un castigo a su cobardía. [...] En aquel momento, vuelto a la condición humana, el anciano tuvo un supremo instante de lucidez (Carpentier, 1995a: 109)

Edipo es, desde un principio, víctima del tiempo. "Te descubrió, pese a tu oposición, el tiempo que todo lo comprueba", le dice el coro a Edipo (v. 1213), cuando ya no puede escapar a ser la causa del *miasma*. A partir de entonces, todo lo que había sido un juego de luz y oscuridad se invierte a partir de un Edipo cegado. Edipo se ha descubierto a sí mismo, reconoce su pasado y su falta, solicita el destierro en su clarividencia de ciego. Asemejado al adivino Tiresias, Edipo culpa a Apolo de su desgracia de saber (vv. 1329-1330); pero a sí mismo, de sacarse los ojos (v. 1333). La lucidez de Edipo, por consiguiente, no es voluntaria, sino obligada. Podemos decir con Sófocles que el tiempo obliga a la lucidez. Lo hace con Víctor Hugues, para desaparecer, y lo hace con Sofía para seguir viajando buscando otra casa mejor.

> En menos de diez años, creyendo maniobrar mi destino, fui llevado por los demás, por esos que siempre nos hacen y nos deshacen, aunque no los conozcamos siquiera, a mostrarme en tantos escenarios que ya o sé en cuál me toca trabajar. He vestido tantos trajes que ya no sé cuál me corresponde [...] Me faltaba representar un papel: el de ciego. En él estoy ahora (Carpentier, 1989: 400)

El tiempo de la historia, por consiguiente, alcanza el tiempo del hombre. Todos los personajes lúcidos han estado en un tiempo de oscu-

ridad. Igual que el talabartero de "Semejante a la noche" cargaba el
barco antes de la partida aún en la sombra de la noche[10], Sofía marcha
en busca de Víctor aún cubierta por la oscuridad de la noche estrellada.
La dualidad luz y oscuridad caracteriza, de este modo, la obra de Alejo
Carpentier. Frente a los lúcidos, los demás acaban perdiéndose en la
oscuridad de la muerte, como ocurre con Henri Christophe, el personaje de *El acoso* o el Primer Magistrado de *El recurso del método*. Sin ningún
momento de conciencia de sí mismo, sino confundido con el personaje
mítico Orestes, el bachiller de *El acoso* no tiene más solución que la
muerte, como el negro vestido de rey blanco en *El reino de este mundo* o el
que confunde el acá y allá bajo el oficio de Primer Magistrado. Sus
muertes significan la entrada en la más absoluta de las oscuridades, lo
que los diferencia de quienes adquieren la lucidez.

Frente a estos personajes Carpentier eleva a aquellos que adquieren el conocimiento que les acaba llevando a la acción. Una acción
desde el conocimiento, después del tiempo de la espera y el tiempo de
la observación, dos tiempos que, por otro lado, se acaban convirtiendo
en un tiempo que debe ser abandonado: el de la piedad.

> Un día, el médico usó un nuevo remedio que, en París, había operado
> maravillas en la cura de los ojos aquejados por el Mal Egipcio: la aplicación de
> lascas de carne de ternera, fresca y sangrante. 'Pareces un parricida de tragedia
> antigua', dijo Sofía, viendo aquel personaje nuevo que, salido de la alcoba
> donde acababan de curarlo, le hizo pensar en Edipo. Habían terminado para
> ella, los tiempos de la piedad (Carpentier, 1989: 400)

El tiempo de la lucidez supera el tiempo de la piedad o de la compasión. Esto nos remite al análisis que ya realizamos (López Calahorro,
2001) distinguiendo y clasificando la obra de Carpentier en función de
los tres conceptos esenciales a la tragedia: temor, compasión y catarsis.
Los jóvenes adolescentes de *El siglo de las luces* inician su andadura desde
el temor con el que se sujetan a un personaje extraño, Víctor Huges, en
calidad y función de padre. El temor al vacío es sustituido así por una
voluntad extraña que causará amor convertido posteriormente en compasión o piedad y que se materializará en un paso más por parte de
Sofía. Sofía representa la conciencia lúcida, como catarsis de las trage-

---

[10] El texto comienza del siguiente modo: "El mar empezaba a verdecer entre los
promontorios todavía en sombras.

dias siempre presentes en las novelas carpenterianas. Para su evolución han sido fundamentales el tiempo de la espera y el de la observación. Es una lucidez que proviene, como en el caso de Edipo, de la oscuridad, como la que se relataba en el verso de Ilíada con que se iniciaba "Semejante a la noche", o la oscuridad que acompaña a la lucidez de Ti Noel (Carpentier, 1995a: 109). Lúcidos son Sofía, Vera, el protagonista de *Los pasos perdidos*, Ti Noel y el negro Filomeno. Todos ellos aceptan quedarse en un nuevo espacio, sea el Viejo o el Nuevo Continente. Desde su lucidez asumida finalmente, después de esperar y observar, saben que tienen una tarea que cumplir, una función que es consustancial a sí mismos. Todo el desarrollo de la acción ha servido para mostrar finalmente quiénes son, es decir, su propia historia. La lucidez es, simplemente, la asunción de la acción, que se hace sinónimo de la catarsis aristotélica.

4. *El tiempo de la inversión*

> Por fin se cerró la argamasa sobre los ojos de Henri Christophe, que proseguía, ahora, su lento viaje en descenso, en la entraña misma de una humedad que se iba haciendo menos envolvente (Carpentier, 1995a: 93)

Edipo rey es la tragedia marcada por la inversión. Entre el principio y el fin nada se espera, para finalmente acabar invertida la situación inicial. El Edipo que procura la salvación del pueblo, hecho rey por superar a la Esfinge y en torno al cual se congregan los ancianos y jóvenes, es asimismo el causante de la epidemia que asola Tebas. Es un Edipo rey, grande, figurado como un padre (Reinhardt, 1991: 137). Luego es un Edipo inverso, viejo, que marcha a Colono para morir.

En *La consagración de la primavera* Vera acertó "a mal citar" la frase final del "Edipo: 'No digas de un hombre que fue dichoso mientras no sepas cuál fue el término de su existencia'" (Carpentier, 1993: 350). Es el tiempo de la existencia humana, desnuda, sin comparación con el tiempo de la historia. Es, además, el tiempo de la inversión. No hay libro de Alejo Carpentier que no juegue con la ironía de la situación esperada, con la inversión de los modelos que pretenden copiarse y que acaban por invertir la situación en todos los casos. El caso más espléndido nos lo aporta la inversión física en la línea vertical de los dos protagonistas de *El reino de este mundo*. Si el invertido y rey Henri Christophe se hunde en el cemento de su Ciudadela construida hacia lo alto, "hecho uno con la piedra que lo apresaba" (Carpentier, 1995a: 93), ignorando "la podredumbre de su carne, carne confundida con la materia misma de la fortaleza, inscrita dentro de su arquitectura, integrado en su cuerpo baldado de contrafuerte" (ibid.: 93), quien era un negro con medias blancas, también el negro y esclavo Ti Noel invierte su situación elevándose hacia lo alto, como invierte su voz de esclavo para convertirse en voz de guerra. Por eso podrá elevarse sobre la mesa, "castigando la marquetería con sus pies callosos", para acabar desapareciendo con el buitre que aprovecha la carne y que "esperó el sol con las alas abiertas" (ibid.: 110). Invertido, pues, hacia el cielo de este mundo, como hacia lo profundo lo estaba Henri Christophe: una línea vertical traza las dos opciones de la lucidez y la ceguera.

La inversión más absoluta procede de aquellos personajes que se creían lúcidos. Ocurre con los protagonistas de las novelas que se refieren a los momentos históricos más álgidos en cuanto a la imposición de la razón, que son *El siglo de las luces* y *El recurso del método*. En ambas obras la tragedia de Edipo aparece, en el primer caso en la misma persona de Víctor y en la segunda como el fondo de tragedia que se oye desde el Hemiciclo-Norte usado como Teatro Antiguo, pues "así, ciertas noches, oyéronse los lamentos de Ajas, los clamores de Edipo, incestuoso y parricida" (Carpentier 1988: 160). Si la tragedia de Sófocles gira en torno a la dualidad verdad y apariencia, recordemos a este personaje, el Primer Magistrado, que parece parafrasear al presocrático Parménides en los siguientes términos: "Y puesto que veo existiré más cuanto más vea, afincándome en permanencia, dentro y fuera de sí mismo" (ibid.: 285). Él, que cree observar de modo que da unidad a la aparente multiplicidad de la realidad, desde su *noessein* o *theoría* engañosa, sin embargo, será engañado por el mismo destino, y lo será, como avisaba el oráculo en las palabras recordadas por Vera, en el final que llega al hombre de poder: "No digas de un hombre que fue dichoso mientras no sepas cuál fue el término de su existencia". Podríamos, pues, aplicarlo perfectamente a la figura de un Primer Magistrado que, deseando ser sepultado bajo la sobriedad de un templo o "pequeño panteón de dos columnas dóricas" (ibid.: 383), acabará en "una platabanda del Jardín de Luxemburgo" (ibid.: 343), traicionado por una frase malentendida de Pequeño Larousse dicha antes de morir. El Primer Magistrado, recordemos, es uno de los personajes más duales, pues entre el acá y el allá, o entre querer repetir el modelo del conquistador César y a la vez ser un erudito de Larousse, y creer que comprende la realidad desde su observación, no obstante, es el claro ejemplo de aquel que estando *in-between*, sufre la tragedia de no ser comprendido por nadie de ninguno de los dos espacios ni tiempos.

CONCLUSIONES

Las novelas de Alejo Carpentier necesitan de un tiempo especialmente extenso para su desarrollo. Son como las historias de los hombres, con sus tiempos o etapas, enigma acertado por el hombre Edipo ante la Esfinge y convertidas en ropa en el protagonista de "Derecho de asilo". También precisan de un tiempo relativamente prolongado para que sus personajes puedan viajar desde el acá al allá, así como para que pueda darse en ellos una evolución personal tan física como la dualidad espacial por la que atraviesan. Bajo este proceso del tiempo del hombre los personajes son descubiertos. Si el protagonista de *Los pasos perdidos* descubría que no podía dejar de ser el Sísifo de una cultura occidental, tampoco el resto de los distintos protagonistas que evolucionan pueden dejar de descubrirse desde la presión del tiempo. Cazado por el tiempo de la música que compone, el que cree estar feliz en medio de un espacio desconocido no puede escapar de su historia. Edipo tiene que volver ahora la mirada hacia su verdadera historia, no a la de la huida. Lo mismo ocurre con el Ti Noel que asume su esencia de hombre, después de pasar por las ropas de las metamorfosis animales. La esencia de Edipo más absoluta está, junto con él, en el nombre de las mujeres que protagonizan las esperas y las observaciones más significativas: Sofía y Vera. Los tres personajes aguardan al margen de la acción principal para acabar actuando en función de una historia propia que se asume para bien de la historia colectiva. Del mismo modo que la lucidez última de Edipo debe procurar el bien, o al menos el fin del miasma, para la ciudad.

El último de los tiempos de Edipo, el de la inversión, afecta a la mayoría de los personajes. La inversión hacia abajo, hacia la oscuridad, está en los personajes que no adquieren la conciencia de lo que son. Salvo el caso de Víctor Hugues, que precisamente se perderá sin saber nada más de él después de su noche de ceguera como si fuera el parricida, los demás personajes en esta situación mueren: recordemos al protagonista de *El acoso*, el rey negro en *El reino de este mundo, El recurso del método*, o el Colón de *El arpa y la sombra*, convertido además en sombra. Frente a ellos, los otros personajes suponen el término lúcido de las dualidades, y que acaba por convertirlos en protagonistas.

Podemos concluir que la figura de Edipo en la obra de Alejo Carpentier es semejante a la protagonizada por Ulises. Edipo es símbolo del hombre en su condición más desnuda. Edipo se enfrenta a su realidad dual, de la verdad y apariencia, o esencia y accidentalidad, y a la del doble tiempo, el que él representa a través de su historia y el tiempo externo que acaba por descubrirlo. El juego de la verdad y apariencia está en los personajes carpenterianos que representan sus papeles en el gran Teatro del mundo. Todos están condenados a representarlos, pues todos están insertos en el espacio de la cultura que la historia ha generado. La historia impone papeles que deben representarse, igual que extiende su tiempo que obliga a los personajes a descubrirse. Por eso andan siempre los personajes de Carpentier en el tiempo de la historia, como es el caso de El Adelantado en *Los pasos perdidos* que con sus cuadernos impone la ley como distribuye papeles.

Finalmente, queremos recordar que el juego de la verdad y la apariencia en la obra carpenteriana está en la confusión de papeles que se representan. Afectan a la esencia del hombre, y las ropas son tan verdaderas como lo son ellos hasta tener la lucidez. Como Edipo que tiene que descubrir su historia, los personajes de Carpentier que llegan a la lucidez también acaban por descubrir su papel en el Gran Teatro del Mundo. Para llegar a esta lucidez se precisa de un tiempo de espera y otro de observación. Todos ellos, finalmente, invierten su realidad, como hace Ti Noel elevándose sobre la mesa y en los restos del buitre mientras que Henri Christophe lo hace hundiéndose en el cemento. La inversión está en todos los personajes carpenterianos, pues todos modifican su historia. La diferencia de las inversiones sólo está en un concepto más clásico aún y del que Edipo es claro ejemplo: la lucidez de la conciencia.

Bibliografía

ALVAR, C. (2002) *El mito, los mitos*, Madrid, Caballo griego para la poesía

ÁLVAREZ, M.C. - Iglesias, R.M. (ed.) (1999) *Contemporaneidad de los Clásicos en el umbral del Tercer Milenio*, Actas del Congreso Internacional *Contemporaneidad de los Clásicos. La tradición greco-latina ante el siglo XXI*, Murcia, Univ. de Murcia

BAÑULS OLLER *et al.* (eds.) (1999), *Literatura iberoamericana y tradición clásica*. Valencia, Universitat Autónoma de Barcelona y Universitat de València

CARLOS, A. (1970) "El anti-héroe en *El acoso*", en Giacoman (ed.), pp.365-384

CARPENTIER, A. (1974) *Concierto barroco*, México, Siglo XXI

————. (1985) *Guerra del tiempo y otros relatos*, ("Viaje a la semilla", "Semejante a la noche", "El camino de Santiago", "Oficio de tinieblas", "Los fugitivos", "Los advertidos", "El derecho de asilo"), Madrid, Alianza

————. (1988) *El recurso del método*, México, Siglo XXI, (1984)

————. (1989) *El siglo de las luces*, Madrid, Cátedra, (1982)

————. (1992) *El acoso*, Barcelona, Seix Barral, (1987)

————. (1993) *La consagración de la primavera*, Barcelona, Plaza & Janes (1978)

————. (1994) *El arpa y la sombra*, Madrid, FCE, (1984)

————. (1995a) *El reino de este mundo*, Barcelona, Mondadori

————. (1995b) *Los pasos perdidos*, Barcelona, Mondadori

CHAO, R. (1985) *Palabras en el tiempo de Alejo Carpentier*, La Habana, Arte y Literatura

CHOZA, J.-CHOZA, P. (1996) *Ulises, un arquetipo de la existencia humana*, Barcelona, Ariel

COLLARD, P. (1986), "*Los pasos perdidos* de Alejo Carpentier", en *Actas del IX Congreso de la Asociación Internacional de Hispanistas*, Berlín, Vervuert Verlag, pp. 507-514

DE MAESENEER, R. (2003) *El festín de Alejo Carpentier*, Romanica Gandensia XXI, Genève

EPICTETO (1993), *Manual* (Intr. trad. y notas de Alonso, R.), Madrid, Civitas

FLORIO, R. (1998) "*Iter durum*. Decurso del viaje heroico", en BAÑULS OLLER (ed.), pp. 179-190

GIACOMAN, H. (ed.) (1970) *Homenaje a Alejo Carpentier: variaciones interpretativas en torno a su obra*, New York, Las Américas Publishing Co.

GONZÁLEZ, E. (1978) *Alejo Carpentier: el tiempo del hombre*, Caracas, Monte Ávila

JAEGER, W. (1962) *Paideia*, México, FCE, (1957)

LÓPEZ CALAHORRO, I. (2001), *De la tarea del hombre y otras maravillas. Una lectura de Alejo Carpentier desde el mundo clásico*, CD-ROOM, Granada, Univ. de Granada

————. (2004) "La poética del humanismo caribe en Alejo Carpentier. De Epicteto y Virgilio a Ti Noel", *Foro Hispánico* 25, pp. 97-107

————. "Sobre el tiempo de Edipo y las *Geórgicas* de Virgilio en Alejo Carpentier", *Homenaje a Juan Jiménez*, en prensa

LOSADA, M. (1999) "Traslación semántica de una estructura ausente (*El acoso*)", en Álvarez-Iglesias (ed.), pp.115-124

LLEDÓ, E. (1996) Lenguaje e historia, Madrid, Taurus

————. (1998) *Imágenes y palabras*, Madrid, Taurus

MIRANDA, E. (2003) *La tragedia griega en Cuba*, La Habana, Arte y Literatura

REINHARDT, K. (1991) *Sófocles,* Barcelona, Destino

SÓFOCLES (1993) *Tragedias completas,* (ed. y trad. de Vara Donado, J.), Madrid, Cátedra

VELAYOS ZURDO., O. (1985) *El diálogo con la historia de Alejo Carpentier,* Barcelona, Nexos

La escritura barroca en Alejo Carpentier y José Lezama Lima

Pío E. Serrano

Escritor y crítico cubano

Al acercarnos al complejo universo que constituye la escritura barroca en los dos grandes maestros cubanos, Alejo Carpentier y José Lezama Lima, quizá sea conveniente establecer algunos deslindes semánticos primeros ante las equívocas adherencias que el problemático término "barroco" ha debido sufrir en su proceso de configuración. Precisiones estas que, de manera sostenida, están presentes en las reflexiones que ambos autores dedicaron al tema. Y no sólo en cuanto a la delimitación categorial histórico-estética, sino en cuanto a la necesidad de determinar las razones últimas de su apropiación.

Durante un largo periodo se consideró la categoría de "barroco" a una serie de realizaciones estilísticas del arte europeo que tuvo como centro propulsor la España del siglo XVII y que, sin suponer una horizontalidad simultánea ni una diacronía simétrica, se proyectó sobre fenómenos artísticos y de pensamiento de gran parte de Europa.[1] Es lo que se ha llamado el "barroco histórico", considerado como uno de los momentos mayores de la unificación cultural de Europa, pero, se entendía, de existencia tan pasajera, perecedera, como el románico y el gótico.

Por otra parte, un pensamiento posterior, singularmente expresado por Eugenio d'Ors, y retomado por Carpentier, revela una concepción del barroco que sobrepasa la que lo relega a una temporalidad periodológica. D'Ors dota al concepto de barroco de un peso y una presencia universales de tal magnitud que se proyecta como una constante de la cultura, como una constante humana, y que, en palabras de Carpentier "es una suerte de pulsión creadora, que vuelve cíclicamente a través de toda la historia en las manifestaciones del arte, tanto literarias

---

[1] Pedro Aullón de Haro, "La ideación barroca", en *Barroco*, P. Aullón de Haro, ed., Verbum, Madrid, 2004, p. 21.

como plásticas, arquitectónicas o musicales; y nos da una imagen muy acertada cuando dice que existe un espíritu barroco, como existe un espíritu imperial".[2] Es desde esta concepción de eterno retorno del espíritu barroco donde se sitúa la apropiación estilística de ambos escritores, porque, entre otras razones, ella los libera de una cierta interpretación que reduce a servidumbre eurocéntrica lo que en ellos es prolongación y expansión de un espíritu barroco, reconocido por Carpentier y Lezama, como una presencia subyacente y constante en las tendencias dominantes de la expresión americana. Donde se ha querido ver una pasiva imantación circunstancial del churrigueresco y del plateresco llevados en las panzas de las naves peninsulares, Carpentier exclama: "América, continente de simbiosis, de mutaciones, de vibraciones, de mestizajes, fue barroca desde siempre".[3]

El entrecruzamiento del "barroco histórico" allegado por el poder colonial y la presencia del espíritu barroco americano habría de depositar en el continente una sucesión de tensiones que mucho tendría que ver con la resolución de la identidad americana, eje vertebrador de la escritura de los dos cubanos.

Lezama, que le dedicara una extensa monografía al tema (*La expresión americana*, 1957), resalta lo que llama "la gran hazaña del barroco americano" tomando como ejemplo superior la capacidad del artífice autóctono en el indio Kondori, que prolonga sobre la superficie del conquistador la elaboración concurrente de sus propias maravillas:

> En la voluntariosa masa pétrea de las edificaciones de la Compañía, en el flujo numeroso de sus súmulas barrocas, en la gran tradición que venía a rematar el barroco, el indio Kondori logra insertar los símbolos incaicos de sol y luna, de abstractas elaboraciones, de sirenas incaicas, de grandes ángeles cuyos rostros de indios reflejan la desolación de la explotación minera. Sus portales de piedra compiten en la proliferación y en la calidad con los mejores del barroco europeo.[4]

---

[2] Alejo Carpentier, *La novela latinoamericana en vísperas de un nuevo siglo y otros ensayos*, Madrid, Siglo XXI, 1981, p. 113.

[3] Ibid., p. 123.

[4] José Lezama Lima, *La expresión americana*, en *Obras Completas*, t. I, México, Aguilar, 1977, p. 322.

Y añade Lezama para subrayar la prevalencia de los símbolos aborígenes:

> Había estudiado /Kondori/ con delicadeza y alucinada continuidad las plantas, los animales, los instrumentos metálicos de su raza, y estaba convencido de que podían formar parte del cortejo de los símbolos barrocos en el templo.[5]

De manera muy similar, Carpentier precisa lo que encuentra el alarife español en el artesano de la tierra americana:

> Una mano de obra india que de por sí, con su espíritu barroco, añade el barroquismo de sus materiales, el barroquismo de su invención, el barroquismo de los motivos zoológicos, de los motivos vegetales, de los motivos florales del Nuevo Mundo, al plateresco español y de esa manera se llega a lo apoteósico del barroco americano....[6]

Coinciden también Carpentier y Lezama en el trazado de una genealogía del barroco americano criollo –término gozosamente dibujado por Carpentier-, que enlaza sabiamente lo hispánico aportado con las raigales experiencias de los kondoris americanos. Surge así esa nómina que se inicia con Bernal Díaz del Castillo, continúa con la exuberante memoria del Inca Gracilaso, se amplifica en "los quinientos polémicos volúmenes" de Sor Juana, en "el frenesí" de Hernando Domínguez Camargo, en don Luis de Sigüenza y Góngora ("el señor barroco arquetípico"), en las creaciones del Aleijadinho (cuyo arte representa, al decir de Lezama, "la culminación del barroco americano, la unión en una forma grandiosa de lo hispánico con las culturas africanas"), en "el revuelo verbal de fray Servando Teresa de Mier, en Simón Rodríguez ("el Aleijadinho pedagógico"), en Francisco de Miranda ("el primer americano que se hace en Europa un marco apropiado a su desenvolvimiento"), en el vocerío anónimo de sátiras, coplas y romances, en "la magia y la sorpresa" del *Martín Fierro* y, por fin, en José Martí, ese nombre depositado por Lezama "con temblor".

Desde sus primeras exploraciones, tanto en Carpentier como en Lezama se da una temprana intuición que les revela su condición de herederos de una cultura mestiza, resultado del híbrido americano; cir-

---

[5] Ibid.
[6] Carpentier, ob. cit., 125.

cunstancia que los conduce al encuentro (reencuentro) de una expresión simultáneamente neobarroca, que en su discurso quisiera rescatar de la marginalidad la sensibilidad americana. Una postura que, sin embargo, no se construye desde el ingenuo solipsismo cultural, sino que, más bien, se asume como la incorporación de todas las tradiciones posibles desde una perspectiva raigalmente americana; entendiendo por americana esa capacidad suya devoradora e integradora, fusionadora y reconstructora.

En palabras de Lezama:

> Otro signo americano, entrar en el templo ajeno por curiosidad, ganarlo por la simpatía y llevarlo después al saboreo de nuestra omnisciente libertad.[7]

Más pedagógico, Carpentier advierte sobre la evolución del novelista americano hacia "la adquisición de una cultura cada vez más vasta, más ecuménica, más enciclopédica, por decirlo todo, que ha brotado de lo local para alcanzar lo universal...".[8]

Una espléndida síntesis de este singular apetito ecuménico lo recoge Carpentier en su ensayo "De lo real maravilloso americano"[9] al repasar su experiencia ante culturas tan disímiles y distantes como la china y la islámica, la rusa y la checa. Una experiencia que tuvo lugar en 1961. Lejos de cualquier mirada ingenua, Carpentier nos conduce por un sorprendente laberinto de asociaciones, conexiones que iluminan realidades americanas desde la lejanía, revelaciones melancólicas de lo entrevisto; una lectura integradora, en fin, que descubre los vasos comunicantes, más allá de la piedra y es resistencia a la mirada oblicua. Un relato que se ajusta a lo que el propio Carpentier definió como cultura, y que bien pudo suscribir Lezama:

> Yo diría que cultura es: el acopio de conocimientos que permiten a un hombre establecer relaciones, por encima del tiempo y del espacio, entre dos realidades semejantes o análogas, explicando una en función de sus similitudes con la otra que puede haberse producido muchos siglos atrás.[10]

---

[7] Lezama Lima, ob. cit., p. 331.
[8] Carpentier, ob. cit., p. 17.
[9] Alejo Carpentier, "De lo real maravilloso americano", en *Tientos y diferencias*, Montevideo, 1967, ps. 102-120.
[10] Carpentier, *La novela latinoamericana...*, ob. cit., p. 17.

Pero la verdadera esencia de su descubrimiento la fija Carpentier en 1943, resultado de su viaje a Haití y que le provoca, como es bien sabido, el desarrollo de sus ideas en torno a lo real maravilloso ("lo asombroso por lo insólito", "todo lo insólito es maravilloso"), cuidadosamente deslindado de la experiencia surrealista y del precedente realismo mágico. La diferencia entre el "misterio fabricado" y lo insólito cotidiano en estado bruto "omnipresente en todo lo latinoamericano".[11] Una revelación que describe:

> Vi la posibilidad de establecer ciertos sincronismos posibles, americanos, recurrentes, por encima del tiempo, relacionando esto con aquello, el ayer con el presente. Vi la posibilidad de traer ciertas verdades europeas a las latitudes que son nuestras....[12]

Al tiempo que invertía la mirada para fijarla en una sorprendente realidad en la que descubría "que esa presencia y vigencia de lo real maravilloso no era privilegio único de Haití, sino patrimonio de la América entera".[13] Una revelación que lo conduce a una exigencia: "no veo más camino para el novelista nuestro en este umbral del siglo XXI que aceptar la muy honrosa condición de cronista mayor, Cronista de Indias, de nuestro mundo...",[14] "movilizar nuestras energías en traducir América con la mayor intensidad posible.[15] Es decir, en expresión metonímica carpenteriana, situar el papayo y la ceiba en el mismo nivel de prestigio del pino, del nogal o del abedul.

Para alcanzarlo, nos dice Carpentier, era necesaria una estrategia del texto similar a la aplicada a la estampa del Rinoceronte grabada por Durero: había que mostrar, detallar, el ente desconocido, al extremo, incluso, de involucrarlo, contextualizarlo, con la imaginería medioeval. Ante la realidad multiforme americana, también salida de lo desconocido, Carpentier propone: "El objeto vive, se contempla, se deja sopesar. Pero la prosa que le da vida y consistencia, peso y medida, es una prosa barroca, forzosamente barroca, como toda prosa que ciñe el detalle, lo menudea, lo colorea, lo destaca, para darle relieve y definir-

---

[11] Ibid., 130.
[12] Ibid., 114.
[13] Carpentier, "De lo real maravilloso", ob. cit, p. 118.
[14] Carpentier, *La novela americana...*, p. 25.
[15] Ibid., p. 57.

lo /.../ Pero resulta –añade Carpentier- que ahora nosotros, novelistas latinoamericanos, tenemos que nombrarlo todo –todo lo que nos define, envuelve y circunda: todo lo que opera con energía de contextos- para situarlo en lo universal".[16] Y pasa a desarrollar su conocida teoría de los contextos, tan imprescindible para la comprensión de la morfología de su escritura como para el acercamiento integral al texto lezamiano.

* * *

Alejo Carpentier y José Lezama Lima contemporáneos con muy pocos años de diferencia –Carpentier nace en 1904; Lezama en 1910-, habaneros los dos, sofocados los dos por el asma en distinto grado y deshacidos los dos de la figura paterna (en la niñez uno; en la adolescencia el otro) sólo obtendrán el reconocimiento en su madurez; fallecen en un intervalo de cuatro años -1980, Carpentier; 1976, Lezama; emparentados ambos por un fervor común americano y por el anclaje neobarroco de su expresión, sus experiencias vitales y sus escrituras, sin embargo, transcurren de manera notablemente dispar.

Carpentier es hijo de emigrantes procedentes de distantes lenguas y culturas europeas, el sentimiento de lo criollo será el fruto de un largo aprendizaje; Lezama se entronca en una familia de lejanos orígenes hispánicos, donde lo criollo juguetón y grave, locuaz en el gesto y la palabra, es un eco plural y doméstico del que pronto se apodera.

Carpentier comparte sus años de formación entre La Habana, tempranos viajes al extranjero, breves estudios de arquitectura y una prolongada estancia en Francia, iniciada en sus años juveniles, descubre su pasión americana en París; Lezama estudia en las escuelas de su barriada (en el colegio Mimó, el mismo al que asistiera brevemente Carpentier nueve años antes), se gradúa en la universidad de La Habana y desde jovencito descubre el placer suficiente del Libro.

Carpentier se proyecta desde muy joven en el espacio público (colabora en reconocidas publicaciones, se vincula al Grupo Minorista, debe sufrir durante unos meses la cárcel política); Lezama se instala en los límites del espacio privado, funda su acción carismática en el contac-

---

[16] Carpentier, "De lo real maravilloso americano", p. 39.

to de unos pocos amigos, entrega sus primeros poemas y ensayos a publicaciones que él mismo debe alentar.

Carpentier, hombre mundano, se vincula en París al grupo surrealista, cultiva la amistad de personalidades de la alta cultura, se desplaza cómodamente por una amplia geografía, redescubre América en sorprendentes experiencias, se enriquece con estudios de musicología, etnología e historia, es un voraz lector y, lo que es más importante en él, un metódico organizador de sus lecturas, paciente constructor de un deslumbrante sistema referencial y asociativo; Lezama, salvo dos breves viajes al extranjero en su juventud, raramente se desplazará de la apretada cartografía habanera de su infancia, omnívoro lector, le apetecen por igual la teología y el arte, la literatura y la filosofía, la historia y la mitología, su proceso de asimilación de lo leído tiene algo de caótico, una suerte de big-bang fragmentador que sólo parece imantarse (reordenarse azarosamente) a partir de la elaboración de un laberíntico sistema poético.

Carpentier reserva los dispositivos neobarrocos de su escritura para la ficción, sus ensayos, de un claro didactismo expositivo, rehúyen la contaminación de las estrategias verbales de su narrativa. Lezama todo lo contamina; la poesía, el ensayo, sus novelas y cuentos, incluso el coloquio íntimo y la correspondencia, exudan la sobreabundancia y las huellas del sistema de analogías y sorprendentes atracciones verbales de su poética.

Carpentier regresa a La Habana en 1959, se reconoce marxista, declara su compromiso con la Revolución y con su máxima dirigencia, la sirve primero como editor que rescata y populariza clásicos y contemporáneos imprescindibles, y posteriormente como diplomático en Europa, jamás entrará en disputa con la política cultural del régimen y procurará mantenerse distante de cualquier conflicto; Lezama, católico, continúa sirviendo a su país como mejor sabe, como funcionario de la cultura alentará ediciones, desempolvando olvidos, aunque ocupa algún cargo representativo en la UNEAC y muestra un cierto entusiasmo inicial por la Revolución se mantendrá al margen del poder político y, con los años, mostrará un ensombrecido desencanto que le harán pagar con el silencio y la marginación.

Carpentier se enfrenta a *La consagración de la primavera*, para rescribir su biografía, obcecado por la "corrección política" y por asegurarse una intachable coherencia vital de compromiso político; Lezama se enfrenta a *Paradiso* para cumplir un compromiso con su madre y para exorcisar sus demonios.

Carpentier regresa a La Habana para morir en París; Lezama permanece, peregrino inmóvil, para morir en La Habana.

* * *

Con la publicación de *El reino de este mundo* (1949) y, sobre todo, con la aparición de *Los pasos perdidos* (1954), Carpentier deja establecidas las líneas maestras de su escritura neobarroca. En primer lugar su relación con el espacio y el tiempo. Una relación que quiebra la linealidad temporal y la unidad espacial de sus contemporáneos americanos, que desplaza y superpone, subvierte, los planos temporales para revelar el fecundante encontronazo entre lo que Carlos Fuentes llama "tiempo aboriginal" (Fuentes 1979: xii) y el que mide occidente. Sea circular, zigzagueante o reversible, como se deshace un tejido hacia el vacío, ese efecto carpenteriano del tiempo se instala en un espacio en progresiva dilatación –fundidos ambos en una singular relación dialéctica espaciotemporal- donde prolifera, en palabras de Carpentier, "un barroquismo paralelo al barroquismo del paisaje del trópico templado",[17] y que, a su vez, favorece y enriquece la multiplicidad de los puntos de vista sobre la realidad.

Carpentier, metódico infatigable, levanta con pulso firme la monumental arquitectura de sus textos. Como si siguiese el compás de un metrónomo –y no siempre la referencia es metafórica-, Carpentier traza el escrupuloso diseño de sus ficciones y con la misma precisión se entrega a la tarea de fundar lo innominado y derrotar al vacío, ese temor que alienta al barroco. Para ello acude a la elaboración de esos "núcleos proliferantes" –aludidos por Carpentier al referirse a la escultura barroca-, que en la escritura se convierten en extensos y henchidos periodos "que llenan totalmente el espacio ocupado por la construcción/el texto/",[18] sin que jamás pierda el dominio ni la visión totalizadora del proyecto. Es entonces cuando acude al asedio de la escritura el derroche del reperto-

---

[17] Carpentier, *La novela latinoamericana...*, ob. cit., p. 133.
[18] Ibid., p. 117.

rio léxico –el sustantivo siempre oportuno, exacto, inequívoco; la adjetivación prolífica, exhautiva, generalmente seriadas hasta cubrir los poros del objeto modificado-, donde la precisión recurre indistintamente al lenguaje especializado, infrecuente, desusado o coloquial para implantar una textura integradora, una plasticidad vivificante al servicio de una contextualización epocal (tiempo) o regional (espacio).

Sin embargo, la lengua de Carpentier no se distrae con juegos de palabras ni cultiva el hermetismo. Más denotativo que connotativo, nunca oscuro ni hermético, aunque sí complejo y sugerente, su lenguaje es siempre vehículo de una revelación o de una interrogación que quieren ser compartidas. Ello, por supuesto, no excluye de su escritura, todo lo contrario, la riqueza metafórica, la agilidad de la paradoja, la acidez de la ironía, la mueca de la farsa, la máscara de la parodia o el guiño cómplice del oxímoron.

La complicada estructura simbólica de *El siglo de las luces* muestra el magisterio carpenteriano en el dominio de la configuración interna de un texto, donde todos sus elementos constituyentes, firmemente interrelacionados, vienen a converger en un todo sistemático. Un adensamiento del texto que se complementa con espléndidas elaboraciones alegóricas y arquetípicas, rastreables en prácticamente todos sus títulos.[19]

Una elaboración, la suya, que se consagra con los relatos de *Guerra del tiempo* (México, 1958) y que alcanza su momento culminante en *El siglo de las luces* (México, 1962). Diez años después, entregará *El derecho de asilo* (Barcelona, 1972), a la que siguen *El recurso del método* y *Concierto barroco* (México, 1974), *La consagración de la primavera* (México, 1978) y *El harpa y la sombra* (México, 1979).

* * *

Con la publicación en 1937 de *Muerte de Narciso* y en 1941 de *Enemigo Rumor*, los dos textos poéticos iniciales de Lezama, queda expuesta toda la fuerza provocadora, la perplejidad del reto con que el autor inaugura su singular concepción barroca de la escritura, que habrá de

---

[19] Vid. Roberto González Echevarría, *Alejo Carpentier: El peregrino en su patria*, 2ª ed. Corregida y aumentada, Madrid, Gredos, 2004, ps. 319 y ss.

elaborar más adelante: a la suma de los dispositivos retóricos propios del estilo añade la desconcertante propuesta ideológico-poética de un sistema (nada que ver con el término *ad usum*), de un sistema poético que tiene como propósito lograr "una nueva concepción del mundo y su imagen, del enigma y del espejo".[20] Un sistema que, a partir de la metáfora y la imagen, se articula en lo que el autor llama lo "incondicionado poético", cuyos "caminos poéticos o metodología poética" se apoyan en la *ocupatio* o "resistencia territorial del poema", la *vivencia oblicua* o quebrantamiento de las relaciones causales hacia lo incondicionado, el *súbito* o evidencia de una causalidad desconocida y el *método hipertélico* o lo que va siempre más allá de su finalidad.

En el centro de ese sistema se encuentra la imagen, por ella el hombre aprehende la realidad, él mismo se reconoce imagen y todo conocimiento no es más que testimonio de la imagen. Imagen y realidad terminan fundiéndose en una sola sustancia. A su lado, la metáfora es concreción de la imagen, donde confluye la red de analogías.

Todavía Lezama incorpora un elemento más a su sistema: el *potens* o posibilidad infinita que encarna la imagen y de cuya facultad se adueña el poeta para alcanzar la *terateia* griega, o revelación del portento, de la maravilla, porque la poesía, gracias al método hipertélico, trasciende todo determinismo. Así, en palabras de Lezama: "como la mayor posibilidad infinita es la resurrección, la poesía, la imagen, tenía que expresar su mayor abertura de compás, que es la propia resurrección".[21] En la cadencia quebrada de su respiración, dice su verdad Lezama, como quien verbaliza los secretos laberintos de un sinuoso árbol de la vida. Lo hace con la natural certeza de compartir una verdad de todos conocida. Y lo dice en la soledad del salón de la calle Trocadero, mientras sonríe y aspira, una vez más, el habano que entretiene entre sus dedos gordezuelos, manchados siempre de tinta.

Estamos, es evidente, ante la construcción irracional de un poeta desmesurado, de hiperbólica capacidad de imaginar y elaborar un deslizante sistema de relaciones donde su escritura queda aprisionada y libre

---

[20] Armando Álvarez Bravo, *Órbita de Lezama Lima*, La Habana, Uneac, 1966, p. 38.

[21] Ibid., p. 35

a la vez. Su genio volcánico, el espeso tejido de sus fulguraciones (sea en el poema, el ensayo o la novela) nos atraen y alejan con la misma intensidad; alza la resistencia de su texto como un muro o como un imán; invita y clausura; revela y oculta. "Sólo lo difícil es estimulante", deposita en el vestíbulo de *La expresión americana* como si lo fuera para el resto de su obra; más que un reto es una invitación a un festín donde las ideas –luminosas, ingenuas, portentosas, cotidianas– se expresan en la carnalidad de híbridas imágenes que se alimentan tanto del gran carnaval de la cultura universal como del lenguaraz apodo que se oye en la calle o del caricioso diminutivo doméstico.

Sus construcciones se van levantando sobre un cuaderno escolar tras otro al impulso de una melodía interior, como el que sueña monstruos y colibríes sobre el papel. Sobre el papel corre –desentendido de la precisión del dato, de la declinación latina o del manual de sintaxis–, confiado únicamente en su descomunal memoria, que a veces lo traiciona; en su hiperbólica vocación de audacias provocadoras, de misteriosos corredores que a veces no conducen a parte alguna, pero que alcanzan la suficiencia en las iluminaciones del trayecto. Y él sigue adelante, barajando por igual una visión adánica de la isla, "la rubia mazorca" precortesiana o el salón rococó de Catalina la Grande. Lezama desconoce el método comedido, el cálculo de la precisión. Más que el convencimiento, persigue el encantamiento. Todo en él es desbordamiento, derroche al borde del abismo.

El lenguaje en Lezama no está circunscrito a la exactitud de ciencia o disciplina alguna. Su léxico, ajeno a cualquier especialización, se prodiga con la gracia de la intuición poética que se organiza en una agobiante sucesión de imágenes, metáforas, hipérboles, enumeraciones, parodias, juegos de ingenio, citas, reminiscencias... Lo singular de la escritura lezamiana no se encuentra únicamente en el despliegue de los recursos retóricos barrocos, sino en el plus de retorcimiento y complejidad con que los elabora. Es una suerte de escritura en fuga que se complace en la distracción finalista del periodo, perdido en una inextricable selva de subordinadas que se persiguen infatigablemente hasta alcanzar la forma de esos "mise en abîme" o juegos especulares, donde un espejo dentro de otro espejo multiplica aberrantemente la figura.

En Lezama se configura ese espíritu neobarroco que en palabras de Severo Sarduy es "reflejo necesariamente pulverizado de un saber que sabe que ya no está apaciblemente cerrado sobre sí mismo. Arte del destronamiento y la discusión" (Sarduy 1987: 212).[22] Cuando el lector se enfrenta a *Paradiso* (La Habana, 1966) y a *Oppiano Licario* (La Habana, 1978) descubre de inmediato que el lenguaje se convierte en protagonista y eje constructor de la novela. Advierte también que el relato adquiere la forma de una suerte de autobiografía en la que, sin embargo, el componente de virtualidad creativa termina por desplazar y devorar al referencial. Sus personajes principales actúan en el texto a la manera de heterónimos, desplazamientos de identidad y perspectiva, que enmascaran la voz narrativa que se interroga obstinadamente en la búsqueda de la salvación por el conocimiento.

*   *   *

Los dos maestros, Alejo Carpentier y José Lezama Lima, tan singulares e irreductibles, paralelos en su excelencia, pueden contemplarse satisfechos en las imágenes especulares que los acogen simultáneamente. En ese juego de espejos que los reproduce, se complementan y amigan en una sustancia final que nos entregan para enriquecer nuestra mirada.

---

[22] Severo Sarduy, "Barroco", en *Ensayos generales sobre el Barroco*

Sobre el mal uso de dos tópicos: barroco y luces para Carpentier

JUAN CARLOS RODRÍGUEZ
Universidad de Granada

1. La primera sorpresa al releer a Alejo Carpentier se nos ofrece sin duda como la clave de cualquier escritura novelística: quiero decir, hasta qué punto Carpentier es capaz de "suspender nuestra incredulidad", como indicaba Carlyle. De ahí la sorpresa: hoy es difícil leer novelas y mucho más creérnoslas. Afortunadamente Carpentier escribió en un momento en que aún se creía en la Literatura (precisamente casi el último o mejor momento), en que aún se creía en ese *milagro* de contar historias cotidianas como si fueran "maravillas". Y nos las hemos seguimos creyendo (aunque muy difícilmente) a través de esa trampa básica a la que aludo acerca de Carpentier: contándonos las cosas anormales como si nos contara cosas normales, o viceversa. Es decir, estableciendo para el lector occidental una distorsión en la regla entre lo normal y lo anormal. Algo que obviamente pretende ser una especie de signo de individualización a la vez personal y colectiva.

Y esto que digo parece una obviedad en tres sentidos al menos: 1°) históricamente porque Carpentier llegó tarde al boom (también llegaron tarde Borges, Rulfo o J.C. Onetti), pero es que el boom fueron básicamente tres nombres: el Vargas Llosa de *La ciudad y los perros*, el Cortázar de *Rayuela* y el García Márquez de *Cien años de soledad*. Muy poco después se montaron o fueron subidos al vagón otros antiguos conocidos como Carlos Fuentes u Octavio Paz; y por supuesto en medio se situaban no sólo la crisis de la novela europea (sobre todo detectada por el *Nouveau roman* francés); no sólo el auge del tercer mundismo con el desquiciado prólogo que Sartre puso al libro del argelino Franz Fanon: *Los condenados de la tierra* (y digo desquiciado porque ahí se consolidó la relación centro/ periferia que muy pronto se vería como inútil); un ámbito, pues, en el que no sólo estaban la revolución castrista y el Vietnam sino hasta los derechos civiles de los negros y el feminismo de los Estados Unidos. Y por supuesto también había algo más: la literatura comenzaba a convertirse en lo que es hoy. En pura mercadotecnia que recogía cualquier residuo, y por ello se le concedió un billete de vips al hasta entonces opacado, dentro del boom, Lezama Lima a través de *Paradiso*. 2°) Está claro sin embargo que ni los propios latinoamericanos creían entre ellos en una literatura conjunta o común en la contemporaneidad, sólo acaso en el pasado. Quizá en Europa, en el eterno París latinoamericano, esa conjunción empezó a difundirla Roger Caillois en la *Croix du sud* (de la editorial Gallimard). Quizá ellos (los latinoamericanos) creían en una literatura nacionalista y/o naturista y esta historia la cuenta bien Carpentier. Evidentemente Borges se hubiera vuelto loco si alguien se hubiese atrevido a compararlo con el otro grande de su tiempo, con Juan Rulfo, y no digamos si alguien lo hubiera comparado con un escritor ecuatoriano o boliviano o guatemalteco (aunque la política cultural le otorgó a Miguel Ángel Asturias el premio Nobel que Borges siempre ansió y nunca alcanzó). Pero 3°) No sólo sucedía que los escritores latinoamericanos intentaban sin embargo –y pese a todo lo anterior– intentaban, digo, responder a la terrible pregunta de Bolívar *¿Qué somos?*; al igual que las feministas intentaban responder, en esa misma época de finales de los sesenta, a la no menos terrible pregunta de Freud: *¿Qué desea la mujer?* No sólo eso, insisto, sino que (por volver a nuestros planteamientos iniciales) ocurría que América Latina (o Hispanoamérica si hablamos de lo que se escribe en español) era uno de los pocos lugares (pienso que el último) donde aún se seguía creyendo en la literatura como fuerza expresiva global e individual. Azuela hubiera dicho, en "mejicano", que hoy todo eso se ha ido al carajo; Bioy Casares, siempre menos patético, hubiera dicho simplemente que la literatura ya no le importa a nadie. Es obvio que la crisis económica y editorial estaba hundiendo la creencia literaria mucho más allá de la pérdida del aura de que habló Benjamin; y no menos cierto es que el posmodernismo ideológico ha tenido que confinar a la literatura (tras anular a la filosofía: es la proclama de R. Rorty) no sólo en la mercadotecnia sino en una especie de auto-parodia o pastiche, como en el caso del argentino César Aira, o quizá ya desde la "nueva onda" mejicana de los años setenta. Quizá aquella terrible pregunta de Bolívar, "qué o quiénes somos" carecía ya de sentido. Y afortunadamente: los escritores se cansaron de intentar responder en tanto que conciencia crítica del pueblo. Lo que más bien implicaba "creerse" en exceso dentro de "su" pueblo (pues en realidad parecían *salvadores...*). Por ejemplo Vargas Llosa al presentarse a las elecciones presidenciales del Perú o bien Octavio Paz en su etapa final televisiva como representante del PRI (lo que le costó incluso que hasta su casi hermano Carlos Fuentes se "peleara" con él). Estos son hechos que necesitarían llenarse de matices y de precisiones[1].

Pero son hechos a los que también se aproximan Jean Franco o García Canclini: para ellos, en lo único que creen los latinoamericanos es en la mentalidad yanqui, en las telenovelas venezolanas o en las diferencias de gusto entre Julio Iglesias o Sting. Y quizá llevan razón, aunque es obvio que hay mucha distancia entre el *Tango* que escribió Stravinski en los años 20 y el "tango" que ha escrito Tomás Eloy Martínez sobre el Buenos Aires de hoy incluyendo a la propia Jean Franco como personaje real de la novela.

Evidentemente Carpentier escribió en una época, apuntábamos, más afortunada para la literatura, cuando aún se disputaba entre las vanguardias y el compromiso, dentro de las propias vanguardias y del propio compromiso. Digamos entre los años 30 y 50, una época en la que Carpentier aún podía decir: *"como me señalaba un día Jean Paul Sartre..."*. Lo que era demasiado decir.

Y por cierto: ¿qué es lo que le dijo Sartre? Aparte de la obvia cuestión entre centro y periferia a la que acabamos de aludir, indiquemos para simplificar que lo que Carpentier recuerda de Sartre es que la novelística de los años 40–50 del siglo XX carecía de *contextos*.

Y esto no significa para Sartre ni para Carpentier, un olvido del texto en sí, del ser en sí del texto. No se trataba, pues, de retornar al contexto social frente al lenguaje en sí. El segundo Wittgenstein echaría por la borda todo esto con el simple esquema de que "la significación del lenguaje no es más que su uso". No suponía tampoco, desde el otro lado, reírse del lenguaje esencialista: las risas de Carnap –y luego la dureza de Adorno– contra la famosa frase de Heiddeger acerca de que "la nada nadea"; o las burlas de Reichenbach ante la idea que Aristóteles tenía de la reproducción humana, etc. En absoluto: *el* contexto para el Carpentier que habla con Sartre se transforma de inmediato en *los* contextos. Y el plural es muy importante, pues se trataba de los con-

---

[1] Por ejemplo, el caso del novelista venezolano Rómulo Gallegos, el autor de *Doña Bárbara*, que fue asesinado a los pocos meses de ser elegido Presidente de su país.

textos específicamente latinoamericanos: desde el geográfico al culinario. Y lo anoto sólo como una señal indicadora y no siempre bien entendida.

2. Pues aquí estamos entrando ya en plena *tarea* (un término heiddegeriano/ sartreano éste de *tarea* que Carpentier no abandonará nunca). Me explicaré con un ejemplo muy fácil. José Donoso, en su *Historia personal del boom* (Barcelona, Anagrama, 1972) cita continuamente a Carpentier y recuerda cómo un día en Chile le dijeron que un musicólogo cubano había escrito una novela sorprendente: *Los pasos perdidos*; que la devoró en un día o una noche o algo así y que esa novela le transformó radicalmente, le cambió todo su *estilo* y le obligó a reescribir su obra. Lo sintomático es que luego Donoso nos diga, en el mismo libro, que finalmente comprendió que no se trataba de una mera cuestión de *estilo* sino de otro tipo de concepción del mundo y de la literatura. Curiosamente es casi lo mismo que nos dice Carpentier en su ensayo: *Problemática de la actual novela latinoamericana* (Ed. Comunicación, Madrid, 69). Carpentier acaba diciendo que frente a los dos estilos europeos, el *bueno* y el *malo* (en el fondo: el *buen gusto* y el *mal gusto*: op. cit, p. 20) frente a eso, repito, existía la posibilidad de un *tercer estilo*, aún por crear efectivamente. *Tercer estilo* y *tercer mundo* se semejan como dos gotas de agua, y ahí es donde aparece la teoría de los *contextos* de Carpentier, que concluye (p. 46) con una proposición sobre la *novela épica*: "Para nosotros se ha abierto en América Latina la etapa de la novela épica –de un *epos* que ya es y será nuestro en función de los contextos que nos incumben" (id. id.). otra observación de simple "señal indicadora", pues obviamente el Carpentier *teórico* no existe; su teorización se inscribe sólo en –o se puede extraer sólo de– su asombrosa capacidad narrativa, su capacidad de fabulación. Lo que me pregunto es si esa fabulación narrativa no incluye una *nostalgia* por la ausencia de la Revolución burguesa en el Caribe, incluso su intento de explicarse –y explicarnos– esa nostalgia y esa ausencia –o su imposibilidad "contextual"–.

3. En este sentido es quizá donde también aparece ya decisivamente la imagen del barroquismo, algo que Carpentier define así: "el estilo de las cosas que no tienen estilo". Una obvia definición sin definición, en la que sólo se resalta el término barroquismo y en hueco. Pues se resalta precisamente por: "una nueva disposición de elementos, acercamientos fortuitos, *de alusiones de cosas a otras cosas*, que son en suma la

fuente de todos los barroquismos conocidos" (op. cit. p. 20; subrayado mío: J.C.R.).

Fijémonos en esto: *alusiones de cosas a otras cosas.* Por ejemplo: en *El siglo de las luces* (1962) la muerte originaria del padre concatena la aparición del desenfreno aparente de los tres hermanos, el orden posterior que establece entre ellos Víctor Hughes (y el extraño mago/ médico negro que le acompaña, Ogé, el que cura a Esteban). Todo esto prefigura la alusión de cosas a otras cosas. Digamos: el edipismo de Sofía, recluida hasta entonces con las monjas, y que temía a la carne y a los hombres, se transforma no sólo en un desprecio hacia el padre muerto sino en una atracción edípica irrefrenable hacia el nuevo padre vivo, ese Víctor Hughes con el que conoce el sexo en el barco y al que ya no olvidará nunca. Tanto que –recordemos– al quedarse ella viuda, Esteban descubre con estupor que los trajes y la ropa interior que las sirvientas le habían ido bordando a Sofía, en absoluto eran signos de luto, sino muy al contrario, todo algo deslumbrante para volver a encontrarse con su único destino edípico, el propio Víctor Hughes. Del que sin embargo se aleja para siempre cuando Hughes (convertido en hombre rapaz, simple comerciante y medio ciego por el "mal de Egipto") se cura con carne de ternera puesta a sangrar sobre sus ojos: las dos cosas, los ojos y la sangre, le hacen parecerse tanto a Edipo –lo dice Carpentier– que Sofía no sólo olvida el amor sino incluso la piedad (p. 356). ¿Más alusiones de cosas a otras cosas? Por supuesto: la progresiva disolución de Esteban. Siempre enamorado de su falsa hermana Sofía, Esteban convive al lado de Víctor Hughes la propia disolución de los dos y sobre todo de una idea, una idea en la que Esteban cree y Víctor Hughes no: la idea de la Revolución hecha desde el Libro. Por eso Carpentier convierte a Esteban en traductor y redactor de todas las letras del alfabeto revolucionario. Pues aquí radica el primer problema: el Libro francés (la Enciclopedia, digamos) no se puede traducir, es intraducible dentro de la Naturaleza Americana. Por su parte Hughes ama sólo dos imágenes: el retrato de Robespierre y el funcionamiento de la Máquina, de la guillotina. Dos imágenes de la muerte, para él las dos únicas reales. Pues en efecto ¿qué pueden significar las *Letras* de un libro extraño, el libro de la revolución francesa, aplicado a la isla de Guadalupe? Esteban es como el héroe de Joyce: un héroe fuera de lugar y de tiempo, un simple traductor de la nada, del vacío de una "politización" sin sentido. La Revolución del Libro es imposible en el Caribe donde sólo existen la naturaleza y su caos. ¿Más alusión de cosas a otras cosas? Las que se quieran: el "ritornello" de la construcción de castillos o fortalezas continuamente devorados y reasumidos por las llamas o por la selva (no está lejos el final de *La Vorágine*, de José Eustasio Rivera: "se los tragó la selva"), una imagen que no sólo es decisiva en *Los pasos perdidos* sino igualmente clave en las dos novelas históricas que a mí me interesan, *El siglo de las luces* y *El reino de este mundo* (1949). Si el palacio de Hughes es devorado en *El siglo de las luces*, el rey Henri– Christophe es enterrado (en *El reino de este mundo*) en cemento en los muros aún vivos y húmedos con la sangre de los toros sagrados de su fortaleza (en cierto modo lo mismo que él había emparedado a su capuchino confesor francés, sólo que ahora para que el rey y los muros se religuen en una misma cosa). Y únicamente queda algo suyo, algo del rey: el dedo que le cortan para entregárselo a su mujer y que ella deja descender hasta más allá de su ombligo (quizá como un sarcasmo de Carpentier sobre el famoso pene de Napoleón conservado en formol). Pero lo importante en esta dialéctica de *alusión de cosas a otras cosas*, en esta dialéctica de carne y materia, se nos revele finalmente acaso en el momento en que Soliman, el esclavo de la sensualísima Paulina Bonaparte, contempla y palpa (en el exilio romano) cómo esa carne de mujer se ha convertido en la estatua de mármol de Canova. ¿Cómo la carne viva de la carne se puede convertir en mármol muerto? Quizá por eso Carpentier prefiera entre todos al pintor cubano Wifredo Lam, el único capaz de dar vida a esa vida continua que es el vodú, la carne/ espíritu (por eso quizá también se le aparece al rey, como en un Macbeth criollo, el espectro del fraile emparedado). Como gran musicólogo y como gran amante de cualquier ritmo estético/ vital, la música habla en todos los territorios de Carpentier. Por eso Carpentier no concibe el arte sino como arte total, y quizá por eso cuando todos los negros de Haití se levantan contra el rey Henri– Christophe no sólo las llamas –y la soledad– inundan el palacio Sans- Souci o la fortaleza de La Ferrière, sino que toda la isla se sacude como una vibración de sonido, esa música inseparable de Carpentier, el sonido de los tambores y de la "alusión de unas cosas llamando a otras cosas". Escribe: *Pero, en ese momento, la noche se llenó de tambores. Llamándose unos a otros, respondiéndose de montaña a montaña, subiendo de las playas, saliendo de las cavernas, corriendo debajo de los árboles [...] los tambores todos del Vodú.*

4. Quizá así comprendamos mejor lo que Carpentier quería decir con la cuestión del *tercer estilo*: no exactamente un estilo literario (como en gran medida acertaba a decir también José Donoso) sino digamos la *revelación de un mundo* (son palabras de Carpentier) a través de la concepción del mundo de la escritura: elevar la ficción a verdad para revelar la verdad que se esconde bajo cualquier ficción. Aunque tenga, con ello, que sacudir toda nuestra incredulidad: aquello, la isla de Guadalupe de Víctor Hughes o el Haití de Henri– Christophe –incluso la Cuba que siempre está en medio– no sólo fue verdad en tanto que ficción histórica sino que sigue siendo verdad como historia real, como lo real maravilloso: tan mágico o tan trágico, que puede escindirse en dos partes. Digamos el momento inicial de *Cien años de soledad* en que el niño inventa el mundo descubriendo que el hielo quema o el momento "normal" en que Remedios, la bella, asciende al cielo mientras tiende la ropa. Eso es lo real maravilloso o lo "algo" en absoluto maravilloso, pero esa es la otra historia del presente/ pasado de García Márquez que evidentemente Carpentier escribió de otra manera. Habría mucho que hablar de novelas tan portentosas como *Los pasos perdidos* o *El recurso del método*. Pero volvamos al pasado de la "nostalgia/ ausencia" de la Ilustración americana que Carpentier quiso traernos hasta hoy en las dos novelas que estamos comentando.

II

1. Continuemos, pues, con las Luces y con su símbolo básico: 1789, la clave de las dos novelas a las que me estoy refiriendo, tanto *El siglo de las luces* como *El reino de este mundo*.

En realidad, y como comentaba Starobinsky, en su libro *1789: Los emblemas de la Razón*, (Taurus, Madrid, 1988), el invierno de 1789 fue muy frío, glacial. Las cosechas se habían perdido los dos años anteriores. Goya lo había mostrado en un cartón tapiz titulado así: "El invierno", en 1787. Aún causa escalofrío verlo: el blanco de la muerte lo envuelve todo. La naturaleza estaba helada, también los jardines de las ciudades y de las mansiones de los grandes burgueses. Uno de ellos, Bernardin de Saint-Pierre, nos lo cuenta en su libro *Deseos de un solitario: El primero de mayo de este año de 1789, al amanecer, bajé a mi jardín para ver el estado en que se encontraba después de este terrible invierno en que el termómetro ha bajado el 31 de diciembre a 19 grados bajo cero. En el camino pensé en la gra-*

nizada desastrosa que el 13 de julio había caído por todo el reino. Evidentemente lo de la *gran granizada* suponía que el "sol" ya no estaba en la cabeza del rey sino entre los ciudadanos y ciudadanas. Y que la *Máquina* de la Revolución estaba en marcha en cualquier sentido. En nombre de los *sans-coulotte* el lema originario, "Libertad, Igualdad, Propiedad Privada", cambió su último sintagma por "Fraternidad", pero con el Terror, el Thermidor o Napoleón, el hecho fue que el mundo había cambiado. Claro que los primeros "Derechos Humanos" no abarcaban en absoluto a los de abajo ni a las mujeres.

Y sin embargo resultaría curioso analizar por qué la imagen de la Libertad está representada siempre por una mujer: con los senos al aire en el cuadro de Delacroix o con la antorcha de la libertad en la púdica imagen que los franceses regalaron a los EE.UU. Una antorcha en la mano –la luz que ilumina al mundo– y en la que sin embargo entran por debajo –y bajo pago– los turistas de todo el mundo. El símbolo del sol se reconvirtió pues en el deslumbramiento de la Ilustración, pero obviamente toda luz proyecta también sus sombras. 1789–2004: dos siglos y pico después ¿qué pueden decirnos las luces y las sombras de la Ilustración? Lo intentaron ya analizar Adorno y Horkheimer (en su *Dialéctica de la Ilustración*), Gadamer, Habermas y toda la escritura posmoderna. Pero estas dos obras de Carpentier son magistrales en ese sentido de luces y sombras. En realidad ello ya bastaría (aduciré algunas otras razones después) para que estemos aquí celebrando el centenario de Alejo Carpentier. No sé si hacía frío o si llovía en París cuando murió allí en 1980. Sólo que morirse en París, con aguacero o sin aguacero, era casi un destino ineludible para Carpentier.

2. La formación francesa de Carpentier resultaba indudable, acaso le pesaba demasiado y quizá por eso (al intentar narrarnos la historia de "su" Caribe) siempre tuviera obsesión por las luces –y las sombras– de la Revolución francesa simbolizadas en aquel 1789. En consecuencia (y por todo ello a la vez) tal vez quería aprehender y desprenderse de esa influencia francesa, e (igualmente por ello) no cesó tampoco de hablar de algo que la alta cultura francesa –desde su clasicismo tradicional– jamás parecía haber entendido: la cuestión del barroco. Es sintomática esta historia puesto que (aparte de Rousset y su muy serio libro sobre *Circe y el pavo real*, también de los años 60) el barroco se había visto en Francia desde tres perspectivas históricas distintas: 1°) En los siglos XVI y

XVII lo que hoy llamamos barroco (el término entonces no existía) aludía en los países contrarreformistas o católicos a un desbordamiento de
la carne o de las formas o de los pliegues, que en realidad podía ser mul-
tívoco, pero que transparentaba los huesos y las calaveras que había
debajo. El exceso de carne o de formas indicaba, sí, el exceso de la vida,
pero precisamente por eso su negación. Una negación de la vida, en su
propio exceso, que de hecho para el clasicismo francés (y no olvidemos
su trasfondo protestante o hugonote, como no podemos olvidar el
racionalismo cartesiano) suponía en verdad la inutilidad moral y estética –la inutilidad imperial– del mundo hispánico a un lado y otro del
Atlántico. Las polémicas al respecto se trasladarían luego al siglo XVIII
–"¿Qué se debe a la España?"– pero lo significativo no es sólo que se acu-
mularan juntos los desprecios hacia Góngora y Quevedo (incluso sobre
el Cervantes supuestamente barroco, lo que ya es mucho decir) sino
que incluso se metiera a Lope en el mismo saco, y Boileau despreciara a
Lope llamándolo simplemente "rimador impávido del otro lado de los
Pirineos". 2º) En el siglo XIX hubo sin embargo un giro decisivo en la
cultura europea. Lo sabemos de sobra: aunque el francés seguía siendo
el lenguaje diplomático o político por excelencia, sin embargo el inglés
(la lengua del imparable imperio victoriano) se había convertido ya en
el lenguaje por excelencia del comercio y el capital (y habían sido los
novelistas ingleses los que de verdad lanzaron al Quijote como obra
maestra); pero es que a la vez estaba sucediendo algo mucho más duro:
desde Kant y Hegel ya no era el latín sino el alemán el lenguaje filosófico por excelencia; los alemanes –con los hermanos Schlegel y Hamman
y Herder– reivindicaban la cultura española (en especial la del XVII cal-
deroniano) como la única herencia válida para el romanticismo. E
incluso más: bajo el gobierno prusiano de Bismarck, la inminente Ale-
mania unificable había arrasado al ejército francés en la batalla de
Sedán de 1870. Con lo cual la superioridad de la raza aria habría quedado establecida muy por encima de las latinas, salvo con algunas excep-
ciones: el recuerdo del Espiritualismo español (e italiano) en las artes
plásticas, la música y la literatura del XVII. Algo de esto sigue brillando
sin duda en Carpentier y muy especialmente en su sátira titulada no *el
discurso* sino *El recurso del método* dirigido, como se sabe, contra la dictadura de Machado en Cuba, pero que tiene unas raíces más profundas
que intentaremos analizar a continuación. 3º) Puesto que la polémica

entre el recurso o el discurso del método, en sus más amplias perspectivas, iba a tener unas consecuencias increíbles para la cultura occidental del siglo XX. Digamos así que no sólo Husserl reivindicó el espiritualismo científico para oponerlo al positivismo naturalista francés (fue la invención husserliana de la Fenomenología), sino que obviamente la cuestión se iba a trasladar muchísimo más allá[2]. Sucedió que (aparte de los lógicos formales y analíticos del llamado Círculo de Viena) dentro de ese mismo ámbito fenomenológico surgieron historiadores del arte o del gusto estético, como Wölflin y Worringer, que empezaron a inventarse (ya en los años 10 y 20 del siglo XX) un término que parecía que iba a ser decisivo: el término *Barroco*. Cierto que no sin contradicciones. Tantas que, para paliarlas, D'Vorack hubo de inventarse a su vez el término *Manierismo* a partir de su conferencia sobre el Greco. 4º) Ahora bien: ¿Qué tiene que ver todo esto con nosotros a la hora de hablar de Alejo Carpentier? Obviamente dos cosas: que tanto el término "Luces" como el término "Barroco" –y no digamos *Manierismo*– son efectivamente términos inventados muy recientemente. El problema es si tienen algún verificacionismo referencial o no. Por supuesto que las Luces o la Ilustración sí que tienen un verificaciónismo indudable: nos estamos refiriendo con esos términos a las revoluciones burguesas. Mientras que por el contrario Barroco es un término que se extrae de una categorización difícilmente verificable. Es una categoría que hoy apenas adquiere vislumbres y opacidades de realidad, una categoría en verdad dudosísima: si Calabrese ha usado el término neo-barroco ha sido para remitirnos a películas como *Rambo* o *E.T.*, en suma para hacer simulacros sobre los supuestos simulacros posmodernos. Claro que hay preguntas mucho más claves: podríamos preguntarnos acerca de lo que significa Edad Media y añadir *Edad Media ¿entre qué?* Podríamos preguntarnos qué significa Renacimiento y añadir *Renacimiento ¿de qué?* Evidentemente se trata de una torpe historia que nos remite a la imaginaria *Evolución histórica del alma o del Espíritu Humano.* Algo concebido precisamente a raíz de la Revolución burguesa desde el XVI al XVIII. Es la imagen que culminaría en el *Sapere aude*, el atrévete a pensar por ti mismo, la famosa respuesta de Kant a la pregunta sobre "¿Qué es la Ilustración?" Kant quería

---

[2] Recordemos que el Positivismo fue establecido como norma oficial del saber en la Universidad de México.

decir lo que todos los ilustrados: que hasta entonces el espíritu humano había sido un niño, un niño que no se había atrevido a pensar por sí mismo, sólo de la mano de la Iglesia o de las otras Instituciones cortesano/ nobiliarias. Tanto que los ilustrados incluso llegaron a denominar al feudalismo cristiano nada menos que como la "oscura noche de mil años". Una noche demasiado ártica o polar, pues evidentemente mil años son demasiados años. En una palabra: si usamos términos historiográficos absolutamente inválidos, como los de Edad Media o Renacimiento, lo hacemos sólo como marbetes instrumentales, para entendernos entre todos. Sólo que hay un matiz que me gustaría resaltar: también para entendernos –y ya que hablábamos del sol– decimos que el sol sale o que el sol se pone. Pero sabiendo de sobra que el sol siempre está quieto. Quizá algo similar ocurre cuando hablamos de Edad Media, de Renacimiento o de Ilustración. Podríamos decir así que hablamos a través de metáforas interesadas. Metáforas que interesan, que valen o que tienen precio, pero sólo desde el campo semántico de la Revolución burguesa del XVIII, al modo en que sólo a partir de ahí se comenzó a *contar por "siglos"*. De manera que hablamos de Edad Media para aludir a la producción social e intelectual del feudalismo; hablamos de Renacimiento o de Clasicismo para aludir a la coexistencia a muerte –que culminaría en la famosa "Guerra de los treinta años"– una coexistencia o una guerra entre feudalismo y capitalismo que efectivamente existió entre los siglos XVI y XVII; y cuando nos referimos a la Ilustración, nos referimos al triunfo del capitalismo pleno en Europa y en América del Norte –lo que también se suele llamar primera Modernidad–

Incluso las Luces es una buena metáfora interesada: se acabó la oscuridad de mil años para que se iluminaran la Razón y el Espíritu, para que se encendiera esa luz que iba a revivir a la humanidad y a la naturaleza. Sin embargo cuando decimos Barroco (o Manierismo) ¿qué estamos diciendo? Son otras metáforas, evidentemente, pero ¿dónde buscar su referente auténtico? En literatura o filosofía ese referente auténtico carece de validez. Aunque incluso Walter Benjamin todavía hablara de un "Drama Barroco Alemán" (la tesis que jamás le fue aceptada por la Universidad alemana) está claro que hoy aludir a las *alegorías* de los Autos de Calderón como algo barroco, aludir a Góngora como culterano barroco o a Quevedo como conceptista barroco nos ha llevado a todos a un callejón sin salida. Tanto que se prefiere hablar, si acaso,

del conceptismo en general del XVII, incluida la prosa de Gracián. Pues
en efecto: por mucho que Carpentier juegue con la dicotomía entre el
discurso y el *recurso* del método, resulta claro que para nada nos sirve
hablar de barroco cuando nos referimos a la búsqueda de ese método
que Descartes trató de anteponer a sus trabajos científicos; para nada
nos sirve hablar de barroco para entender lo que Spinoza denominaba
una "moral geométrica", una manera geométrica de entender el
mundo; para nada nos sirve hablar de barroco cuando nos remitimos a
esa cultura francesa que tanto fascinaba a Carpentier, por ejemplo las
tragedias jansenistas del pensamiento de Racine o de Pascal; y mucho
menos cuando nos referimos al otro lado, al lado anglosajón, a lo que
entendían Locke o Newton por leyes de la experiencia psíquica o por
ley de la gravedad. Pero es que hay más: para nada nos sirve hablar de
barroco no sólo a propósito de la poética con que Milton rescribió la
Biblia, o de las iluminaciones entre el alma y el cuerpo desde John
Donne a Blake. Es que tampoco nos sirve el término a propósito de lo
que se entendió por Estética a partir del descubrimiento del lenguaje de
las Pirámides o del redescubrimiento del efebismo helénico a partir de
Winkelman o de las diferencias entre el llamado "jardín inglés" y los jardines de Versalles. Y no digamos respecto a la ética/ estética de Kant o
en la estética dispuesta para matar a cualquier estética en el Espíritu
Absoluto de Hegel. Y las metáforas de Hegel son transparentes: si el arte
era una relación entre espíritu y materia, si en el arte antiguo de la Pirámides la materia había pesado más que el espíritu; si en el arte clásico
por excelencia, el arte griego (digamos, la escultura), el equilibrio entre
espíritu y materia era perfecto; sin embargo ahora en la época moderna
o romántica, y ya a partir de Shakespeare, el espíritu (la literatura) era
ya mucho más importante que la materia, lo que indicaba que el arte
empezaba a dejar de ser necesario ante el triunfo del espíritu. Algo que
concluirá perfectamente en Nietzsche y su Zaratustra como vida artística –pero no ya como Arte exento de la vida.

De modo que en vez de hablar del "recurso del método", Carpentier debería haberle puesto un recurso al barroco. Seguir hablando de
culteranismo y conceptismo barrocos supone una buena manera de
hablar en el vacío: quizá sólo Deleuze haya seguido sustentando el término pero sólo como un útil que le sirviera para su "filosofía del plie-
gue" (a través de la historia y la música del XVII).

3. ¿Por qué sin embargo Carpentier centró prácticamente siempre el eje de sus núcleos literarios y estéticos en torno al entrecruzamiento de las Luces frente al Barroco, al encuentro o estallido entre ambas categorías? Dejo de lado su primera y última novela: la primera, *Écue–Yamba O*, porque él mismo la desechó, aún reeditándola luego, en tanto que mero ejercicio de aprendizaje juvenil (de aprender a escribir en la cárcel, podría decirse también); y *La consagración de la primavera*, por lo que pueda ribetearse ahí de apologetismo en torno a la Revolución cubana. Y si me interesa sobre todo centrarme ahora en las dos novelas históricas aludidas, no debo dejar de precisar alguna cuestión al respecto. Pues es curioso: a Carpentier se le ha puesto a caldo acusándolo de castrismo, del mismo modo que a Ernesto Cardenal se le ha puesto a caldo acusándolo de sandinismo. Conviene sólo matizar algo: el doble compromiso sobre el barroco a partir de la relación centro-periferia. Es sintomático de nuevo cómo la relación entre Sartre y Carpentier nos vuelve a aparecer aquí. Como decíamos, Sartre escribió el prólogo al libro del argelino Franz Fanon: *Los condenados de la tierra*. Ese prólogo lleno de buenas intenciones hizo creer a millones de personas en el mundo que la descolonización y las revoluciones periféricas (y ahí estaba el caso de Vietnam) podían trastocar todo el sistema establecido. Sólo que ese prólogo de Sartre se vio muy pronto desfasado. A pesar de la crisis capitalista del 68 al 78, no fue la periferia la que triunfó, sino el centro el que se extendió hasta abarcar todos los límites del mundo. Lo que Marx había llamado *historia mundial* se estaba convirtiendo efectivamente en lo que hoy llamamos *globalización*. Pero resulta muy significativo que el compromiso de Carpentier con el barroco significara en el fondo un compromiso con la periferia. No deja de ser sintomático a la vez que un cubano exiliado y declaradamente heredero del barroquismo y la homosexualidad de Lezama Lima (y me estoy refiriendo obviamente a Severo Sarduy) reivindicara plenamente al barroco como una forma de existencia de lo *periférico*, como lo *marginal en el interior del centro* (Sarduy acabó siendo el sustituto de Caillois en la dirección de *La cruz del sur*), sin importarle recurrir no sólo a Carpentier –y por supuesto a Lezama– sino a los estudios gongorinos de Alfonso Reyes, a la reivindicación barroquista hispanoamericana de Emilio Carilla, etc. Claro que todo ello envuelto en el *significante* de Lacan y en lo que el propio Lacan llamaría un "parloteo sin sentido". Pero baste con esta digresión: ¿qué había querido decir en

el fondo Carpentier hasta comprometerse al límite con el término barroco? Hablábamos obviamente de lo "real maravilloso", el texto-prólogo que aparece al principio de *El reino de este mundo*, un texto al que admiraba Jameson y que abrió paso a toda la retahíla posterior en torno al realismo mágico, etc. Recordemos lo que habíamos señalado al principio acerca de lo que Carpentier llamaba el *Tercer estilo*. Quizá así se pueda seguir hablando del compromiso de Carpentier con el barroquismo. Decíamos que en el fondo era un compromiso con la escritura periférica –y lo vamos a comprobar enseguida– pero no podemos olvidarnos de los matices que habíamos establecido. Pues es curioso de nuevo: si entre finales de los 60 y principios de los 80 el centro se extendió hasta abarcar toda la periferia, hasta abarcar la historia mundial o la globalización (y de esto ni Sartre ni Carpentier parecieron darse cuenta), sin embargo respecto a la literatura y el arte empezó a ocurrir todo lo contrario: la literatura o el arte empezaron a perder su centro. No sólo su aura, como siempre se dice aludiendo a Benjamin, sino su propio sentido de escritura o de estructura estética básica dentro del supuesto espíritu humano. Quiero decir sencillamente que la literatura perdió su centro porque se convirtió en mercado; quiero decir que la estética perdió su centro porque el mercado artístico se convirtió en el "todo vale"; quiero decir que la literatura perdió su *centro* precisamente porque se estaba destrozando la imagen del yo, del "yo soy libre", que era –supuestamente– el centro de la literatura. De modo que no sólo el compromiso político del escritor sartreano sino que el compromiso de Carpentier con el barroco empezaban a difuminarse. Y quizá de ahí el borrarse también de la escritura de Carpentier durante varios años. De cualquier manera insisto en que había buenas razones para poner en duda el concepto de barroco: quizá en las artes plásticas o quizá en la propia música, Carpentier (como Deleuze) encontraba algo (el retorcimiento de unas columnas, el retorcimiento de una sinfonía como la "Heroica"de Beethoven narrada en clave cubana en *El Acoso* de 1955) para seguir hablando de barroco. Pero estaba claro que ya el retorcimiento de la sintaxis no legitimaba en absoluto para seguir hablando del barroco de Góngora o de Sor Juana: el "espíritu de las épocas" era sólo una cuestión de Dilthey o Cassirer; el barroco gongorino era sólo una cuestión del 27 y Ortega.

A pesar de Lezama y Sarduy me parece, pues, evidente que el

secreto de Carpentier no radicaba tanto en el problema del barroco
sino en el problema de las Luces. Al igual que siempre, el secreto efectivamente estaba a la luz, la carta en medio de la chimenea, del mismo
modo que en el relato de Poe.

4. En suma y para ser muy breve: el secreto de Carpentier radicaba
en el secreto de las luces, es decir, en la relación entre la naturaleza
natural y la naturaleza humana. ¿Qué había ocurrido en realidad bajo
las Luces? Sencillamente que después de que la burguesía declarara la
muerte de Dios (y la imagen es muy anterior a Nietzsche) la Naturaleza
Humana sólo podía encontrar su fundamentación o su legitimidad en
la Naturaleza Natural. Y lógicamente: la Naturaleza natural en América
latina (o incluso en la negritud o el mestizaje trasvasados desde África)
no podía ser lo mismo que la Naturaleza natural que se trasparentaba
en la Naturaleza humana europea. Y por ello he hablado de la Revolución del Libro (los norteamericanos de la "guerra fría" también habla-
ron de la revolución del libro, sólo que para atacar al marxismo en nombre del propio pragmatismo yanqui: pero ésta es otra historia). El secreto de lo real maravilloso o del realismo mágico (en suma, el compromiso de Carpentier con lo que él llamó *barroquismo*) radica, pues, simplemente en este fundamento clave para explicar la ausencia/ nostalgia de
la revolución burguesa en el Caribe: allí la naturaleza natural america-
no/africana habría sido tan retorcida, tan radical, tan vibrante y viviente, habría sido tan "barroca", que al transparentarse en la Naturaleza
Humana jamás habría podido convertir a ésta en una racionalidad europea. Las Luces no fueron posibles en el Caribe. Muy al contrario: supon-
drían una transparencia de esa multiformidad viva (y de sus dioses vivos,
como el vodú caribeño o la santería cubana) algo tan excesivo, tan ilu-
minador, que acabaría por arramblar o por deformar cualquier tipo de
la razón laica europea. La burguesía blanca del libro (o las castas negras
o mestizas que intentaban imitar el Libro), incluso cualquier tipo de clasicismo revolucionario, se habrían venido abajo ante la luz devastadora
no del sol parisino sino del otro sol que brotaba en América. De ahí que
el enfrentamiento de Carpentier entre Luces y Barroco, suponga en
realidad un enfrentamiento entre dos luces: entre la luz geométrica
europea y la luz salvaje del Caribe. Insisto en que es a esa luz salvaje –sin
ningún sentido peyorativo– a lo que Carpentier se empeñará en llamar
"barroco americano". *Nostalgia* se llama a eso en los boleros cubanos

que tanto amó Carpentier. Nostalgia y a la vez búsqueda de una definición de sí mismo (francés y caribeño) y de la realidad de su mundo americano.

Pues evidentemente la cuestión de la transparencia o el trasvase entre la naturaleza natural y la naturaleza humana es, insisto, la última clave de la Ilustración, el último indicador de su racionalidad y la última legitimación de su moral. Claro que hay discrepancias básicas entre Kant (quizá el símbolo del pensamiento europeo continental) y Hume (quizá el símbolo del pensamiento anglosajón y luego anglo-norteamericano). Pero por supuesto no voy a entrar ahora en eso. Sólo intento plantear la problemática de Carpentier en su estructura básica: si la naturaleza natural latinoamericana (en especial la caribeña que es la que a él le interesa) no sólo no es racional/ clasicista sino que ni siquiera está dominada por el hombre, ¿entonces qué? Sólo queda una solución posible: comprometerse con la *periferia* considerándola como *barroquismo*. Desde esa perspectiva Carpentier pudo establecer su escritura como algo donde la naturaleza natural domina a la naturaleza humana (incluso la configura como caos). Ahí, en esa escritura, las luces racionalistas se estrellan contra otras luces múltiples, tan difusas e incomprensibles que necesitan otro tipo de comprehensión. Es a eso a lo que Carpentier va a llamar el *desbordamiento barroco*.

III

Conclusión provisoria

Y así es como resultaría que para Carpentier el único racionalismo válido en el Caribe resultaría ser la Máquina, la guillotina, la muerte. O quizá el caos que es una muerte en vida o una vida en muerte. Así ocurre en el último orden plausible en la historia de los tres hermanos, Carlos, Sofía y Esteban que de alguna manera siempre giran en torno a Víctor Hughes en *El siglo de las luces*. Una novela ésta que curiosamente comienza con la imagen de la Máquina y termina con la sombra del caos popular antinapoleónico en el Madrid de 1808. El sueño de la razón engendra monstruos y por ello cada capítulo de ese libro se inicia con una cita de Goya. A mí me impresionan las reflexiones de Esteban en la p. 192 (cito por la edición de Barral, Barcelona, 1970) a propósito del límite entre racionalismo y barroquismo: "El caracol era el Mediador entre lo evanescente, lo escurrido, la fluidez sin ley ni medida y la tierra de las cristalizaciones [...] donde todo era asible y ponderable [...] arabescos tangibles que intuían todos los barroquismos por venir". Por eso Carpentier, criado y fraguado como decíamos entre los "surrealistas" amigos de París, termina por reírse de las imágenes más típicas del surrealismo: en especial de la más clave, la de la máquina de coser y el paraguas sobre una mesa de disección. Pero mucho ojo: Carpentier también tiene "otra" influencia inmensa del existencialismo de Sartre. Incluso más: plausiblemente a través de Sartre o de otros existencialistas como Camus o Ionesco se acerca a dos cuestiones no menos decisivas en la época: a) o bien la vida es un absurdo, un vacío, como en *La cantante calva*, de Ionesco o en *El extranjero* de Camus; b) o bien la vida sí tiene un destino (como diría Heidegger). No sólo la muerte o el vacío sino la *ec–sistencia*, es decir, la fusión de esencia y existencia precisamente a través de la fusión con el ser global, con el ser de la naturaleza. Para mí por supuesto que la vida es un "vacío sartreano" –no hay Historia sino Historias–, quizá también para Carpentier, pero él prefiere encontrarle un fundamento. Por eso busca esa especie de destino caribeño, esa fusión entre el caos de la naturaleza y el caos total de la naturaleza humana. Lo curioso es que ese caos que él intentó rellenar denominándolo como "destino barroco", no es más que un destino de muerte o de volutas huecas. Pero si Carpentier quiere encontrar ahí un sentido, es verdad que al menos lo encuentra en su escritura. Pues ese sería el sentido de *El reino de este mundo*, en donde el verdadero protagonista es el esclavo Ti Noel, que primero escucha –y cree– las profecías de Mackandal, el profeta negro y manco que revive a los reyes y dioses africanos en esas profecías. Ti Noel, digo, estructura su vida a través de lo que podríamos llamar la escritura providencialista del profeta negro y su sombra. Pero luego Ti Noel vive el cumplimiento final de esas profecías bajo la dictadura del rey negro Henri Christophe, con su aludido palacio de Sans-Souci y la ciudadela de La Ferrière. Allí, decíamos, las luces acabará convirtiéndose en llamas que lo arrasan todo, igual que el viento arrasador se lleva a Ti Noel. El reino de este mundo es el reino del demonio (en realidad ese Satanás existe, ese Dios atraviesa el vodú del libro). Y por eso se trata también de una novela sobre el caudillaje y su caos histórico, la serie que inició Valle Inclán no sólo con *Tirano Banderas* sino en la trilogía *El ruedo ibérico*. Hay mucho de Valle en Carpentier, y se ha señalado a menudo. Pero quisiera matizar en qué sentido. No sólo en la frondosi-

dad de ambas prosas, sino en la concepción global de estas novelas históricas. Decíamos: para Carpentier no se trata de ejemplificar o morali-
zar el presente a través del pasado, sino de mostrarnos más bien hasta
qué punto el pasado sigue siendo presente. No voy a rastrear todas las
novelas del caudillaje, desde el *Señor Presidente*, de Asturias (impregnada
por cierto de surrealismo estilístico) hasta *Yo, el Supremo*, de Roa Bastos;
desde *El otoño del patriarca* hasta la derrota de Bolívar en *El general en su
laberinto*, de García Márquez (donde a García Márquez le basta la imagen de la obsesión de Bolívar por lavarse, por la higiene, para mostrár-
noslo como un liberal/ masón). Sólo quisiera finalizar recordando que
si *El reino de este mundo* es sin duda el reino del demonio, es también el
reino de lo humano: de ahí las impresionantes reflexiones finales de la
novela, cuando el viejo Ti Noel comprende que pese a todo él será siempre un "meteque", un extranjero en su mundo. Pero eso no obsta para
que la prosa ubérrima –fastuosa a veces hasta el exceso– de Carpentier,
no intente mostrar que es, en su propia fastuosidad, un trasvase de lo
que pretende decir: el destino de los caribeños. Su verdad radicaría en
fusionarse con su naturaleza no menos ubérrima. Que esto nos parezca
hoy un planteamiento huero dentro de la vieja dialéctica entre el centro
y la periferia, una dialéctica ya sobrepasada, tampoco impide que sus
novelas nos fascinen igual que nos fascina Camelot. Claro que ese problema no afecta sólo a las novelas de Carpentier sino –decíamos– a la
novela, a la poesía, a la literatura y la filosofía de hoy. Son nuestros coe-
táneos pero dudosamente nuestros contemporáneos. Quiero decir:
¿nos sirven para descifrar los códigos de nuestro mundo, de nuestro
"yo" de cada día? Claro que las cosas se aclaran algo más si sustituimos
"nuestro" mundo por "este" mundo que nunca es –ni ha sido– nuestro.
Por eso cobran sentido las escrituras de ambas novelas de Carpentier.
Puesto que tanto en *El siglo de las luces* como en *El reino de este mundo* hay
algo más por debajo. Lo que se plantea ahí atañe no sólo a las y los caribeños sino a cualquier tipo de humanidad en esta tierra. Por eso Ti
Noel concluye que lo nuestro no es el *Reino de los Cielos*: "Comprendía,
ahora, que el hombre nunca sabe para quién padece y espera. Padece y
espera y trabaja para gentes que nunca conocerá [...] pero la grandeza
del hombre está precisamente en querer mejorar lo que es. En impo-
nerse Tareas [...] Por ello, agobiado de penas y de Tareas, hermoso dentro de su miseria, capaz de amar en medio de las plagas, el hombre sólo

puede hallar su grandeza, su máxima medida en el Reino de este Mundo". A fin de cuentas otra herencia de la Ilustración o quizá de un Barroco que es sólo vida como caos ante la muerte: dos formas de la dialéctica Historia/ Naturaleza, una de las claves de la literatura hispanoamericana.

La conjura de Parsifal

ROBERTO MÉNDEZ MARTÍNEZ
Escritor y crítico cubano

Hacia 1923 se presentó el *Parsifal* de Wagner en La Habana. El barroco edificio del Teatro Nacional acogió esa única representación apenas concurrida, porque la mayoría de los que por entonces podrían pagar una localidad para tal suceso habían preferido asistir a una función de zarzuela en el vecino teatro Payret y los periodistas tenían asuntos más interesantes para esa noche, por eso quizá nunca sabremos quienes fueron los intérpretes ni siquiera el director invitado. Más aún, se ignora si la representación concluyó, porque algunos de los escasos asistentes descubrieron pronto que la música era llevada por el conductor a un ritmo el doble de lento que el exigido por la partitura, por lo que una representación que habitualmente duraba unas cuatro horas podría extenderse a más de ocho y se fueron marchando gradualmente hasta vaciarse la sala. ¿Todo esto es cierto? Como tal lo ha contado alguna vez Alejo Carpentier, aunque los investigadores no han hallado rastros de esa noche wagneriana.

Quizá el novelista estaba haciendo una parábola de su propia obra entre nosotros: una larga ópera o, mejor, una especie de "festival sagrado" como reclamaba el compositor, llevada a escena a fuerza de voluntad y fantasía, pero siempre en el borde del imposible. La inocencia del héroe legendario transformada en la polémica inocencia del escritor que pide continuamente peras al olmo. Para mí, la verdadera grandeza de Carpentier ha estado allí, en el hecho de imponernos *Parsifal* donde otros reclaman *La verbena de la Paloma*.

Hace ya mucho más de treinta años de aquella tarde en que tomé un rústico libro encuadernado en azul del estante de mi padre y comencé a leer con promisorio asombro: "Entre los veinte garañones traídos al Cabo Francés por el capitán del barco que andaba de media madrina con un criador normando, Ti Noel había elegido sin vacilación aquel semental cuadralbo, de grupa redonda, bueno para la remonta de yeguas que parían potros cada vez más pequeños."[1]

---

[1] Alejo Carpentier: *El reino de este mundo*. En: *Novelas y relatos*, La Habana, Bolsilibros Unión, 1974, p. 63.

Aunque lo más inquietante comenzaba después: "Mientras el amo se hacía rasurar, Ti Noel pudo contemplar a su gusto las cuatro cabezas de cera que adornaban el estante de la entrada. Los rizos de las pelucas enmarcaban semblantes inmóviles, antes de abrirse, en un remanso de bucles, sobre el tapete encarnado."[2] Se trataba de una edición de *El reino de este mundo* a cargo del Primer Festival del Libro Cubano en 1958. Allí iba a comenzar una pasión que dura desde entonces, aunque el tiempo haya moderado ciertos fervores y en los últimos tiempos se me despertaran suspicacias críticas.

Pero lo importante es que yo había encontrado a Don Alejo Carpentier en el sitio justo: allí donde se mezclaban la corte carnavalesca de Henri Christophe, la Paulina Bonaparte convertida en la Venus de la Villa Borghese, las haciendas incendiadas por los partidarios de Mackandal y aquella Madame Floridor que en su ebriedad vestía las túnicas griegas para declamar ante las dotaciones de esclavos los alejandrinos trágicos de Racine y todo estaba trabado y edificado con la ayuda de algún sortilegio, como las piedras de la Citadelle habían necesitado el sacrificio de cien toros para volverse invencibles para casi todo, con la discreta excepción del tiempo. Aquello era exactamente lo contrario de las novelas y volúmenes de cuentos, marcados por un realismo ramplón y una prosa pedestre que ofrecían las editoriales cubanas durante la más que gris década de los setenta.

La ínsula Carpentier sería mi sitio salvador por entonces. Busqué todo lo que llevara su firma y lo mismo accedí a las desdichas de aquel acosado cuya huida por los laberintos de La Habana debe durar exactamente el tiempo de ejecución de la Sinfonía Heroica de Beethoven o me sumía en la vida de ese Marqués de Capellanías que corría ante mis ojos como un carrete cinematográfico invertido, desde el morir hasta las aguas prenatales, para después embarcarme hacia Santa Mónica de los Venados con ese compositor que no acaba de hallar el tema para su cantata o llamaba a la puerta de esa casona de la calle Empedrado, que en la realidad cotidiana es el Palacio de la Condesa de la Reunión, donde celebran sus extrañas fiestas Sofía, Esteban y Carlos.

El escritor era capaz de conjugar lo que yo, por los años del bachillerato, consideraba la literatura con mayúsculas: una especie de cate-

---

[2] Ibid, p. 64.

dral donde todas las artes pusieran algo de lo suyo, desde la pintura de
la Contrarreforma hasta las óperas de Handel y Vivaldi, las lucetas de los
palacios coloniales, sin olvidar los sortilegios aprendidos en los cuadros
de Chirico o en las páginas de Breton, Eluard y Desnos, todo ello cohe-
sionado en una prosa sobrecargada de referencias e incitaciones, densa
y en continuo movimiento, siempre jugando con el jadeante lector que
a veces piensa que va a enloquecer con tantos efectos de *trompe l'oeil* que
lo conducen a pasadizos sin salida. Nadie había escrito así antes. Quizá
nadie pueda volver a hacerlo después.

Después vendría el otro descubrimiento, el del crítico y ensayista.
Alejo había sido el primero en demasiadas cosas: el que halló los manuscritos olvidados de un Esteban Salas en la catedral de Santiago de Cuba
cuando preparaba *La música en Cuba* – un libro tan hermoso en sus
homenajes a Saumell, Cervantes, Roldán y Caturla, como feroz en sus
voluntarias y escandalosas omisiones, permeadas de un espíritu de ban-
dos en lucha– el promotor en memorables artículos del "arte nuevo"
que iba naciendo en las creaciones de Abela, Carlos Enríquez, Lam,
Amelia Peláez y más todavía, el primer crítico de ballet auténtico que
habían tenido estas latitudes, con la autoridad excepcional de quien
había presenciado en París los espectáculos de Diaghilev, Ida Rubins-
tein y Roland Petit, el que entraba en su palco del Palacio Garnier para
aclamar a Alicia Alonso como la nueva Carlota Grisi. Todo lo había visto,
todo lo había leído, venía de vuelta de todo, con la leve pedantería del
que siempre llegaba primero.

El escribió en *El siglo de las luces*:

> [...] su cuadro predilecto era una gran tela, venida de Nápoles, de autor desco-
> nocido que, contrariando todas las leyes de la plástica, era la apocalíptica inmo-
> vilización de una catástrofe. *Explosión en una catedral* se titulaba aquella visión de
> una columnata esparciéndose en el aire a pedazos – demorando un poco en
> perder la alineación, en flotar para caer mejor – antes de arrojar sus toneladas
> de piedra sobre gentes despavoridas.[3]

El cuadro del misterioso Monsú Desiderio le servía para hablar
de sí mismo, que dejó caer con su voluntad de forzado, toneladas de

---

[3] Alejo Carpentier, *El siglo de las luces*, La Habana, Editorial Arte y Literatura, La
Habana, 1974, p. 21.

literatura sobre los desprevenidos críticos y lectores cubanos. Nada
en la cultura insular hacía esperar un Alejo Carpentier – salvo ciertas
zonas de las *Escenas norteamericanas* de José Martí–. Nuestro barroquismo era elemental, tanto el del poema iniciático *Espejo de paciencia*
como el de la Catedral habanera que sólo es borrominesca en el pórtico porque el interior tiene una austeridad de provincia venida a
menos y las generaciones formadas en la lectura de escritores que
eran considerados muy audaces si se dejaban influir por un Emile
Zola o un Anatole France, los admiradores de la novela realista o del
cuento al modo de la *short story* norteamericana que cada semana
traía la revista *Bohemia*, mal podrían digerir estas vastas construcciones en las que se daba por sentado que el hipotético lector era un
habitué de todas las delicadezas de la alta cultura. Por eso, al menos
hasta hace tres lustros, bastaba con nombrarlo para que se levantaran
voces irritadas: "a ese hay que leerlo con una Enciclopedia al lado",
"eso no es literatura cubana, como que él es francés, fíjense como
pronuncia". Desde Gertrudis Gómez de Avellaneda en el siglo XIX, a
nadie se le ha negado con tanta furia la carta de ciudadanía entre
nosotros.

Tales ensañamientos, más allá de la estupidez común en ciertos
medios "intelectuales" locales, tenían cierta raíz lógica: nada en nuestra
cultura presagiaba una obra como la suya, tan voluntariosamente abarcadora, tan apretada de fantasía e intuiciones, como las de tres colegas
de nuestra América que han despertado semejantes celos y furores: su
coterráneo José Lezama Lima, Jorge Luis Borges y Octavio Paz. Es que,
más que una hegeliana "necesidad", sus creaciones son en el entramado
del arte y la literatura cubana expresión de un voluntarismo tan monumental como el que animó a Lezama a vivir la aventura de *Orígenes* o el
que sopló al oído de Alicia Alonso la idea de reunir sus huestes para un
gran ballet. Son movimientos tectónicos que, de la noche a la mañana,
alteran los mapas y crean una nueva montaña.

He dicho "fantasías e intuiciones" y no teorías, porque creo que el
gran legado de Carpentier tiene mucho más que ver con el saber intuiti-
vo de un narrador que con las constataciones de un teórico, baste con
recordar alguna singular afirmación suya como esta: "Lèvi-Strauss me ha
hecho entender que el camino que lleva de una ceremonia ritual de
indios amazónicos a *Parsifal* no pasa necesariamente por el *Don Juan* de

Mozart"[4]. De allí puede nacer una nueva novela, no un tratado de antropología.

Su descubrimiento de lo "real maravilloso" fue sobre todo el acicate para reorientar una escritura que iba agostándose en empeños efímeros y lo condujo a su obra mayor desde *El reino de este mundo* hasta *Concierto barroco*. Su barroquismo es una cualidad singular de su sabrosa expresión, pero cada vez que intenta definirlo en conferencias y entrevistas, acumula ejemplos heteróclitos, generaliza de modo escolar y nos deja con la impresión de que escamotea argumentos. Su "teoría de los contextos", que tanto debe a un Hipólito Taine –véanse las conferencias de este sobre pintura flamenca– únicamente nos permite hoy comprender cómo se fraguaron ciertos frescos como *El recurso del método*, pero en modo alguno sirve de metodología para trabajar con otros autores. Más aún, cuando en las últimas dos décadas de su vida se convirtió en una especie de propagandista del papel social del novelista y de la novela épica, concluyó defendiendo una especie de maniqueísmo[5] del cual se libraban felizmente sus obras mayores.

La filosofía de Alejo sólo puede manifestarse de modo feliz a través de imágenes en movimiento: ofrece, por ejemplo, su visión de las revoluciones en *El siglo de las luces* –obra que no concluye exactamente con la reacción termidoriana en Francia ni con la rebelión antinapoleónica de Madrid, vista más con ojos de Delacroix que de Goya– a través de ese deshacerse en la penumbra del cuadro "Explosión en una catedral" que "parecía sangrar donde alguna humedad le hubiese manchado el tejido"[6]

Alejo nos deja ensayos excepcionales cuando ellos nacen desde la propia mirada del narrador, como sucede con las páginas iniciales de "Tristán e Isolda en Tierra Firme" que son una obertura monumental al modo wagneriano:

> Sobre los techos rojos de los barrios mantuanos vuela, de noche, la canción de la Doncella de Irlanda, ensayada por un coro de adolescentes que cantan a Isolda la Blonda, "Isolda de las Blancas Manos", de la vieja leyenda celta, ignorando tal vez que los negros de Barlovento cantan todavía la muy cercana

---

[4] Alejo Carpentier, "La novela latinoamericana en vísperas de un nuevo siglo". En: *Ensayos*. La Habana, Editorial Letras Cubanas, 1984, p. 156.

[5] Véase su página sobre la historia como "lucha entre buenos y malos" en texto citado, p. 163.

[6] Alejo Carpentier, *El siglo de las luces*, p. 383.

gesta de Carlomagno, de Don Roldán, del Obispo Turpín, de los Doce Pares de Francia y de Ogier de Saboya, según las "crónicas francesas" invocadas por el Trujamán del *Retablo de Maese Pedro*.[7]

O "La ciudad de las columnas", texto paradigmático, toda una lección de estilos y de Estilo:

> En cuanto a los millares de columnas que modulan – es decir: que determinan módulos y medidas, un modulor [...]– en el ámbito habanero, habría que buscar en su insólita proliferación una expresión singular del barroquismo americano. Cuba no es barroca como México, como Quito, como Lima. La Habana está más cerca, arquitectónicamente, de Segovia y de Cádiz, que de la prodigiosa policromía del San Francisco Ecatepec de Cholula. Fuera de uno que otro altar o retablo de comienzos del siglo XVIII donde asoman los San Jorges alanceando dragones, presentados con el juboncillo festoneado y el coturno a media pierna que Louis Jouvet identificaba con los trajes de los héroes de Racine, Cuba no llegó a propiciar un barroquismo válido en la talla, la imagen o la edificación. Pero Cuba, por suerte, fue mestiza como México o el Alto Perú. Y como todo mestizaje, por proceso de simbiosis, de adición, de mezcla, engendra un barroquismo, el barroquismo cubano consistió en acumular, coleccionar, multiplicar, columnas y columnatas en tal demasía de dóricos y de corintios, de jónicos y de compuestos, que acabó el transeúnte por olvidar que vivía entre columnas, que era acompañado por columnas, que era vigilado por columnas que le medían el tronco y lo protegían del sol y de la lluvia, y hasta que era velado por columnas en las noches de sus sueños.[8]

Mas, cuando se coloca la chaqueta del teórico o la del profesor, fracasa estruendosamente. Hay que buscarle sobre todo en esos deliciosos artículos de divulgación que escribió durante años para la sección *Letra y solfa* de *El Nacional* de Caracas, donde lo mismo se ocupaba de una novedad discográfica que de un hallazgo arqueológico.

Existe un Carpentier de "andar por casa" que quizá no haya sido todavía justipreciado: el fabuloso conversador que puede sentarse ante una cámara cinematográfica para contar todo lo que recuerda de la Habana de sus primeros años donde se mezclan los cencerros de las vacas llevadas hasta las lecherías públicas, con los organillos españoles y

[7] Alejo Carpentier, *Tristán e Isolda en Tierra Firme*, La Habana, Edición Homenaje, Imprenta de la Dirección de Información, Ministerio de Cultura, 1990, s/p.

[8] Alejo Carpentier, *La ciudad de las columnas*, La Habana, Oficina de Publicaciones y Proyectos Especiales, Instituto Cubano del Libro, 1998, s/p.

los pregones de floreros, dulceros y fruteros, las funciones burlescas del Alambra y las temporadas de ópera que el empresario Adolfo Bracale organizaba en el Teatro Nacional. En estas conversaciones sentimos que el fluir de la palabra nos embarga con un gran movimiento sinfónico, no estamos ante una prosa – porque el escritor no está leyendo, sino improvisando, divagando – y ese "prototexto" empieza a hervir, a elevarse en algunos puntos, como si se tratara de un solo de saxo en medio de un *jam session* y allí están los núcleos de grandes relatos, baste con recordar la huida de Caruso tras la explosión del petardo mientras interpretaba *Aida* en el Teatro Nacional, que está fabulado de modo excepcional en la citada conferencia, hasta el punto que cuando años después se decidió a recrear el pasaje en *El recurso del método* nos pareció que nada nuevo lograba con ello.

Confieso que jamás intenté conocer a Alejo, tengo una especial repugnancia al trato con las "celebridades" de cualquier tipo, sobre todo si las admiro, no sea que la imagen que de ellos me he construido a partir de sus textos, pueda empañarse con algún desencuentro social. Eso me privó de asistir a algunas de sus últimas conferencias en La Habana o a sus encuentros con estudiantes e intelectuales.

En ello iba a entrar algo de lo "real maravilloso". Yo estaba en La Habana el día que arribó su cadáver, y pidieron a algunos escritores jóvenes, entre ellos a mí, que asistiéramos a sus funerales en la Plaza de la Revolución para realizar ese acto un tanto fantasmagórico que es la "guardia de honor". Yo me dirigí antes de la hora señalada al lugar, pero un descomunal aguacero me impidió llegar al sitio indicado, refugiado en la vecina estación de ómnibus contemplé durante horas la plaza vedada por una cortina de lluvia, mi tiempo pasaba e iba a perder mi billete de regreso a Camagüey. En fin, nada de velatorios: Alejo seguía vivo para mí en el espesor de sus páginas mayores, forjadas como aquellas variaciones de Jorge Federico Handel con "los juegos de fondo, las mutaciones, el *plenum*"[9] que no pueden ser superadas por los concertantes de Vivaldi ni por los discretos virtuosismos del clave de Domenico Scarlatti. Carpentier estaba allí, en la imposible representación del *Parsifal*...

---

[9] Alejo Carpentier, *Concierto barroco*, La Habana, Editorial Arte y Literatura, 1975, p. 54.

La representación teatral de la historia en Alejo Carpentier

JAVIER DE NAVASCUÉS
Universidad de Navarra

> Si bien es cierto que la vida de la mayoría de los hombres no tiene argumento, esa vida está compuesta de una serie de pequeñas novelas, tan perfectamente construidas como las piezas de un teatro ejemplar [...]. Hay como telones que se alzan y caen varias veces en nuestras vidas, abriendo una acción o cerrando un acto (Chao, 65).

Estas palabras condensan una de las imágenes favoritas de Carpentier: el mundo como espectáculo dramático. En realidad, se trata de un tema venerable y fructífero en la tradición occidental que el maestro cubano no podía pasar por alto, como no soslayó las intersecciones de las Artes plásticas o la música en su obra literaria[1]. Ya en *El reino de este mundo* se aprecia la preocupación por las referencias al mundo teatral desde el momento en que algunos personajes se relacionan con la farándula. La tercera esposa del amo de Mackandal es actriz (como tantas otras esposas y amantes de toda la obra de Carpentier, por no hablar de su vida)[2] y tiene por costumbre declamar delante de sus esclavos; en la misma ejecución de Mackandal se cuenta cómo "de palco a palco de un vasto teatro conversaban a gritos las damas de abanicos y mitones" (39). M. Lenormand va a un teatro en Santiago de Cuba; los reyes europeos, se dice, tienen "teatros de corte"; y luego se habla de los teatros en Italia. El mismo suicidio de Henry Cristophe I tiene un aire de melodra-

---

[1] Sobre la relación con las artes y, en particular con el teatro, Sally Harvey ha escrito excelentes páginas en su libro sobre Proust y Carpentier. En cuanto a la genealogía del tema del *theatrum mundi* en la cultura occidental, puede consultarse el clásico estudio de Curtius y también, entre otros, la excelente introducción de Von Balthasar.

[2] Así, Isabel la Católica en *El arpa y La sombra;* la amante del Amo en *Concierto barroco* o incluso la misma Vera de *La consagración de la primavera*. El amor, en la medida en que forma parte esencial de las relaciones humanas, tiene un carácter teatral para Carpentier.

ma: es inolvidable ese rey encerrado en su Palacio en llamas, rodeado
de espejos ardiendo y de la muchedumbre que se acerca para matarlo.

Como ya se puede imaginar, el propósito de este ensayo es poner
de relieve la relevancia de lo teatral dentro de la ficción novelesca de
Carpentier. Desde luego podríamos encontrarnos con el tema en *Ecue-
Yamba-O* y *El reino de este mundo* (Vicky Unruh, 59-69), según acabamos
de recordar. No obstante, el juego entre actor y espectador que constituye toda representación se da con mayor fuerza, a mi modo de ver, a partir de *Los pasos perdidos*[3]. Ciertamente desde esta obra fundamental
empiezan a brotar preocupaciones que, años después, Carpentier sinte-
tizará en estas líneas de su conferencia "Conciencia e identidad en América":

> El latinoamericano vio surgir una nueva realidad en esta época, realidad
> en la que fue juez y parte, animador y protagonista, espectador atónito y actor
> de primer plano, testigo y cronista, denunciante o denunciado. "Nada de lo cir-
> cundante me es ajeno", hubiese podido decir, parafraseando al humanista rena-
> centista". Esto lo hice yo, aquello, lo vi construir; lo de más allá, lo padecí o lo
> maldije. Pero formé parte del espectáculo, bien como primera figura, bien
> como corista o comparsa". Pero, plantado el decorado, puestas las bambalinas,
> colgados los telones, hay que ver, ahora, lo que habrá de representarse –come-
> dia, drama, tragedia– en el vasto teatro de concreto armado [...] Y ahí es donde
> se desarrolla el verdadero problema: ¿Con qué actores habremos de contar?
> ¿Quiénes serán esos actores? Y para empezar... ¿Quién soy yo, qué papel seré
> capaz de desempeñar? y, más que nada [...] ¿Qué papel me toca desempe-
> ñar?(132).

Naturalmente la imagen teatralizadora alimenta ideas de gran trascendencia para Carpentier. Del fragmento arriba citado se deriva que
para el escritor cubano, la identidad individual se define en la historia
por un "papel" ya escrito, una función determinada por las circunstancias ("me toca desempeñar"). Además, el yo se constituye como tal, en la

---

[3] Las lecturas que se han hecho sobre lo teatral en Carpentier han subrayado
aspectos relacionados con el multiculturalismo latinoamericano y la representación de
un mundo no dogmático, como es el caso del interesante trabajo de Unruh; o bien, se
han advertido las implicaciones éticas del trabajo de la escritura en *El arpa y la sombra*
(González). Mi interés, no obstante, se centra en el compromiso del yo con la Historia,
asunto sobre el que también se detiene Harvey. Por otra parte, Elmore comenta la naturaleza representacional del mundo histórico de *El siglo de las luces* (50-56).

medida que actúa o no actúa; y aquí la metáfora del actor-espectador se erige en decisiva. Así pues, la concepción del mundo americano como gran teatro y la relación dramática que establecerá el protagonista de las novelas de Carpentier será la preocupación fundamental de las páginas que siguen.

VIAJE A LOS ORÍGENES DEL TEATRO: *LOS PASOS PERDIDOS*

El famoso comienzo de la novela de 1953 no deja lugar a dudas. Los elementos dramáticos se acumulan uno tras otro para dejar la impresión de que existe la asimilación directa de lo teatral a un significado primario en Carpentier: la repetición rutinaria y, por tanto, la falsedad de cierto tipo de existencia humana. El protagonista se pasea por un escenario ornado con las inevitables columnas, las severas molduras y los muebles colocados en lugares tan previsibles como repetidos. Mediante un guiño a la escenografía clásica se nos ofrece un espectáculo tiesamente encorsetado en la sucesión de gestos ya vacíos, monótonos, insustanciales. La compañía teatral de Ruth, la esposa del narrador, ha caído víctima de su propio éxito y se ve condenada a representar siempre la misma obra. La isotopía de lo teatral en cuanto a artificio ("maquillaje", "disfraz", "bambalinas", etc.) viene a desembocar en la idea crucial del "automatismo", la hipertrofia del rito despojado de sentido:

> Mi esposa se dejaba llevar por el automatismo del trabajo impuesto, como yo me dejaba llevar por el automatismo de mi oficio (69).

El espacio recorrido infinidad de veces nos conduce a un tiempo cíclico, manifestado a través de la propia representación teatral, que a su vez es figura de un matrimonio signado por la monotonía. Pero hay otra clase de rutina más amplia: la que proviene de todas las expresiones de una cultura moderna que lleva al agotamiento de las facultades creadoras del hombre. De momento, y a la espera de *El siglo de las luces*, no hay otra cosa que quiera simbolizar Carpentier. El protagonista ve que todas las imágenes de su vida no son sino representaciones que se repiten a sí mismas, en una especie de bucle gigantesco y monótono. En la gran ciudad los signos ya han dejado de tener un significado y de apuntar a una referencia. Por eso el latín de las Iglesias no se comprende. El gran teatro sagrado de Occidente, la liturgia católica, es ahora un "creciente malentendido" (307) que sólo se explica por la ignorancia de quienes participan en ese misterio de siglos. Por eso, "los hombres de acá ponen su orgullo en conservar tradiciones de origen olvidado, reducidas, las más de las veces, al automatismo de un reflejo colectivo, a recoger objetos de uso desconocido" (308). Y lo mismo que en el campo religioso sucede en el artístico. Basta conocer las frívolas actividades y los delirios esotéricos de Mouche, la insípida amante francesa del protagonista. El diagnóstico es inevitable: el hombre vive encerrado en una inmensa construcción de pasillos intrincados. La característica figura del laberinto metaforiza una situación de angustia ante la falta de consistencia de la cultura urbana. No hay significados para las cosas. Por el contrario, éstas se presentan como meros gestos heredados, se refieren unas a otras en una eterna correlación sin sentido.

Para sortear el peligro de la autorreferencia inconsciente Carpentier propone una solución por la vía histórica. Hace viajar a su personaje a las raíces del tiempo, a fin de encontrarse cara a cara con los orígenes del secreto. En la metrópolis alienante, presumiblemente Nueva York, el narrador sólo ha encontrado falsedad y rutina, ambas simbolizadas por una isotopía teatral que pone el acento en el carácter cíclico de la representación. Ahora, nada más llegar a la ciudad latinoamericana, el panorama es nuevo a sus ojos: hay más vida por todas partes. La primera ojeada desde las alturas del avión dibuja una ciudad anárquica, desordenada, invadida por la naturaleza tropical y desigual en su arquitectura. Está funcionando tal vez el recuerdo de ciertas páginas de Vélez de Guevara o Quevedo, en donde el narrador se sitúa en lo alto y hace de cicerone del lector descubriéndole los entretelones de la capital del Imperio. En la novela picaresca de Vélez, por ejemplo, el diablo cojuelo conduce al estudiante don Cleofás hasta la torre de San Salvador para que conozca mejor las grandezas y miserias de la Villa: "Advierte", le dice, "que quiero empezar a enseñarte distintamente, en este teatro donde tantas figuras se representan, las más notables, en cuya variedad está su hermosura" (Vélez de Guevara, 78).

Esta contemplación desde arriba se liga históricamente al topos del gran teatro del mundo y a consideraciones filosóficas y morales próximas a él (Von Balthasar, 180-181). Además de la novela picaresca, pueden aducirse los dioses de Homero y Virgilio, el *Somnium cipionis* o el

"Sueño" de Sor Juana Inés de la Cruz. Pero lo que más importa subrayar es que el símbolo teatral persiste en la realidad recién redescubierta. Al descender del avión, el narrador enseguida anota el carácter teatral del urbanismo latinoamericano (111), y por la noche disfruta de la Ópera como un niño. Como un niño: ésa es la razón. El tema teatral ahora se vincula secretamente con la memoria biográfica. La función operística, con todas sus imperfecciones provincianas, trae gratos recuerdos de infancia al protagonista. A partir de aquí, el itinerario seguido va a situarlo como espectador de una representación ingenua y, por tanto, más inocente y pura, descargada del carácter monótono, automatizado, que escondía la imagen teatral de la modernidad. Los significados se invierten hacia el lado positivo cuando revertimos el tiempo histórico y el tiempo personal.

Como en un retablo navideño, el panorama del pueblecito de Los Altos se alza ante los ojos asombrados del viajero. Allí imagina quince focos distintos que "tenían la función aisladora de los retablos, de los reflectores de teatros, mostrando en plena luz las estaciones del sinuoso camino que conduce al Calvario de la Cumbre" (131). Uno tras otro desfilan los focos que muestran de forma casi infantil un paisaje barroco, al estilo de los belenes napolitanos o levantinos de un Salzillo. Conforme marcha tierra adentro, lo teatral no se anula, sino que impregna las actitudes de todos los personajes, aunque dotándolas de un sentido nuevo. Si la civilizada Mouche continúa con sus mohínes engañosos, otra mujer mucho más atractiva, la "telúrica" Rosario, se revela como una espléndida actriz al seguir los ritos funerarios a la muerte de su padre. Los signos teatrales están a un lado y a otro, pero contienen significados opuestos. En este momento de la novela, la representación teatral puede hacer pensar en dramas medievales, en donde el gesto se reconcilia con el significado. La diferencia con la teatralidad moderna es que aquí no hay engaño: el espectador cree verdaderamente que existe una mágica relación entre el signo y significado. La fiesta de los Diablos de Yare, por ejemplo, se escenifica como un Misterio Trascendental.

Pero conviene que tengamos en cuenta que la superioridad de la teatralidad arcaica frente a la moderna, proviene de la actitud del receptor, abierta a la revelación de un significado oculto porque la escenificación se apunta hacia el pasado histórico. Esto es independiente de si de verdad existe ese secreto, es decir, si posee una existencia independiente de la creencia. Lo que importa es la mirada del espectador, ahora permeable a lo maravilloso.

Así pues, el sofisticado narrador se esfuerza en contemplar la realidad mediante una lente más sencilla, ingenuista si se quiere. Pero no abandona la asociación de Teatro y Mundo, una ligazón simbólica que, como él mismo sabe perfectamente, viene dada por una tradición milenaria. Ni siquiera cuando el viaje vaya abandonando poco a poco los vestigios de la cultura del hombre y se demore en el enfrentamiento directo con la Naturaleza. La selva tiene una "autenticidad de decorado" (221) que permite cualquier fabulación. Ahora ya no molesta la posibilidad de ser engañado, porque no se trata de una fabulación falseadora, sino más bien una posibilidad de integrar al hombre con su Historia, al remontarlo hacia atrás, hacia esos orígenes culturales que se hallan en la misma Naturaleza. La selva finge: los caimanes parecen maderos, los reptiles bejucos y las serpientes lianas. Se invierten las apariencias y todo se torna sospechoso. Todo invita a pensar en otra cosa. "La selva era el mundo de la mentira, de la trampa y del falso semblante" (228).

En definitiva, lo teatral no es una parte de la dicotomía aparentemente central en la novela: Ciudad Moderna frente a Selva, o, mejor dicho, Cultura frente a Naturaleza. Es peligroso acentuar demasiado las diferencias entre ambos mundos[4]. Ocurre con lo teatral lo mismo que con otros motivos dilectos de Carpentier (el laberinto, por ejemplo): se aplican determinados símbolos occidentales para cifrar con ellos la realidad extratextual. El Universo es un Gran Teatro en la medida en que éste es considerado por el hombre espectador. *Los pasos perdidos* no acentúa las diferencias entre un mundo y otro, sino que las absorbe, las neutraliza, a la par que dota de nuevas significaciones a los teatros. El teatro civilizado está cargado de falsedad porque su repetición autorreferencial a lo largo de la Historia ha diluido el significado sagrado de la

---

[4] Estoy de acuerdo con Carmen Bustillo (166-170) en que no se pueden separar de forma tajante, como muchas veces se ha hecho, las diferencias, y en que el símil teatral vale para la Ciudad y para la América Latina conocida por el protagonista. No obstante, esta equiparación es menos superficial y contradictoria de lo que ella piensa. De todas formas, no comparto el punto de vista de Collard (1989), para quien el teatro generalmente funciona como metonimia de un mundo falso, rechazado por el narrador.

representación. Por el contrario, la teatralidad primitiva, que se encuentra oculta en el continente latinoamericano, no ha perdido el enlace con los misterios fundamentales de la vida humana: amor, muerte, Dios. Esos enigmas fueron un día patrimonio de la civilización occidental. Por ese motivo se explican las constantes apelaciones del narrador a la Edad Media o a la tragedia griega. El saber erudito es el paradójico camino para llegar a la inocencia primitiva. "El relato nos hace retroceder hasta los orígenes del teatro y la expresión dramática de contenido sagrado: la ópera romántica (segundo capítulo), el teatro religioso cristiano y la tragedia antigua (cuarto capítulo)" (Collard 1989, 511).

Arropado por su buena información libresca, el protagonista asiste a ese nuevo drama con ojos que intentan ser inocentes, porque lo maravilloso comparece cuando hay un espectador dispuesto a creérselo[5]. Para que surta efecto la magia, debemos encontrarnos en un estado de ilusión dramática. El texto así nos lo asegura una y otra vez. En una fonda se produce de repente "un golpe de teatro: traídas por no sé qué vehículo, habían aparecido mujeres en traje de baile, con zapato de tacón y muchas luces en el pelo y el cuello". La súbita aparición resulta "alucinante" al narrador (167). Más tarde, en la escena de los Diablos de Yare, confiesa sentir "miedo" real delante de "aquellas máscaras, salidas del misterio de los tiempos para perpetuar la eterna afición del hombre por el Falso Semblante, el disfraz, el fingirse animal, monstruo o espíritu nefando" (180).

Pero si la función de espectador ingenuo, o, mejor dicho, que busca hacerse el ingenuo de continuo, parece conseguida en la novela, no se puede decir lo mismo del papel de actor. En cuanto espectador ha entrevisto (ha querido ver) que en la otra Orilla hay un mundo donde cada gesto tiene un significado. Por eso decide quedarse con Rosario, la mujer simbólica de ese nuevo mundo dramático, no sólo natural. Sin embargo, enseguida va a comprobarse que no puede acep-

---

[5] Ni que decir tiene que esta concepción de lo maravilloso desde el horizonte de la recepción es inmanentista y perfectamente relacionable con las conocidas ideas del autor sobre lo "real maravilloso" en América. Y una nueva paradoja señalada por Verdevoye o González Echevarría, entre otros: Esta búsqueda nostálgica de lo mágico hunde sus raíces en el pensamiento europeo. ¿no será el asombro ante la realidad mágica una pregunta típicamente europea o, al menos importada de Europa? ¿Considera asombrosas, en el sentido que le da Carpentier, el indio su selva o su montaña?

tar un papel definitivo de Actor, porque se niega a dar muerte al violador que debe morir según las leyes de la selva. Luego acaba por pactar con la civilización y marcha en busca de instrumentos adecuados que le permitan componer su Prometeo. Cuando retorna a la selva, se entera de que Rosario se ha unido a Marcos y que el paso hacia el pueblo se ha cerrado. El protagonista ha cometido "el irreparable error de desandar lo andado, creyendo que lo excepcional pueda serlo dos veces" (325). La repetición, lo hemos visto desde la primera página, es el mayor peligro para la irrupción de lo excepcional. La sucesión de prodigios dramáticos que ha sido la aventura del narrador por la selva sólo podía darse una vez. Sólo así llega la sorpresa ante el espectáculo primigenio de las cosas. Ahora, cuando el Espectador ha dudado ante la posibilidad de hacerse Actor de ese Gran Teatro, se cierra el telón. No era admisible ser Espectador por mucho tiempo más: la única opción que le quedaba era participar de forma activa, puesto que "los mundos nuevos tienen que ser vividos, antes que explicados" (329). Pero esa renuncia provisional a vivir para siempre, sin necesidad creadora, sin música, es lo que desgarra al protagonista. Cuando intenta por segunda vez ingresar en la selva, como Actor esta vez, junto a Rosario para siempre, el paso queda vedado. Es verdad que una nota de esperanza queda flotando en las aguas cuando Carpentier termina la novela diciendo que la corriente empieza a dejar ver un Signo marcado a punta de cuchillo en uno de los troncos del bosque. Pero en el caso de que se abriese el camino, ¿qué aguardaría al viajero tras es te Signo? ¿Obtendría el amor de Rosario de nuevo? ¿Se repetiría lo excepcional, lo que por definición es único, no sólo en sí mismo, sino sobre todo en la óptica del Espectador?

EL SIGLO DE LAS LUCES: EL ACTOR ENTRE EN LA HISTORIA

Si *Los pasos perdidos* se acaba con una puerta por abrir, *El siglo de las luces* empieza con otra completamente abierta: la guillotina. No es difícil ver en ambos casos una imagen del telón que se abre y se cierra sobre las novelas. Pero además, en *El siglo de las luces* la siniestra máquina de matar hace su irrupción en la primera página como metáfora del libro recién comenzado y anuncio de su función dramática. "Puerta abierta", "Puerta-sin-batiente", "Puerta sola" (7-8) son denominaciones que convienen al umbral de una narración trágica, dominada por el color sanguíneo (Collard 1991). Los guillotinamientos se organizan de acuerdo con unas pautas teatrales. Se monta en torno a ellos una escenografía escalofriante y estrafalaria, como ocurre cuando se instala el aparato en la fragata Thétis. Allí se pone en escena una "Tragedia Trascendental", que cobra el "lamentable aspecto de los teatros donde unos cómicos de la legua, en funciones provincianas, tratan de remedar el estilo de los grandes actores" (111). Luego, cuando en Guadalupe el aparato no tenga ya más razón de ser, se aprovecha la plataforma para el escenario del Teatro local, y la guillotina queda abandonada en un gallinero. "Aparato" y "Máquina" son palabras de significado dual que convienen tanto al instrumento del terror como a la tramoya dramática. Carpentier juega con ellas en el texto con irónico ingenio. Además, durante el funcionamiento del lúgubre espectáculo se dispone de un "Actor" principal que coincide con la víctima y un público –pescadores, niños, un alpargatero, tres o cuatro transeúntes, un vendedor de chipirones– que hace las veces de "coro de tragedia antigua" (7). Ni que decir tiene que el carácter inexorable y cíclico de sus "representaciones" no hace sino acentuar la dimensión teatral que busca Carpentier.

Pero los juegos fúnebres con la imagen teatral parecen no tener fin. La guillotina, puerta abierta del comienzo, tiene una imagen gemela en la conclusión de la novela, ya que el libro se cierra al mismo tiempo que las puertas de la Casa de los Arcos. Además de la clausura lectora, pareciera indicarse una relación con el telón bajado o la puerta de salida de los actores. Acabada la función, el lector-espectador asiste al momento en que se marca el límite entre él y la ficción representada. La representación teatral difiere del relato en la medida en que ésta se realiza sin mediaciones (o mediaciones fingidas) entre el receptor y el texto. Pero, paradójicamente, una de las conexiones entre la narración y el drama radica en que el acto de lectura actualiza una historia en la mente del lector y la hace presente. "Cualquier experiencia, por tanto, es susceptible de ser proyectada sobre el universo narrativo o sobre el universo dramático: ello dependerá de la estructura de mediación y emplazamiento. Ello explica también el carácter dramático del material narrativo, cuando es reconstruido en nuestra mente como algo *presente*, o más exactamente *re-presentado*" (Vázquez Medel, 52). Al insistir en el cierre de la última puerta de la mansión madrileña, quiero destacar precisamente ese aspecto dramático del acto de la lectura narrativa[6].

No obstante, Carpentier deja sus pasos perdidos con un conflicto que adquiere en *El siglo de las luces* otras modulaciones. Si el personaje había sido fundamentalmente Espectador a lo largo de la novela selvática, ahora se manifiesta una tensión más fuerte con el papel del Actor[7]. El elemento dramático que distingue *El siglo de las luces* de *Los pasos perdidos* no es el decorado, sino el Actor, que se encarna en la figura de Victor Hugues. Este hombre confiesa en el ocaso de su vida, haber interpretado los papeles de "panadero, negociante, masón, antimasón, jacobino, héroe militar, rebelde, preso, absuelto (...), Agente del Directorio, Agente del Consulado" (342-343). Sólo le queda entonces el de ciego, y ése es el que representa temporalmente, como todos los demás. No dura demasiado en ningún estado, tampoco en este último, aunque esta máscara sirva para simbolizar su falta de visión histórica ante la Revolución, a la vez que su memoria (la visión del ciego) de los hechos pasados. Él mismo reconoce en las postrimerías de su actuación en la novela, que el último papel que le quedaba por representar era el de Edipo. La personalidad proteica, versátil, tornadiza de Victor contrasta con la Ruth de *Los pasos perdidos,* condenada a representar el mismo papel a lo largo de mil quinientas funciones. Por eso es más atractivo, aunque no por ello más fiable. En realidad, parece dominado enteramente por ese impulso del deseo mimético sobre el que se ha extendido René Girard. Busca casi con desesperación un modelo que imitar y adopta sucesivos papeles sin que ninguno se conforme por entero a su inquietud. Y más aún, su deseo mimético es tan grande que no le impulsa sino a la violencia contra quienes se oponen a él y al sacrificio de quienes deben morir para que sus ideales triunfen. Esta lógica del deseo

---

[6] Carpentier parece anunciar a la novela del lenguaje en donde el texto se hace metáfora de sí mismo, sujeto y objeto de representación, otorgándose una dimensión más dramática que simbólica. Eduardo Becerra trata el tema de la dramaticidad de esta clase de novelas (y de la poética que las sustenta) y las engloba bajo el término de "escritura espectacular" (145-153).

[7] Como señala Harvey, la diferencia principal, en lo que a la metáfora teatral se refiere, entre *Los pasos perdidos* y *El siglo de las luces,* radica en que la segunda supone un avance en el papel del actor ("progressing from the role of spectator to that of actor in the drama of life", 135).

mimético, admirablemente trazada por René Girard, puede ser una sugestiva guía de lectura para la gran novela de Carpentier[8].

Victor irrumpe de un aldabonazo (nuevamente el motivo de la puerta) en la existencia de los tres muchachos. Su aparición en esta novela de entradas y salidas es una bisagra del relato: altera la paz rutinaria y el laberinto en el que se encontraban los huérfanos antes de que él llegase. Entre los muchos juegos que inventa para ellos, está el de los disfraces. Victor se convierte en Mucio Escévola, en Demóstenes, en Cayo Graco... La teatralidad que asumen todos es meramente lúdica, infantil incluso, como corresponde todavía a la etapa "paradisíaca" vivida en la mansión de La Habana. Por eso el juego de la gran masacre, en donde arrojan bolas a los muñecos hechos con troncos de palmeras y máscaras grotescas, supone un acto de rebelión privada y un poco pueril contra el Antiguo Régimen. Si bien es cierto que los muñecos imitan a prelados, damas o capitanes de corte, la incidencia de esta representación en la Historia es nula. Hay otra realidad que ocurre fuera de la casa, convertida en metáfora de la Cuba de la siesta colonial, la Cuba anterior a los movimientos revolucionarios de la Emancipación.

Por esta razón pronto va a acabar el sentido festivo de las representaciones. A la mañana siguiente, Victor Hugues les reserva otra sorpresa a los adolescentes: en camisa, despechugado y sudoroso, desembala y ordena muebles, tapicerías y enseres que llevaban meses sepultados en el olvido. Es como "una escenografía de sueños que se viene abajo" (39). Victor Hugues, personaje transformador de todos los que le rodean y de sí mismo, comienza a gobernar los destinos de Sofía, Esteban y Carlos, ahora con un nuevo guión. Les imbuye de cierto sentido práctico, les da a conocer el mundo exterior, y por último se lleva a Esteban consigo a Francia donde la Revolución está viviendo sus tiempos más intensos. Si al principio Victor imitaba por juego, ahora encuentra un modelo digno que le debe, según él, conducir a un crecimiento ético y político: Robespierre. Este es el momento más alto del actor. Nombrado comisario político, se hace hombre de mando de la fragata Thétis. Ahora se dedica a imitar al Incorruptible en todo: en el porte de la cabe-

---

[8] Es imprescindible la lectura de uno de los primeros libros de Girard, *Mentira romántica y verdad novelesca* (1985). Para una síntesis de este libro y de todo el pensamiento girardiano, véase el excelente estudio de Llano.

za, en el modo de fijar la mirada, en la expresión severa. Esta actuación tiene un significado superior, lejos de las acciones pueriles del pasado. Al subirse a lo alto de la cofa, al lado del vigía, Esteban piensa que todo eso es puro teatro, pero no puede evitar la admiración, porque "era teatro que lo agarraba, como a un espectador más, revelándole la dimensión de quien a tales papeles se alzaba" (121-122). De nuevo el teatro como revelación suprema frente al drama falsificador. "La Revolución", dice Victor, "ha dado un objeto a mi existencia. Se me ha asignado un papel en el gran quehacer de la época. Trataré de mostrar, en él, mi máxima estatura" (149). Es obvio que esta concepción de lo teatral está lejos de la asimilación con un sentido festivo de antaño o con la hipocresía moral. Imitar es ahora mejorarse éticamente a sí mismo y a los demás, involucrarse en el decurso histórico y tratar de influir en él.

Pero la lógica mimética, que reclama violencia y sacrificio, se apodera de Victor Hughes. Las decisiones que toma en Pointe-a-Pitre lo muestran como un conductor de masas guiado por un designio implacable. Victor cree estar haciendo siempre lo mejor, a pesar de que se sirva de métodos represores. Aun cuando se deje llevar por la crueldad para imponer el régimen jacobino, siente que de la violencia contra los chivos expiatorios (los monárquicos, los ingleses o los habitantes de Guadalupe, lo mismo da) nacerá un orden más justo. Movido por un hombre modelo, un ejemplo concreto que encarna una serie de Ideales abstractos, no cede nunca a fin de lograr sus objetivos. Robespierre se alza como el nuevo Dios de una nueva era: él es quien marca con sus comportamientos y sus ideas el guión que sigue Victor. Y de acuerdo con un proceso de sucesivos mimetismos, este discípulo aventajado incide continuamente en la vida de los demás. Es él quien deslumbra a Sofía y la convierte en revolucionaria. Es él quien mueve a Esteban, destinándolo a donde el joven no quiere ir. Pero, aunque funcione como mano ejecutora de los movimientos de otros, sus propias decisiones están determinados también desde fuera. De la misma manera Robespierre le mueve a él. En el fondo todos son marionetas conducidas por manos invisibles[9].

El problema surge cuando el Imitador descubre la relatividad del

---

[9] El fatalismo, por el cual los personajes de Carpentier se sienten atrapados por designios misteriosos, explica este juego en abismo de voluntades.

Imitado. Al llegarle la noticia de la muerte de Robespierre, Victor queda sumido en el desconcierto e inicia el camino hacia el desengaño y el cinismo moral. El Actor descubre de repente la precariedad del guión escogido. El nuevo Dios ha muerto demasiado pronto. Por eso la crepuscular actuación de Victor esta vez sí estará llena de falsedad. Cuando Sofía lo visite en Cayena, encuentra un Victor escéptico que asiste a misas de acciones de gracias y emprende cimarronadas contra los negros, todavía más feroces que las de los antiguos propietarios. Como un nuevo Edipo, a quien se menciona no por casualidad, el destino ciega al hombre que se había encumbrado antes a lo más alto.

Frente al del revolucionario francés, Esteban y Sofía siguen el camino inverso. Si Victor es el Actor, Esteban es, sobre todo, el Espectador. Asiste al espectáculo parisino de 1789, en donde "cada tienda le resultaba un teatro, con el escaparate-escenario que exhibía perniles de carnero sobre encajes de papel" (96). Traba relación con los revolucionarios españoles, pero no llega a colaborar activamente con ellos. Acompaña a Victor a Guadalupe y contempla las batallas por la posesión de la isla desde fuera. Luego el Comisario lo embarca como simple escribano en el barco corsario *Ami du Peuple*. Por último, deambula por las Guayanas manifestando cada vez una mayor desilusión por las consecuencias del proceso revolucionario. Esteban representa (se ha dicho muchas veces) la conciencia crítica del intelectual que no se compromete porque considera todos los pros y contras del fenómeno histórico. En este sentido, no deja de ser un Espectador lúcido pero sin vida, sin ilusión. Sus pocas acciones nacen de impulsos súbitos, como le sucede en la Guayana Holandesa al repartir propaganda a los esclavos. Pero esta clase de actuaciones no tiene continuidad porque le falta un compromiso vital, sin crítica, con la Revolución. "Una Revolución no se argumenta: se hace" (149), le dice Hugues en una frase que repetirá memorablemente Sofía al final de la novela y que se impondrá como la última imitación con variantes de la Actriz principal.

En efecto, Sofía, la Sabiduría, será quien mueva a Esteban a convertirse en Actor. Primero, de manera involuntaria, al engañar a la policía secreta española a fin de salvar a su prima que en ese momento se está embarcando para Cayena; luego, en Madrid, cuando ella le impele a bajar a la calle y mezclarse con el pueblo en la lucha contra el invasor napoleónico. De esta manera, Sofía y Esteban pasan de la contemplación a la participación activa como Actores anónimos de la Historia. La actuación final, la muerte de los primos en los primeros días de mayo de 1808, tiene un carácter sacrificial que no nos resistimos a comentar. Sofía, en una figura que acaso imita la del famoso cuadro de Manet, llama a la lucha a Esteban y, presumiblemente, a todos los que se le acercan, convirtiéndose así en ese arquetipo femenino que han consagrado tantas mitologías revolucionarias de la modernidad.

Sin duda en *El siglo de las luces*, se sigue un proceso de deseo mimético, violencia y sacrificio final de acuerdo con la terminología girardiana. Ahora bien, este sacrificio no se realiza en aras de un amor concreto por el pueblo español, sino antes que nada, por el impulso invencible de identificarse con el ideal revolucionario que Sofía y Esteban habían aprendido de Victor Hughes. Apartado éste del camino, ya no hay rivalidad con él. Ya no se le pide a Victor que encarne su papel heroico hasta el final. Él mismo se ha sentido culpable y asumido su particular función sacrificial: cegado, reducido a la mediocridad, alejado de su amante y sus ideales antiguos. Gracias a su papel final de Edipo, se le conmina a salir de la escena, porque ha quedado manchado. Para que Tebas se libere de la plaga, Edipo debe ser expulsado. Para que Sofía y Esteban acepten su función de Actores en la Historia, Victor debe desaparecer.

A partir de entonces, como decimos, Sofía señala el camino a Esteban: hay que inmolarse porque, en el contexto histórico de comienzos del siglo XIX, ése es el verdadero destino de los revolucionarios. Ellos están llamados al combate y la autodestrucción ("hacer algo") para que la revolución triunfe alguna vez, para que las palabras no caigan en el vacío, como reza el Zohar y cita Carpentier (Chao, 98). Las palabras de Sofía, ese dramático "hay que hacer algo", constituyen una invocación voluntarista que expresa la convicción y el deseo de que el sacrificio conduzca, misteriosamente, a un nuevo orden en un futuro que ellos no verán[10].

---

[10] ¿Qué les lleva a pensar que su sacrificio no será inútil? No hay análisis histórico en Sofía cosa que, por otra parte, sería bastante incongruente. Sólo se puede apelar a la voluntad, a ese impulso irracional que les lleva a creer firmemente en la necesidad de esa actuación. Morir, pero morir matando, sean franceses o españoles. Se llega así a la convicción de que la revolución supone una reacción violenta para desterrar la violencia de un orden anterior y que, por tanto es irremediable el sacrificio personal.

La consagración de actor

"Hacer algo" es actuar. Esta es la ecuación que va a desarrollar Carpentier de forma más contundente en los años posteriores, a pesar de las ambigüedades de *El siglo de las luces*. A partir de ahora la situación de espectador debe superarse por una toma de conciencia que lleve a salir al escenario de la historia y actuar en él. Ni siquiera un divertimento (tan frívolo en apariencia) como *Concierto barroco* olvida esta proposición, al conducir a sus protagonistas a participar en la inmensa mascarada veneciana y a asumir papeles que les son propios por ser americanos. Pero, como se sabe, será en *La consagración de la primavera* cuando Carpentier concrete de forma militante esta orientación temática hacia la acción.

Esta novela irrumpe con la Guerra Civil española como escenario de escenarios. La inclusión de representaciones dentro de la novela es un recurso predilecto desde *Ecue -Yamba-O*. Carpentier no lo olvida ni siquiera en su obra más dogmática, quizá en su única obra verdaderamente dogmática. Así, el segundo capítulo cuenta la representación, histórica, de *Mariana Pineda* en Valencia. Más tarde, en los capítulos tercero y cuarto, asistiremos a otras actuaciones, como la de la tía de Enrique, declamando al estilo de María Guerrero, o como la de las patinadoras en la piscina helada. Pero este último tipo de espectáculos, a los que asiste Enrique como espectador o "voyeur" privilegiado, están señalados por un tono lúdico y una falsedad fundamentales. Son, desde la óptica ortodoxa que adopta Carpentier, indicios de una mentalidad burguesa contrarrevolucionaria. Hay, en cambio, otro tipo de teatros que son "de verdad": los teatros de la Guerra, en donde los actores mueren sin trampa ni cartón: "Allí las crudas verdades se expresan con crudas palabras. Caen los disfraces y cada cosa se pone en su sitio" (157). Si confrontamos esta afirmación con novelas anteriores como *Los pasos perdidos*, entendemos cuánto ha cambiado y cuánto ha permanecido en el tránsito vital de los últimos veinticinco años de Carpentier. También en la novela de la selva se establecía una separación entre teatro "falso" y "verdadero". Sin embargo, lo que allá se presentaba como cierto era lo relacionado con los Misterios últimos de la existencia humana, el drama primitivo que guardaba secretas relaciones con el Más Allá. Ahora la explicación metafísica se ha vuelto política, desfigurándose incluso el significante del símbolo: es un teatro que tiene de teatral sólo el nombre, porque no hay caretas (se han caído), y "cada cosa se pone en su sitio". La realidad no se puede formular de forma menos carnavalesca y más dogmática.

Por lo demás, las pautas de la toma de conciencia de los protagonistas, Enrique y Vera, sigue una línea en cierto modo similar a *El siglo de las luces,* aunque de un modo más recto y previsible. Vera es, durante bastantes páginas, la contrafigura femenina de Sofía, en la medida en que sostiene el conflicto de una actriz de "mentira", no sólo porque su carrera sea mediocre, sino porque se resigna a vivir como espectadora de la Historia. Su mayor delito es negarse a contemplar la realidad cara a cara, el espectáculo feroz de la Guerra, por ejemplo, en donde se dicen las "verdades" sin tapujos. Aunque mantiene relaciones sexuales con Jean-Claude, le repugna que una enfermera le asegure que ella es la "solución" para su amante, puesto que así él no se expondrá al contagio de sífilis en los burdeles. No deja de ser irónico que su nombre, Vera, sugiera la Verdad y que este personaje sólo la encuentre, casi a su pesar, al final de la novela[11].

Su problema reside en no haber franqueado la frontera, estética, del escenario y el público. Para ella existe, por un lado, el mundo de "ellos" (la burguesía que paga, para aplaudir o abuchear), y por otro, el artista que vive de espaldas a todo lo que no sea su propia representación. No percibe, sin embargo, la dimensión universal del teatro que en esta novela se hace patente tal vez más que en ninguna otra, a base de los diversísimos escenarios y el amplio espectro temporal. En el mundo del espectador no sólo hay burgueses acomodaticios, sino que cabe toda la Humanidad que también es protagonista de su propia función. Es el público como representación, "la vida como teatro, pero teatro visto desde el escenario. Y desde que había respirado el aire del teatro, vivía con una perpetua añoranza del teatro" (498). Y concluye Vera: "Lo mío era *esto,* y no lo *otro*" (498). La negativa a participar en la función de lo "otro" marca la singladura de Vera. "Esto", en cambio, puede ser tam-

---

[11] Como cualquier admirador de Carpentier sabe, los nombres propios son en el novelista cubano indicios de un significado oculto y definidor del personaje. Señala Vásquez que los distintos apodos que recibe el protagonista de *El Acoso* determinan por momentos su condición fugitiva; Sofía es, por otro lado, la "Sabiduría"; Esteban, nombre del protomártir, nace el mismo día que su creador, Alejo Carpentier. Sobre esta cuestión puede consultarse la monografía sobre el autor de González Echevarría.

bién el recuerdo maravilloso de Anna Pavlova, la genial bailarina rusa que es capaz de renovarse sin cansar, de superar la intrínseca monotonía de las representaciones iguales gracias a su talento. Durante años Vera rememora su entrevista de adolescencia con la Pavlova, cuando la diva, después del ballet, le regaló una zapatilla suya: Eso es el teatro para la Vera aún no arrebatada por la conciencia revolucionaria. Un espacio y un tiempo privilegiados que se confunde con la "verdad" estética (no ética ni política), "un teatro de verdad, en su poder de sacarnos de lo cotidiano, banal y transitado" (141).

No obstante, el primer gran acercamiento a la "verdadera" toma de postura, nace a partir de la ilusión por montar el ballet caribeño de *La consagración de la primavera*. Este teatro será la bisagra narrativa necesaria para la toma de conciencia de la heroína, en la medida en que comienza a entender "desde dentro" la "peculiaridad" cubana y a distanciarse de quienes, como Olga y Laurent, tratan de persuadirla para que se deje subvencionar por Batista. La reacción de Vera se parece bastante a la de Esteban cuando conoce la situación de los esclavos en la Guayana Holandesa: ambos se rebelan frente al poder establecido movidos espontáneamente por un sentido de la justicia que, de acuerdo con la ideología del texto, no se apoya en ninguna adhesión revolucionaria. Sin embargo, esa opción sale a la luz cuando la tesis novelesca lo requiera, sobre todo en *La consagración de la primavera*.

El inevitable momento de la toma de conciencia llega gracias a la providencial aparición del doctor en Baracoa. Entonces se descorren "unos telones obstinadamente corridos" (473) Y Vera se rinde a la consideración de que existe un teatro universal, un teatro "de verdad", que niega ese otro teatro de falsedades y relumbrones. El texto lleva de la mano a la heroína a la platea, entre el público, en una metáfora que bien puede recordar los experimentos de teatro vanguardista que Carpentier conoció en su juventud:

> Esta vez no vivo en un escenario, sino dentro del público. No estoy detrás de una mentida barrera de candilejas, creadora de espejismos, sino que formo parte de una colectividad a quien ha llegado la hora de pronunciarse y de tomar el destino en sus manos. Traspuse las fronteras de la ilusión escénica para situarme entre los que miran y juzgan e insertarme en una realidad donde se es o no se es (510).

Con discursos como éste, delimitado férreamente por la ideología, el teatro anterior, el de las hipocresías, pero también el de los carnavales venecianos y el de las máscaras primitivas, queda domesticado. Ya no hay confusión de identidades ni revelación de orígenes sagrados. Muy al contrario, la metáfora perfila con geométrica nitidez la ideología del Partido. Por eso la última gran representación, en esa ecuación establecida entre teatro y guerra desde el comienzo de la novela, lleva a un cincuentón Enrique a la playa de Baracoa. Por aquellas páginas hasta la misma Vera, arrastrada por el ímpetu histórico de los acontecimientos, se olvida de las infidelidades matrimoniales de su marido, en lo que quizá suponga un alarde de inverosimilitud psicológica por parte de Carpentier. En el último capítulo de La *consagración de la primavera* parece triunfar una concepción teatral de la historia como espectáculo de las Verdades, como representación panorámica de una especie de Juicio Final en el que se cantan los últimos destinos y todo queda al descubierto. Todo acaba atado y bien atado. Los papeles ya han sido repartidos, porque la Revolución no "podía" dejar a nadie sin una clara responsabilidad en la función. Hasta los mismos traidores se desenmascaran ellos solos. Al parecer, nada queda al azar…

LA HISTORIA COMO IMPOSTURA

El lector actual de La *consagración* de *la primavera* sin duda agradecería una pizca de ambigüedad. Una vez leída esta novela, se siente la admonitoria condena de un Carpentier moralista que resulta, por cierto, algo inverosímil. Me gustaría, sin embargo, rescatar una cita ya empleada más arriba:

> Hay un teatro de verdad en su poder de sacarnos de lo cotidiano, banal y transitado (141).

Lo dice Vera después de evocar su visita a la Pavlova en una secuencia narrativa marcada por la luminosidad: las lámparas del teatro, las candilejas, el brillo del maquillaje. Frente al paréntesis teatral se alza la realidad cotidiana cuando Vera y su madre salen a la calle: "después de luces y magias, la lluvia y la niebla, y aquel sucio metro con sus paredes desconchadas, pringosas, ennegrecidas por las manchas de humedad" (143). ¿Queda totalmente invalidado este tipo de teatro ilusionista?

¿Qué teatro representan si no los brigadistas internacionales en medio del estrépito de las bombas? ¿Cómo calificar ese teatro lleno de falsedades, que hace olvidar a los esforzados combatientes internacionales sus deberes para con el pueblo republicano? ¿No es cierto que la propia Vera, la "inauténtica" Vera, se conmueve igual que los comprometidos milicianos, cuando escucha las canciones de guerra o asiste a Mariana Pineda?

El conflicto veritativo en torno al símbolo teatral se subraya en el resto de las novelas del último Carpentier. En *El recurso del método* se ofrece un largo repertorio de asociaciones humorísticas con la mentira más descarnada, de manera que la teatralidad se hace farsa y carnaval. La teatralidad empapa las relaciones sexuales (15, 27, 42, etc.), los discursos retóricos del protagonista (117-118, 138, 170, etc.), las celebraciones religiosas (130), la arquitectura (154, 160), la vida política (233, 236, 241, etc.), la vida cultural (200), el urbanismo (95, 96, 194, 195, etc.), y hasta la misma muerte (252-253). En una parodia de Shakespeare, Ofelia, hija del Dictador, finge llorar su muerte cuando al final recoge un poco de tierra del Jardin du Luxembourg y la hace pasar por los restos de su padre. Así pues, el género que conviene a *El recurso del método* es la ópera bufa. A cambio, no surge un Teatro "de verdad" como en *La consagración* de *la primavera*.

En *Concierto barroco* se presenta una denuncia indignada ante esta Historia de opereta, plagada de falsedades, que sin duda, se conforma de acuerdo con la mirada desconfiada que hacia lo teatral siente a veces Carpentier. Recordemos el enfado del Indiano ante la versión urdida por Vivaldi de la Conquista de México. El Indiano quiere ser actor de su propia Historia, no Espectador de una pieza interpretada por actores europeos. El italiano Massimiliano Miler usurpa un papel que le corresponde, Montezuma. El protagonista experimenta un proceso de transformación que se representa bajo los nombres-máscara, los disfraces de la identidad (Amo, Montezuma, Indiano), y que desemboca en la asunción orgullosa del origen americano[12]. Tengamos en cuenta que Carpentier ubica su ficción en los compases inmediatos al Siglo de las

---

[12] *Concierto barroco* ha sido asaltado muchas veces por la crítica a partir de su flagrante estructura musical o del enfrentamiento temático entre Europa y América. Pero también es una novela de toma de conciencia (Aguilu de Murphy).

Luces, es decir, al período fundacional del autorreconocimiento de la identidad latinoamericana[13].

Pero *El arpa y la sombra* es, desde luego, más ambigua, porque parece reconocer a la impostura corno generatriz del proceso histórico americano. Carpentier emprende una desaforada parodia de la figura de Colón y cierta bibliografía relacionada con el Descubridor. No era la primera vez que el cubano reescribía la historia con licencias más que burlonas. *Como* ya señaló en su día Noël Salomon, una novela tan seria en apariencia *como El siglo de las luces* contenía fuertes desvíos de los hechos históricos en el Posfacio sobre la historicidad de Victor Hugues[14]. De esta forma Carpentier no hace sino escribir de acuerdo con su tiempo. Tengamos en cuenta que la Historia como tema en la narrativa iberoamericana se ha concebido en los últimos decenios desde la revisión crítica del pasado, de forma que los novelistas han buscado parodiar las versiones autorizadas a lo largo de siglos[15]. A esta situación no es inútil añadir que la afirmación de que *todo* discurso, también el historiográfico, delata una manipulación de la realidad, es una idea que proviene del postestructuralismo (Hayden White) y que se relaciona con los intereses de Carpentier y otros novelistas históricos iberoamericanos de es te final de milenio. Según Sklodowska, la parodia es el arma empleada por muchos: Gabriel García Márquez, Abel Posse, Reinaldo Arenas, Gustavo Alvarez Gardeazábal, Jorge lbargüengoitia, o, por supuesto, Alejo Carpentier. Y así, *El arpa y la sombra* interpreta el proceso histórico iberoamericano como un gran fraude teatral. "De fábulas se alimenta la Gran Historia" (76), ya aseguraba el Indiano de *Concierto barroco*.

La dificultad de distinguir entre lo "histórico" y lo ficticio es una piedra angular, no sólo del *modo* de concebir la novela histórica de Car-

---

[13] Como pone de manifiesto Vicky Unruh, *Concierto barroco* revela un significado importante del tema teatral en Carpentier: la representación como síntesis y celebración del cruce cultural. Acerca de esta cuestión, puede consultarse también el libro de González Echevarría (1993).

[14] Así, Carpentier borra las huellas de su personaje y silencia el lugar y la fecha de la muerte de Victor Hugues, los cuales sin duda conoció (Salomón, 424-427).

[15] Como escribe González Echevarría, "the new narrative unwinds the history told in the old chronicles by showing that history was made up of a series of conventional topics, whose coherence and authority depend on the codified beliefs of a period whose ideological structure is no longer current" (González Echevarría 1990, 15).

pentier, sino de la misma idea del hombre y su cultura. En *El reino de este mundo* se entreveraba lo imaginario con el proceso histórico y optaba por concepciones alternativas sobre el tiempo[16]. En *El arpa y la sombra*, como vengo diciendo, el engaño es el arma de la que se vale Colón para remover la imaginación de indios y europeos y, en consecuencia, conseguir lo que se propone. En esa gran confesión que es la segunda parte de la novela el descubridor se reconoce embustero ante las Cortes a fin de obtener financiación para su empresa; luego embauca a la tripulación para que continúen el rumbo y a los indios para que se metan en los barcos. Usa las Sagradas Escrituras como le conviene porque, en realidad, no le interesa nada encontrarse con campanarios en las Indias; esto echaría al traste el pretexto evangelizador. Más tranquilo al ver que los indios son paganos, los lleva a España y los disfraza con objeto de impresionar a los Reyes católicos y hacerles suponer que hay grandes riquezas en América. Es "la Gran Función de Barcelona", "Primer Espectáculo de tal género presentado en el Gran Teatro del Universo" (14). En los viajes siguientes, Colón seguirá oficiando de histrión. Colón asume su "natural vocación de farsante" (148). Y, cuando su testimonio vaya concluyendo, entonces el juego de máscaras en que se ha convertido su vida se llena de arabescos barrocos: por un lado, sus mentiras han servido para descubrir un mundo en donde la imaginación europea proyectará sus Utopías. Unas Utopías que, no lo olvidemos, tienen un origen sospechoso al ser urdidas en primera instancia por un charlatán. Esta es la primera conclusión, pero no la única. Sabemos además que Colón no sólo ha descubierto a América, sino que se ha descubierto a sí mismo mediante sus fabulaciones[17]:

> Fui el Descubridor-descubierto, puesto en descubierto; y soy el Conquistador-conquistado, pues empecé a existir para mí y para los demás el día en que llegué *allí* (182).

---

[16] Para Seymour Menton esta es la primera nueva novela histórica hispanoamericana por su aproximación subversiva al fenómeno histórico.

[17] Cabe señalar que varios críticos (Barrientos, Bockus-Aponte, Valero Covarruhias) han leído la novela como una autobiografía implícita. González Echeverría entiende que el Colón de *EL arpa, Y La sombra* es una figuración irónica de la trayectoria intelectual del propio Carpentier, el cual descubre América y se descubre a sí mismo en América.

Este cambio de papeles, de descubridor a descubierto, se enraíza con la convertibilidad de papeles dramáticos que hemos ido examinando a lo largo de este ensayo. Se muestra así una doble dimensión, activa y pasiva, de la condición humana. *El arpa y la sombra* viene a romper la dogmática afirmación, realizada en *La consagración de la primavera*, del valor superior del Actor sobre el Espectador. Es cierto que el conflicto veritativo se mantiene: hay un teatro de mentiras (el que ha hecho Colón toda su vida) y uno de verdades... Este último se instaura a través del examen de conciencia de la segunda parte: allí el Descubridor mismo se ha desdoblado: al recordar su vida de gran Actor se ha hecho Espectador de sí mismo (183). El Colón maduro, el Colón Espectador, apela al joven Actor, el marinero que pasa de ser sujeto a ser objeto de la mirada de Otro que es él mismo. La contemplación del Espectador que recuerda una vida pretérita se convierte en posición de privilegio. Y con esto arribamos, si bien se mira, a un nuevo giro en el juego dialéctico entre el Actor y el Espectador de Carpentier. Si en *La consagración de la primavera* parecía haber adjudicado sartreanamente al Actor una función suprema, ahora el proceso se invierte. Ahora el yo se dirige desde el escenario de las maravillas a la platea, desde donde podrá verse mejor a sí mismo. El Actor vuelto Espectador de sus propias actuaciones se revela como el testigo privilegiado. Y por eso se conocerá mejor todavía en esa parodia de Juicio Final que es la tercera parte de la novela, "La sombra". Allí el espectro de Cristóbal Colón asiste silenciosamente a un "Auto Sacramental" sobre su improbable beatificación. Los Actores son ahora los otros: Lamartine, Las Casas, Bloy, Hugo, etc. Todos ellos indican con sus juicios quién es de verdad Colón. El espectador se reconoce, muy dialógicamente, en la actuación de los otros. O vuelve a verse, mejor dicho, puesto que, ya en la confesión de la parte anterior, Colón se había desdoblado en Actor y Espectador de sí mismo. La escritura primero y los testimonios de los otros en la Historia después, sirven para revelar al yo su propia y precaria identidad.

Bibliografía

AGUILU DE MURPHY, RAQUEL, "Proceso transformacional del personaje del Amo en *Concierto barroco*", *Revista Iberoamericana*, LVII, 154, 1991, pp. 161-170.

BARRIENTOS, JUAN J., "Colón, personaje novelesco", *Cuadernos hispanoamericanos*, 437, 1986, pp. 45-62.

BECERRA, EDUARDO, *Pensar el lenguaje, escribir la escritura. Experiencias de la narrativa hispanoamericana contemporánea*, Madrid, Universidad Autónoma, 1996.

BOCKUS-APONTE, BARBARA, "*El arpa y la sombra:* The Novel as a Portrait", *Hispanic Journal*, 3, 1, 1981, pp. 93-105.

BUSTILLO, CARMEN, *Barroco y América Latina: un itinerario inconcluso*, Caracas, Monte Avila, 1990.

CARPENTIER, ALEJO, *La aprendiz de bruja, Obras Completas*, 4, México, Siglo XXI, 1983.

————, *El arpa y la sombra*, Madrid, Siglo XXI, 1980.

————, "Conciencia e identidad en América". *Ensayos y crónicas. Obras completas*, 13, México, Siglo XXI, 1990.

————, *Concierto barroco*, Madrid, Siglo XXI, 1982.

————, *La consagración de la primavera, Obras completas*, 7, México, Siglo XXI, 1996.

————, *Los pasos perdidos*, ed. de Roberto González Echevarría, Madrid, Cátedra, 1985.

————, *El recurso del método, Obras completas*, 6, México, Siglo XXI, 1984.

————, *El reino de este mundo*, Barcelona, Seix Barral, 1981.

————, *El siglo de las luces*, Barcelona, Seix Barral, 1981.

COLLARD, PATRICK, "La máscara, el traje y la teatralidad en Los pasos perdidos de Alejo Carpentier", *Actas del IX Congreso de la Asociación Internacional de Hispanistas*, Frankfurt, Vervuert, 1989, pp. 507-514.

————, *Cómo leer a Alejo Carpentier*, Madrid, Júcar, 1991.

CURTIUS, ERNEST ROBERT: *Literatura europea y Edad media latina*, México, Fondo de cultura económica, 1955.

CHAO, RAMÓN, *Palabras en el tiempo de Alejo Carpentier*, Barcelona, Argos Vergara, 1984.

ELMORE, PETER: *La fábrica de la memoria. La crisis de la representación en la novela histórica latinoamericana*, México, Fondo de cultura económica, 1997.

GIRARD, RENÉ, *Mentira romántica y verdad novelesca*, Barcelona, Anagrama, 1985.

GONZÁLEZ, ANÍBAL, "Etica y teatralidad: El retablo de las maravillas de Cervantes y El arpa y la sombra de Alejo Carpentier", *La torre*, VII, 27-28, jul.-dic. 1993, pp. 485-502.

GONZÁLEZ ECHEVARRÍA, ROBERTO, *Myth and Archive*, Cambridge, Cambridge University Press, 1990.

————, *Alejo Carpentier: el peregrino en su patria*, México, UNA M, 1993.

HARVEY, SALLY, *Carpentier's Proustian Fiction*, Cambridge, Cambridge University Press, 1994.

LLANO, ALEJANDRO, *Deseo, violencia, sacrificio. El secreto del mito según René Girard*, Pamplona, Eunsa, 2004.

MENTON, SEYMOUR, *Latin America's New Historical Novel*, Austin, Texas University Press, 1993.

SALOMÓN, NOEL, "El siglo de las luces: historia e imaginación", en Salvador Arias (ed.), *Recopilación de textos sobre Alejo Carpentier,* La Habana, Casa de las Américas, 1977, pp. 395-428.

SKLODOWSKA, ELZBIETA, La *parodia en la nueva novela hispanoamericana,* Amsterdam-Philadelphia, John Benjamins, 1991.

VALERO-COVARRUBIAS, ALICIA, *"El arpa* y *la sombra* de Alejo Carpentier: Una confesión a tres voces", *Cuadernos americanos,* 3, 14, 1989, pp. 140-144.

VÁSQUEZ, CARMEN, "La Habana - Exteriores e interiores en *El acoso* de Alejo Carpentier", Jacqueline Covo (ed.), *Historia, espacio e imaginario,* París, Septtentrion, 1997, pp. 99-106.

VÁZQUEZ MEDEL, MALLUEL A., "Narratividad y dramaticidad: mímesis diegética vs. mímesis pragmática", Mª Concepción Pérez (ed.), *Los géneros literarios. Curso superior de narratología,* Sevilla, Servicio de Publicaciones, 1997, pp. 45-53.

VÉLEZ DE GUEVARA, LUIS, *El diablo cojuelo,* ed. de Enrique Rodríguez Cepeda, Madrid, Cátedra, 1984.

VERDEVOYE, PAUL, "Las novelas de Alejo Carpentier y la realidad maravillosa", *Revista Iberoamericana,* 48, 118-119, 1982, pp. 317-330.

VON BALTHASAR, HANS U., *Teodramática,* 1, Madrid, Encuentro, 1990.

UNRUH, VICKY, "The Performing Spectator in Alejo Carpentier's Fictional World", *Hispanic Review,* 66, 1998, pp. 57-77.

El humor: de lo cómico a lo grotesco en la narrativa de Alejo Carpentier

ALEXIS MÁRQUEZ RODRÍGUEZ
Escritor y académico venezolano

El humor es una constante en la obra de Alejo Carpentier. Y en la última de sus novelas, *El arpa y la sombra*, sobre la vida de Cristóbal Colón, se ve el personaje, sin perder su rigor histórico, a través de un cristal humorístico y caricaturesco. Tal visión fue intencional. En su propósito de desmitificar la figura del Gran Almirante y regresarlo a su verdadera dimensión humana, Carpentier se valió del humor y la caricatura. Así, mostrando que Colón fue un hombre de carne, huesos, y nervios, y no el ser inmarcesible que se ha querido hacernos tragar, la hazaña del gran hombre cobra relieves extraordinarios, y se inscribe dentro de *lo real maravilloso.*

Lo humorístico en Carpentier abarca una gama rica y variada. Va de lo meramente cómico y burlesco a lo grotesco.

Conceptos como *humor* y *grotesco*, referidos al arte, han suscitado grandes controversias, aun sin conclusiones definitivas. Son conceptos y fenómenos vinculados a una actividad humana muy vital, como el arte, y por eso se dificulta su reducción a fórmulas fácilmente asimilables. Ambos conceptos –sobre todo el de *grotesco*– se relacionan también con el Barroco.

El grado más simple de lo humorístico en Carpentier está en lo meramente cómico y festivo. Es el chiste como figura literaria. O quizás la figura literaria aderezada con un matiz chistoso. Casi siempre se trata de metáforas o símiles con algún elemento humorístico. Por ejemplo:

la casa de columnas blancas, con su frontón de ceñudas molduras que le daban una severidad de Palacio de Justicia (*Los pasos perdidos*, p. 9).

una estatua de prócer que tiene algo de lord Byron por el tormentoso encrespamiento de la corbata de bronce, y algo también de Lamartine, por el modo de presentar una bandera a invisibles amotinados (*Los pasos perdidos*, p. 55).

Por muy bien cortado que esté un frac, puesto sobre el lomo de un yanqui parece siempre un frac de prestidigitador (*El recurso del método*, p. 39).

un mamarracho cubierto de cencerros le había meado las medias, huyendo a tiempo para esquivar una bofetada que, cayendo en la nalga de un marico, hubiese puesto la víctima a poner la otra mejilla, creyendo que el halago le venía en serio (*Concierto barroco*, p. 37).

Los tres primeros textos son descriptivos. El cuarto es narrativo. Pero lo predominante en todos, salvo el tercero, es su carácter inocuo. Pareciera que estuviesen allí sólo para hacer reír, para provocar la distensión que suele traer lo cómico. Son como burlas, pero burlas sanas, sin trascendencia, puramente festivas. Salvo, repito, el tercero, donde la referencia al yanqui es satírica.

Este mismo tipo de humor lo hallamos en muchas otras ocasiones con referencias más intencionadas, en especial satíricas. Unas veces son descripciones de personajes, en que se busca definir un rasgo esencial mediante un calificativo que aúne lo humorístico y lo admonitorio, de donde resulta la sátira o el sarcasmo. Así, de mademoiselle Floridor, la mediocre actriz que había parado en concubina de Lenormand de Mezy, en *El reino de este mundo*, se dice: "...mala intérprete de confidentes, siempre relegada a las colas de reparto, pero *hábil como pocas en artes falatorias*".

Con igual desenfado se trata a Paulina Bonaparte, cuya afición por los hombres jóvenes y apuestos Carpentier la describe con picardía y humorismo zumbón, al referirse a los oficiales de su marido, el general Leclerc: "Los había de una espléndida traza, y Paulina, *buena catadora de varones*, a pesar de su juventud, se sentía deliciosamente halagada por la creciente codicia que ocultaban las reverencias y cuidados de que era objeto".

Otras veces no son individuos, sino situaciones que se reflejan en la conducta de las personas, de modo que al describir aquellas, se da una idea de estas. Por ejemplo, después de la rebelión de Bouckman, en *El reino de este mundo*, los colonos abandonan Haití. Muchos emigran a Cuba, y allí, arruinados y escarnecidos, se dan a la vida fácil, frívola, desordenada: "Los que nada habían podido salvar se regodeaban en su desorden, en su vivir al día, en su ausencia de obligaciones, tratando, por el momento, de hallar el placer en todo. *El viudo redescubría las ventajas del celibato; la esposa respetable se daba al adulterio con entusiasmo de inventor...*".

Del mismo tipo es este otro pasaje, en que la ironía, el sarcasmo y la sátira se combinan con lo propiamente cómico:

La Señora estaba terminando su "toilette" –como había de decirse–, pero sonreí pensando que no estaba en su baño sino en la cripta octogonal de mármol verde –templo de Astarté, santuario de la Diosa Siria, lugar de arcanas abluciones– cuyo centro era ocupado, solemnemente, por un monumental bidet de porcelana negra, con juego de llaves, potenciómetros, guías de aguas verticales, laterales, de fondo, con regulación de intensidades, control de temperatura y estabilizador general, de tan complejo mecanismo como el que requiere el pilotaje de un avión. Y, envuelta en una bata de un rojo cardenalicio, guarnecida de plumón de ave, entre pontifical y Eugenia de Montijo, apareció mi tía con la cara de euménide que enarbolaba en momentos de grandes cóleras (*La Consagración de la Primavera*, p. 36).

De este humor burlón, chistoso, unas veces inocuo y otras cargado de ironía, de sarcasmo y de sátira, se pasa al *humor negro*, vinculado con lo trágico y con la muerte, muy frecuente en Carpentier, a veces en niveles de refinada crueldad.

Por la vía del *humor negro* Carpentier llega a lo *grotesco*. Este concepto ha evolucionado mucho, y hoy con ese vocablo solemos referirnos a fenómenos del arte, que no siempre corresponden a lo que en el pasado se designó con él. Hugo Friedrich, en su *Estructura de la lírica moderna*, da una idea bastante completa de esa evolución:

"Grotesco" era originariamente un término de pintura que servía para designar la decoración de los frisos y entrepaños, muchas veces derivada de motivos fabulosos. Desde el siglo XVII se fue extendiendo su significado hasta llegar a comprender lo curioso, lo burlesco, lo gracioso, lo deforme y lo excepcional en todos los terrenos. En este sentido lo emplea también Víctor Hugo, pero lo extiende también a la fealdad[1].

Quizás Friedrich exagere sobre el contenido de lo *grotesco*. Pero es muy cierto lo que señala como evolución del concepto a través de la historia del arte. Para caracterizar lo que es dable distinguir en él, Friedrich cita a Baudelaire, quien "ve en lo grotesco el choque del idealismo con lo demoníaco y lo amplía con un concepto que habrá de tener un esplendoroso porvenir: el concepto de lo absurdo"[2]. La definición de Baudelaire, además, entronca con lo que a propósito sostiene Wolfgang

---

[1] Hugo Friedrich: *Estructura de la lírica moderna*, Barcelona, Seix Barral, 1959. p. 43.

[2] Ibid. p. 63.

Kayser cuando afirma que "...la configuración de lo grotesco constituye la tentativa de proscribir y conjurar lo demoníaco en el mundo"[3]. Pero Kayser es aún más preciso cuando contrapone *lo grotesco* a *lo sublime*, y en ello hace residir lo más definitorio del primero de dichos conceptos:

> Sólo en su carácter de antípoda de lo sublime, lo grotesco revela toda su profundidad. Pues así como lo sublime [...] dirige nuestras miradas hacia un mundo más elevado, sobrehumano, así ábrese en el aspecto de lo ridículo-deforme y monstruoso-horroroso de lo grotesco un mundo inhumano de lo nocturnal y abismal[4].

He aquí la clave de *lo grotesco* en la narrativa. Son situaciones contrastantes con *lo sublime*, en que se mezclan elementos en extremo dispares. Lo cual ilustra algo dicho por Kayser: "...lo grotesco no reside [...] sino en la mezcla de lo incompatible"[5]. En este caso lo incompatible son *lo sublime* y *lo ridículo*. En la narrativa de Carpentier encontramos algunos pasajes grotescos que, por su función e intensidad adquieren importancia fundamental. Algunos son particularmente notables. El primero muestra una escena que tiene como centro a Mouche, en *Los pasos perdidos*:

> aunque yo solía cuidarme de proferir palabras excesivas en las discusiones con ella, esta noche, gozándome de verla fea a la luz del quinqué, sentía una nerviosa necesidad de herirla, de vapulearla, para largar un lastre de viejos rencores acumulados en lo más hondo de mí mismo. A modo de comienzo comencé por insultar a la canadiense, calificándola de algo que tuvo el efecto de actuar sobre Mouche como una hincada de alfiler al rojo. Dio un paso atrás y me arrojó el jarro de aguardiente a la cabeza, fallándome por un canto de baraja. Asustada de lo hecho volvía ya hacia mí con las manos arrepentidas; pero mis palabras, autorizadas por su violencia, habían roto las amarras: le gritaba que había dejado de amarla, que su presencia me era intolerable, que hasta su cuerpo me asqueaba. Y tan tremenda debió sonarle esa voz desconocida, asombrosa para mí mismo, que huyó al patio corriendo, como si algún castigo hubiera de suceder a las palabras. Pero, olvidada del fango, resbaló brutalmente, y cayó en la charca llena de tortugas. Al sentirse sobre los carapachos mojados, que empezaron a moverse como las armaduras de guerreros sorbidos por una tembladera, dio un aullido de terror que despertó a las jaurías por un tiempo calladas. En

---

[3] Wolfgang Kayser: *Lo grotesco*, Buenos Aires, Nova, 1964, p. 228.
[4] Ibid. p. 67.
[5] Ibid. p. 163.

medio del más universal concierto de ladridos metí a Mouche en la habitación, le quité las ropas hediondas a cieno y la bañé de pies a cabeza con un grueso paño roto. Y luego de hacerla beber un gran trago de aguardiente, la arropé en su catre y marché a la calle sin hacer caso de sus llamadas ni sollozos. Quería –necesitaba– olvidarme de ella por algunas horas (Pp; pp. 152-153).

Esta escena revela en el protagonista-narrador una mezcla de odio y desprecio por Mouche, aquella mujer que había sido con él partícipe de las más encendidas escenas de amor y de erotismo, pero que había ido descendiendo en su escala valorativa, hasta llegar a la abyección. No de otro modo puede explicarse el mal disimulado regodeo del narrador al relatar la escena. Mouche no es un personaje del todo ficticio. Aparte lo simbólico y representativo de un tipo de mujer real, que se da en todos los tiempos y lugares, sé, por confidencia de Alejo, que Mouche se inspiró en dos mujeres que él conoció de cerca. No siempre es válido atribuir al novelista las actitudes, ideas y sentimientos de sus personajes. Pero en este caso sí. El texto transcrito expresa, no sólo la actitud del protagonista frente a Mouche, sino también la del propio novelista ante lo que este personaje representa.

En cuanto al sentido del texto, una lectura atenta no deja dudas. El protagonista-narrador comienza por situarse frente a Mouche: "me gozaba de verla fea"... Hay resentimiento, predisposición a la venganza, por una serie de hechos que se han ido acumulando, y que fueron dando la verdadera dimensión de aquella mujer. No es poco: verla fea tiene una enorme carga de insidia, si sabemos que Mouche ha sido siempre narcisista, autoadoradora de su figura, a la cual cuida con esmero. Por eso, que alguien, para colmo su amante, descubra de pronto que parte de tal belleza es artificiosa, resultante de la asistencia que a su juventud y natural hermosura daban los afeites e "inteligentes coloraciones", como dice el narrador, suponía una afrenta y una maligna venganza. No exagero. El calificativo es del propio novelista: "...me había divertido en observarla muchas veces [...], notando con *maligna* ironía cuán a menudo se examinaba en un espejo, frunciendo el ceño con despecho".

Seguidamente, el protagonista explicita su ánimo vengativo: "sentía una nerviosa necesidad de herirla, de vapulearla...". Y luego deja aflorar su resentimiento: "viejos rencores acumulados en lo más hondo de mí mismo...". Con tales antecedentes se prepara la escenografía para la acción grotesca: la caída de Mouche en aquella charca poblada de tortugas. En ese instante el sentimiento de venganza alcanza su clímax. Pocas situaciones más ridículas que la de Mouche en la charca, entre tortugas que se movían en el fango. Por si fuera poco, al grito-aullido de la mujer responden furiosos ladridos, poniendo una nota más en lo grotesco de la desdichada escena.

Es notorio el empleo de un lenguaje particularmente idóneo para lograr el efecto grotesco, la sensación de lo ridículo, el sentimiento de lo antisublime. Palabras y frases parecieran seleccionadas para tal fin: "asqueaba", "fango", "resbaló brutalmente", "charca", "carapachos mojados", "aullido de terror", "jauría", "hediondas a cieno"... Expresiones que dan la dimensión grotesca de la escena. Lo reiterativo contribuye a lograr el efecto correspondiente. Y no olvidemos que la reiteración es también un elemento característico del Barroco, tan caro a Carpentier.

En la novela se insiste en el contraste entre Mouche y Rosario. Esta última representa lo sublime. Y la imagen de Mouche en la escena de las tortugas, por lo grotesco y antisublime, remite inmediatamente, por contraste, a la de Rosario, contribuyendo a exaltarla.

Esta escena de *Los pasos perdidos* se repite con gran exactitud en *El Siglo de las Luces*. Pero en este caso la víctima es, contrariamente, uno de los personajes por los que Carpentier tiene mayor afecto: Sofía. Él confesó que en la creación de este personaje tuvo el propósito consciente de rendir tributo a un tipo de mujer que siempre atrajo su simpatía, y explica que incluso su nombre fue cuidadosamente escogido: "Sofía", dice, "habrá de responder, según la etimología griega de su nombre, al conocimiento, al 'gay' saber..."[6]. Y en otra parte define la personalidad de la muchacha en términos encomiásticos: "Sofía [...] representa un espíritu menos razonador [que el de Esteban], menos intelectual, pero que es capaz de sentir y entender las fuerzas profundas de una revolución..."[7].

[6] Cesar Leante: "Confesiones sencillas de un escritor barroco", en *Recopilación de textos sobre Alejo Carpentier. Serie Valoración Múltiple,* compilación y prólogo de Salvador Arias, La Habana, Casa de las Américas, 1977, p. 69.

[7] "Habla Alejo Carpentier", en *Recopilación de textos sobre Alejo Carpentier. Serie valoración múltiple,* Ob. cit. p. 30.

No obstante, Sofía es protagonista de una escena en que Carpentier pareciera ensañarse, humillándola, mostrándola en una situación ridícula que, al mismo tiempo que pena, también provoca risa. Sofía, quien, a poco de morir su marido, ha huido a Cayena para reunirse con Víctor Hugues, su ex amante, está a la espera de este, lindamente vestida para recibirlo, después de tantos años:

al fin, una chalupa maniobrada a remo se arrimó al embarcadero. En las sombras del anochecer […], se fue dibujando, con relumbre de galones y paramentos, un traje de aspecto algo militar, acrecido en su estatura por un sombrero empenachado de plumas. Sofía salió al atrio de la vivienda sin advertir, en su precipitación, que una piara de cerdos negros se entregaba, frente a la entrada, a la regodeada tarea de asolar los canteros de flores, desenterrando los tulipanes y revolcándose, con jubilosos gruñidos, en una tierra recién regada. Al ver la puerta abierta, los animales se metieron en la casa, en tropeles, pasando sus cuerpos enlodados por las faldas de quien trataba de detenerlos con gestos y gritos. Echando a correr, Víctor llegó a la casa, enfurecido: "¿Cómo los dejan sueltos? ¡Esto es el colmo!" Y, entrando en el salón la emprendió a planazos de sable con los cerdos que trataban de colarse en las habitaciones y subir las escaleras, mientras los sirvientes y algunos negros acudían de los trasfondos de la vivienda para ayudarle. Al fin las bestias fueron sacadas una por una, arrastradas por las orejas, por las colas, levantadas en alto, corridas a patadas, con tremebundos aullidos. […]. "¿Te has visto?", dijo Víctor a Sofía, cuando en algo se hubiese aplacado la porcina barahúnda, señalando el vestido manchado de lodo. "Cámbiate, mientras mando limpiar aquí…". Al mirarse en el espejo de su habitación, Sofía se sintió tan miserable que se echó a llorar, pensando en lo que se había vuelto, de pronto, el Gran Encuentro soñado durante los días de la travesía. El traje que se había mandado hacer para la ocasión se desprendía de su cuerpo, enlodado, desgarrado, hediondo a corral. Tirando los zapatos al rincón más oscuro, se arrancó las medias con furor. El cuerpo entero le olía a piara, a fango, a inmundicias. Tuvo que mandar subir baldes de agua para bañarse, pensando en lo *grotesco* que resultaba ese trasiego en tales momentos. Había algo *ridículo* en este aseo forzoso, con los chapaleos en tina que debían oírse abajo. Al fin, echándose cualquier cosa encima, bajó al salón con paso renqueante, sin cuidar de la apostura, con el despecho del actor que ha fallado una buena entrada en escena (SL. pp. 264-265).

Aunque este episodio se asemeja mucho al de Mouche en la charca, aquí la estructura narrativo-descriptiva es más rica y de mayor expresividad. En este texto, incluso, aparecen dos vocablos clave, que no están en el otro: *grotesco* y *ridículo*, indicativos de que el autor estaba consciente del carácter del pasaje.

Como en el caso anterior, aquí también aparecen, aparte de las dos señaladas, una serie de palabras y sintagmas que apuntan a lo grotesco: "una piara de cerdos", "revolcándose", "jubilosos gruñidos", "cuerpos enlodados", "bestias", "arrastradas por las orejas", "tremebundos aullidos", "enlodado, desgarrado, hediondo a corral", "el cuerpo entero le olía a piara, a fango, a inmundicias"...

Importante la sustitución de las tortugas por los cochinos. Estos son mucho más próximos a lo grotesco. En algunas culturas el cerdo es considerado impuro. Su figura aparece en relieves medievales de escenas cómicas y grotescas, y también en pinturas y grabados de artistas como Ieronimus Bosch y Goya.

Si la escena de Mouche se explica por el propósito de desvalorizar el personaje, ¿cómo se explica esta otra, en que la víctima es alguien especialmente grato, y que lo es, además, de manera particular para el autor? ¿Por qué, si es así, nos la muestra en semejantes circunstancias, con una imagen tan desairada y descompuesta? Sofía es símbolo de lo sublime. Lo grotesco, en este caso, es, precisamente, el contraste entre esa sublimidad y la situación ridícula en que la muchacha se encuentra de pronto. ¿Se trata, acaso, sólo de un hecho estético, de un alarde de maestría literaria, y por tanto inocuo desde todo punto de vista ajeno a lo estético y literario? Si se tratase de un pasaje tan sólo cómico, con el único efecto de provocar la risa, sería así. Pero es evidente que este episodio va mucho más allá de producir hilaridad. Como antes dije, además de hacer reír, el suceso causa pena. La imagen de Sofía deviene en lastimosa. Ella misma lo advierte: "Sofía se sintió tan miserable que se echó a llorar". Pareciera haber, pues, en la intención del autor algo más que un propósito humorístico.

Es de observar que aquí lo ridículo y grotesco no afecta sólo a Sofía. También la situación de Víctor Hugues es bastante desairada. La imagen de este personaje –cuya presentación se ha hecho metonímicamente, a través de un traje "con relumbre de galones y paramentos", y de "un sombrero empenachado de plumas"–, luchando a sablazos –en la mano el sable de héroe de la Revolución Francesa– contra una tropa de cochinos enlodados y malolientes, no puede ser más ridícula, cargada, además, de simbolismo. El Víctor Hugues de ese momento no es sólo el héroe disminuido. Su decadencia personal se corresponde con la decadencia de la Revolución, que ya ha cedido a la aventura napoleónica. Y la ironía sube de punto cuando se piensa que es un alto funcionario del Consulado, en quien ya se vislumbra el esplendor del Imperio, el que se bate con aquel astroso ejército de cerdos. A partir de allí la degradación de Víctor Hugues, pareja con el desmoronamiento de la Revolución, se irá acentuando hasta desembocar en el envilecimiento y la abyección.

Muy otro es el caso de Sofía. En ella no ha disminuido su estatura moral e intelectual. Y posteriormente, a diferencia de Víctor Hugues, se irá agigantando, hasta la glorificación final, en el gesto heroico del 2 de mayo, con que se cierra la novela, cuando se sugiere que Sofía y Esteban mueren en las calles de Madrid, luchando junto al pueblo contra las tropas de Napoleón. De manera que el episodio de los cochinos viene a ser, en la vida de Sofía, como un paréntesis desgraciado, suerte de interpolación desafortunada en el proceso de una vida admirable y excelsa.

¿Podría interpretarse ese hecho como una sanción moral a Sofía por haber abandonado su hogar y su familia, cuando todavía el cadáver de su marido no ha acabado de pudrirse, para ir al encuentro de su antiguo amante, cuya vileza ya había empezado a manifestarse, y ella lo sabía? Tal vez sí. La idea de ese hecho como castigo encaja dentro del esquema de la ética burguesa que, por razones obvias, impera en la atmósfera de la novela. Aun cuando se trate de hombres y mujeres revolucionarios, puesto que eran, precisamente, héroes y protagonistas de una revolución, de la gran Revolución burguesa.

Cabría otra interpretación, no excluyente de la anterior. Es evidente en el episodio el signo del fracaso. Sofía ha preparado con sumo cuidado la escena. Se ha vestido y arreglado para la jubilosa ocasión, soñada durante mucho tiempo. Por su parte, el atuendo de Víctor Hugues se correspondía con el de la muchacha, si no con intención, al menos de hecho. Todo ello se viene abajo inesperadamente, y no por actos atribuibles a la voluntad o al destino, sino mas bien como producto de lo fortuito, del azar. El episodio podría ser premonitorio, como el anuncio de lo que luego viene en la novela, el fracaso de Sofía en su proyecto de vida, que contempla unir su impulsión y su conciencia revolucionarias a la satisfacción de su anhelo femenino, al lado de aquel hombre a quien quizás no amase, pero que en el pasado supo despertar su dormida sensualidad. La idea de fracaso es expresa: Sofía vuelve al encuentro con Víctor, después del episodio de los cochinos, "con el despecho del actor que ha

fallado una buena entrada en escena". Lo que mal comienza, mal
acaba..., pareciera ser la implacable ley que rige la vida de estos seres.
    Hay un tercer episodio del mismo tipo, pero con variaciones en su
función dentro del relato y en el valor que podamos atribuirle. Pertenece a *El recurso del método*, y su sentido grotesco tiene una dimensión som-
bría y trágica. Se muestra en él la brutalidad de la represión política,
que desemboca en una horrible matanza:

> entonces, fue la ralea: las tropas sueltas, desbandadas, incontenibles, se dieron a
> la caza de hombres y de mujeres, a bayoneta, a machete, a cuchillo, sacando los
> cadáveres traspasados, abiertos, descabezados, mutilados, al medio de las calles,
> para mejor escarmiento. Y los últimos combatientes [...] fueron llevados al
> Matadero Municipal donde, entre cueros de reses, vísceras, tripas y hieles de
> animales, sobre charcos de sangre coagulada, se les colgó de los garfios y gara-
> batos, por las axilas, por las corvas, por los costillares o el mentón, después de
> magullarlos a patadas y a culatazos. "¿Quién quiere carne al pincho? ¿Quién
> quiere carne al pincho?" –gritaban los ejecutores, [...] dando otro bayonetazo a
> un agonizante, antes de posar ante la cámara de un fotógrafo francés, monsieur
> Garcin, que vivía en la ciudad desde hacía mucho tiempo [...] haciendo retra-
> tos de familia, bodas, bautizos, primeras comuniones, y "angelitos" tendidos en
> sus pequeños ataúdes blancos. "¡Pongan caras de contento!", decía a los solda-
> dos, [...]: "Dos pesos cincuenta la media docena, tamaño postal, con una
> ampliación, coloreada a mano, para recuerdo... No se muevan... Ya está...
> Otra, ahora... Con los cuatro ensartados de allá... Otra, con los colgados esos...
> A la mujer, bájenle la falda para que no se le vea la conejera... Otra, con aquel
> del tridente en la tripa... Hay rebaja para el que quiera una docena"... Ya los
> zamuros, buitres y auras volaban bajo sobre los patios del Matadero Municipal.
> De los postes del telégrafo, de los álamos del parque, de los balcones del Ayun-
> tamiento, colgaban racimos de ahorcados. Algunos fugitivos, enlazados como
> novillos en rodeo, eran arrastrados por la caballería sobre los suelos de adoqui-
> nes [...]. Unos cincuenta mineros, puestos con los brazos en alto, fueron pasa-
> dos por las armas en el estadio de base-ball inaugurado, pocos meses antes, por
> la Du Pont Mining Co. Al pie de la Divina Pastora erguida sobre su chamuscado
> altar, en las ruinas de su santa morada, había un revuelto montón de formas
> humanas, del que emergían como cosas desgajadas, fuera de contexto, una
> pierna, una mano, una cabeza inmovilizada en su última mueca. Todavía sona-
> ban descargas de fusilería en el barrio de los mineros, donde los soldados, lle-
> vando cubos de petróleo, prendían fuego a las casas aún llenas de gritos e
> imploraciones... (Rm. pp. 81-82).

    Una vez más los elementos tipificadores de lo grotesco: las referen-
cias a animales, algunos de ellos símbolos de lo siniestro y de lo satánico,

como los zamuros. Los diálogos son, asimismo, en alto grado grotescos. Además, en este pasaje resulta connotativa la mención de los *cueros, vísceras, tripas* y *hieles de animales*, lo mismo que la escogencia de un matadero como escenario del macabro episodio. Referencia que responde a una simbología utilizada por el argentino Esteban Echeverría en su obra titulada, precisamente, *El matadero*, como lugar de la brutal represión bajo la tiranía de Juan Manuel de Rosas.

De nuevo la reiteración de vocablos y frases que contribuyen a darle al pasaje tonalidades dantescas: "desbandadas", "caza de hombres y mujeres", "a bayoneta, a machete, a cuchillo", "cadáveres traspasados, descabezados, mutilados", "vísceras, tripas, hieles de animales", "charcos de sangre coagulada", "magullarlos a patadas y a culatazos", "ensartados, colgados", "colgaban racimos de ahorcados", "un revuelto montón de formas humanas", "una cabeza inmovilizada en su última mueca", "gritos, imploraciones"...

Se observa también algunos contrastes altamente brutales. Por ejemplo, se muestra a monsieur Garcin convertido en fotógrafo de lo macabro, al mismo tiempo que se deja constancia de que vivía de hacer "retratos de familia, bodas, bautizos, primeras comuniones y 'angelitos' tendidos en sus pequeños ataúdes...". Igualmente destacan, por su fuerte contraste, las menciones, en medio de aquel clima de espanto y horror, del estadio de base-ball, con su connotación deportiva, y de la Divina Pastora, una imagen religiosa representativa de la pureza y la bondad. En la referencia al estadio no deja de ser relevante la mención de una empresa transnacional como la constructora de aquel parque deportivo, ahora convertido en antro de torturas y asesinatos. Y aunque parezca ilógico, es también perceptible un toque de humor negro en la escena.

La explicación de esta escena de sombríos tintes es más obvia que la de las anteriores. La novela, como sabemos, trata el tema del dictador latinoamericano, fenómeno de larga tradición en nuestro Continente, y que está muy lejos de haber perdido vigencia. Lo brutal de la escena transcrita tiene, pues, un claro propósito de denuncia de una realidad dramática e inicua. Ello explica, incluso, algunos matices de exageración que se perciben en el texto.

Insisto en que el pasaje, cuyas acciones corresponden, como en toda la novela, al pasado, apunta a hechos de actualidad, o a un pasado reciente. La referencia al estadio alude a lo ocurrido en Chile a raíz del derrocamiento de la Unidad Popular, en 1973, cuando miles de prisioneros fueron concentrados en los estadios de fútbol, y allí muchos fueron torturados y muertos.

Me consta, además, por cartas de Alejo y por conversaciones, que él abrigaba una honda preocupación por la insurgencia del fascismo en América, y por la pervivencia o aparición de nuevas dictaduras en el continente que sometiesen a nuestros pueblos al martirio y al vejamen más primitivos. Tal dramática realidad no puede ser ajena, pensaba Carpentier, al escritor latinoamericano.

En cuanto al lenguaje en función de lo cómico y lo grotesco, no quiero dejar de mencionar el uso por Carpentier de un adjetivo estilísticamente muy destacado: *despatarradas,* que aparece más de una vez en episodios semejantes. En *El Reino de este Mundo,* por ejemplo, al cabo de una escena en que los esclavos, alzados contra la explotación de los amos blancos, asolan las haciendas, incendian las casas, matan a todo el que se identifique con los amos..., uno de estos, después de que la turba ha pasado por su hacienda, y habiendo logrado salvarse milagrosamente, se arriesga a salir de su escondite y se topa cara a cara con la terrible escena:

> Al cabo de dos días de espera en el fondo de un pozo, que no por su escasa hondura era menos lóbrego, Monsieur Lenormand de Mezy, [...] sacó la cara, lentamente, sobre el canto del brocal. Todo estaba en silencio. La horda había partido hacia El Cabo, [...]. Un pequeño polvorín acababa de volar hacia la Encrucijada de los Padres. El amo se acercó a la casa, pasando junto al cadáver hinchado del contador. Una horrible pestilencia venía de las perreras quemadas: ahí los negros habían saldado una vieja cuenta pendiente, untando las paredes de brea para que no quedara animal vivo. Monsieur Lenormand de Mezy entró en su habitación. Mademoiselle Floridor yacía, despatarrada, sobre la alfombra, con una hoz encajada en el vientre. Su mano muerta agarraba todavía una pata de cama con gesto cruelmente evocador del que hacía la damisela dormida de un grabado licencioso que, con el título de El sueño, adornaba la alcoba (Rem; pp. 87-88).

Hay en este impresionante texto un toque de humor negro. Comienza con el adjetivo *despatarrada,* que tanto fonética como semánticamente se inscribe en lo grotesco. Luego viene la referencia de las líneas finales, con la mención sarcástica de un "grabado licencioso".

La reaparición de aquel adjetivo, muchos años después, en una escena más o menos semejante de *El recurso del método,* ¿será meramente casual, o deberá, por lo contrario, atribuirse a un propósito por completo consciente?

Hay un tercer texto en que Carpentier utiliza el adjetivo *despatarrado*, pero sin sentido grotesco, aunque conservando su connotación humorística. Es en el cuento "El derecho de asilo": "El cristal de la vitrina de la juguetería está resquebrajado por un balazo que derribó de su zócalo al Pato Donald, con un pequeño agujero negro en el cartón del pecho. Como era el Día de los Héroes, nadie había en la tienda que pudiese reponer la figura. Seguía, despatarrada, con las palmas anaranjadas en alto." Es obvio: lo que suprime en este pasaje el sentido grotesco del adjetivo *despatarrado* es que el mismo no se refiere a seres humanos, sino a un muñeco de juguete que es, por definición, cómico.

Valoro, por otra parte, el humorismo como elemento significativo de la *visión barroca* de Carpentier. No quiero decir con ello que el humorismo en el arte o la literatura sea, *per se,* barroco. Lo barroco en este caso reside en cierta peculiaridad en el empleo del humor, dentro de un contexto cuyos elementos, en conjunto, producen determinados efectos característicos del Barroco. En los pasajes meramente cómicos se ve la abundancia de elementos, el desbordamiento formal, el retorcimiento, la fuerza proliferante, la riqueza metafórica..., rasgos todos del Barroco.

En cuanto a lo grotesco, su naturaleza es intrínsecamente barroca. No podríamos concebir un cuadro grotesco, en la literatura o en las artes visuales, sin un cúmulo de elementos definitorios del Barroco.

Mucho se ha discutido sobre si lo grotesco está en la realidad que el arte recrea, o mas bien en una peculiar sensibilidad perceptiva del artista. Dilucidar este punto es importante, porque de ello depende que lo grotesco entre en el esquema de una *visión barroca.* Kayser, en el libro antes citado, propone una triple dimensión de lo grotesco:

> El que [lo] "grotesco" apunte hacia los tres dominios: el proceso creador, la obra y la percepción de esta, tiene su buen sentido, corresponde al caso y hace vislumbrar que el concepto se presta para concepto estético fundamental[8].

Kayser nos habla también de "dos clases de grotescos [...], el grotesco 'fantástico' con sus mundos oníricos, y el grotesco radicalmente

---

[8] Wolfgang Kayser, *Lo grotesco*, Ob. cit. p. 219.

satírico, con su alboroto de máscaras"[9]. Desde luego que esta disección de lo grotesco no responde a la interrogante sobre si, al margen del arte, puede existir también lo grotesco en la realidad circundante. Pero parece evidente que frente a una realidad cualquiera son dables diversas interpretaciones estéticas, unas grotescas y otras no. Si una misma realidad puede dar origen a un cuadro grotesco y a otro no grotesco, parece obvio que lo grotesco no reside en tal realidad, sino en la sensibilidad del artista. Y será problema distinto el que el perceptor, lector o contemplador visual, capte o no en la obra lo grotesco que el artista ha pretendido trasmitirle. Sin embargo, es asimismo indudable que, para que una realidad admita un tratamiento grotesco, es indispensable que en ella existan ciertos elementos predisponentes, capaces de excitar esa especial sensibilidad del artista en función de lo grotesco.

En todo caso, lo grotesco es un problema de percepción, de visión peculiar. Tal visión se inscribe dentro de lo que se define como *visión barroca*. Por algo se ha insistido en señalar que los españoles poseen "un don especial para expresar lo grotesco"[10]. El mismo Kayser cita a Flögel, un crítico de arte alemán para quien "los españoles con respecto a lo grotesco superaron a todos los pueblos europeos", lo que él atribuye a "la imaginación exuberante y acalorada de los españoles..."[11]. Es decir, que en los españoles lo grotesco y lo barroco van de la mano, puesto que lo exuberante y lo acalorado están en la base del barroquismo hispánico. Abundan los ejemplos, en las artes visuales y en la literatura: Velázquez, con sus retratos de idiotas, enanos y contrahechos; Goya, en cuyos cuadros abundan lo monstruoso y lo satánico; Quevedo, y más recientemente Valle Inclán, con sus desvaríos oníricos y sus esperpentos. Y, más acá aún, Camilo José Cela, en la misma tradición grotesco-barroca, con sus relatos descarnados y tragicómicos...

Apenas he hecho un vuelo rasante sobre el humor en Alejo Carpentier. Un estudio más a fondo, excelente tema para una tesis académica, revelaría la enorme riqueza humorística de sus cuentos y novelas.

---

[9] Ibid. p. 227.
[10] Ibid. p. 7.
[11] Ibid. p. 15.

La memoria histórica en Alejo Carpentier: las crónicas de España

ÁLVARO SALVADOR
Universidad de Granada

Es evidente que, desde el punto de vista temático, la Historia, con mayúsculas, ocupa un lugar de honor en la obra narrativa de Carpentier. Por otra parte, la concepción que el maestro cubano tiene de dicha historia, en cada uno de los distintos momentos de su trayectoria, no parece ser la misma. Da la impresión de que Carpentier nos presenta diversas concepciones del proceso histórico, en algunos casos incluso antagónicas.[1]

Han aparecido ya muchos estudios que abordan este aspecto de la narrativa de Carpentier desde distintas perspectivas analíticas.[2] En esta línea de investigación, nuestro trabajo intenta aportar un nuevo punto de vista que contribuya a una mayor comprensión y conocimiento de la obra carpenteriana.

Pensamos que la obra de Carpentier se articula a través de una tensión dialéctica en cuyo centro está la interrogación sobre la historia. Y

---

[1] Compárese el sentido de la historia que subyace (más bien que no existe) en *Écue-Yamba-Ó* con el que aparece en *El siglo de las Luces*.

[2] Bueno, Salvador, "Notas para un estudio sobre la concepción de la historia en Alejo Carpentier", en *Acta Literaria Academia Scientiarum Hungarica*, Budapest, 1969, y "La serpiente no se muerde la cola", en *Recopilación de textos sobre Alejo Carpentier*, Casa de las Américas, La Habana, 1977, pp. 201-218; Ospovat, Lev, "El hombre y la historia", en Rev. *Casa de las Américas*, nº 87, nov-dic., 1984, pp. 219-237; Lastra, Pedro, "Notas sobre la narrativa de Alejo Carpentier", en *Anales de la Universidad de Chile*, n º 125, enero 1962, pp. 94-101; Mocega González, Esther P., *La narrativa de Alejo Carpentier: el concepto de tiempo como tema fundamental*, Eliseo Torres and Sons, Nueva York, 1975; Dorfman, Ariel, "El sentido de la historia en Alejo Carpentier", en *Imaginación y violencia en América Latina*, Ed. Anagrama, Barcelona, 1972, pp. 103-150; Cros, Edmond, "L'univers fantastique de Alejo Carpentier", en *Cahiers du Monde Hispanique et Luso Brésilien (caravelle)*, Toulouse, nº 9, 1967, pp. 78-84; Velayos, Oscar, *El diálogo con la historia de Alejo Carpentier*, Península, Barcelona, 1985; etc.

esa interrogación manifiesta en dos momentos: en primer lugar la oposición se establece entre lo "ahistórico" como la única referencia cultural que rodea al autor y lo "histórico", como necesidad intelectual para el joven Carpentier. En segundo lugar, asumida e incluso reinventada, como veremos, la necesidad de la historia en su sentido "evolucionista", Carpentier aborda la construcción de un último paso, de un paso diferente en el camino del tradicional devenir de la historia: la historia como "ruptura", como revolución.

No tratamos, por lo tanto, de analizar el papel de la historia en el texto de Carpentier como si se tratara, simplemente, de un rasgo temático o estructural. Se trata de proponer un análisis más profundo, una hipótesis mucho más atrevida: la recurrencia histórica que podemos observar en todos los textos de Carpentier se debe a que "la Historia es uno de los ejes centrales", quizá el más determinante, "de todo su proyecto narrativo". Y esta hipótesis puede desarrollarse en dos sentidos: uno, más general, que coincide con la lógica interna de todo discurso narrativo, en la medida en que tradicionalmente éste se estructura como un "relato", es decir, como un discurso épico, y otro, más parcial, que coincide con la lógica interna del propio discurso carpenteriano. Pero que no obedece, exclusivamente, a las obsesiones imaginativas del sujeto creador Alejo Carpentier, sino que reproduce también una de las claves fundamentales, una de las constantes más relevantes de la ideología nacionalista cubana, en el período que va desde el proceso de Independencia frente a España hasta la Revolución castrista: la búsqueda de un pasado que pueda suministrar las señas de identidad necesarias para la construcción de la nacionalidad, la búsqueda de la historia o, para decirlo con mayor propiedad, la búsqueda de la " memoria histórica" de Cuba.

1. El tiempo detenido

Puede afirmarse que el caso de Cuba es sintomático y significativo de la serie de desequilibrios que podemos detectar en el proceso de formación de las ideologías nacionales hispanoamericanas. En buena lógica, el inicio de la literatura nacional cubana debería fecharse en la obra de José Martí y extenderse, desde ahí, hasta la Revolución castrista. Sin embargo, esta conciencia de lo nacional que aparece en otras literaturas hispanoamericanas, baste el ejemplo de la Argentina, no es tan clara ni tan evidente para los intelectuales y artistas cubanos posteriores a la independencia. Las condiciones en las que se desenvuelve la formación de estos intelectuales han sido señaladas por el propio Carpentier:

> nosotros arribamos a una historia relativamente independiente con cerca de un siglo de retraso sobre ustedes [...] en los colegios de mi infancia, en La Habana, estudiábamos de acuerdo con los libros que estaban vigentes y se usaban en la España de fines del XIX [...] *no había manuales de historia de Cuba*. Es decir, que mi generación la que fue al colegio en la misma época que yo, *creció desconociendo literalmente la historia de Cuba y la historia de América.*[3]

La inseguridad sobre lo "que sea Cuba" y "en qué consista el ser cubano" e, incluso, "el ser americano" es como vemos un hecho y, simultáneamente, una preocupación grave para Carpentier y para los miembros de su generación. Tanto el *Grupo Minorista* como la *Revista de Avance*, en los que milita Carpentier durante su juventud, son movimientos, en cierto modo excepcionales. Quiero decir que tanto las influencias "vanguardistas" como "marxistas" que estos grupos importan muy rápidamente de Europa, hacen que estos jóvenes den un salto en el vacío pasando, hasta cierto punto,[4] por encima de los problemas urgentes de identidad que en ese momento tiene la ideología criolla en Cuba. Sin embargo, los integrantes del grupo que en la primera mitad del presente siglo consolidó a nivel internacional a la literatura cubana, sí dan evidentes muestras de este problema que venimos señalando. Me refiero al grupo y la revista *Orígenes* fundada en 1944, en donde Carpentier publica por primera vez su cuento *Viaje a la semilla*. Dos de los miembros más ilustres de este grupo abordan el tema que nos ocupa en dos obras fundamentales: *Lo cubano en la poesía* de Cintio Vitier y la *Antología de la poesía cubana* que realiza José Lezama Lima.[5] Tanto en uno como en otro

---

[3] Carpentier, A., "Conciencia e identidad de América", en *La novela latinoamericana en vísperas de un nuevo siglo y otros ensayos*, Siglo XXI, Madrid, 1981, p. 89

[4] Queremos decir "en cierto sentido". Porque, a la larga, todos estos intelectuales se preocuparán de un modo muy consciente por el problema de la identidad cubana, pero desde una perspectiva muy diferente a como lo hace la burguesía tradicional cubana.

[5] Vitier, Cintio, *Lo cubano en la poesía*, Universidad Central de las Villas, 1958; Lezama Lima, José, *Antología de la poesía cubana*, Consejo Nacional de Cultura, La Habana, 1965, 3 vols. (Ed. española Verbum, Madrid, 2002).

texto, la poesía cubana es concebida como un "todo estático" que va
desde los conquistadores, desde el *Espejo de paciencia* de Silvestre de Bal-
boa (1608), hasta los poetas de los años treinta. Es decir, no existe en
estos intelectuales ninguna conciencia de que haya habido ningún cambio, ni ninguna ruptura en todo ese espacio que va desde la conquista,
hasta esos años en los que ellos escriben. Por el contrario, esa "conciencia histórica detenida" nos habla muy a las claras del peso, de la enorme
importancia que la colonización española tenía todavía en Cuba. Indudablemente el grupo *Orígenes* representa, mejor que ningún otro, la
expresión más adecuada del "criollismo" particular, único, que habitaba
en las capas burguesas cubanas y en los intelectuales, no sólo hasta la llegada de la Revolución castrista, sino incluso después de ella. No olvidemos que Lezama Lima publica su obra maestra *Paradiso* en 1966 y que
esta novela, más acá de su posible vanguardismo o experimentalismo, es
un texto que nos ofrece una lectura "alegórica, incluso escolástica" del
mundo.[6]

Podríamos extendernos mucho más en el análisis de toda esta
apasionante problemática, pero no es este el lugar. Bástenos lo dicho
como síntoma de las características que presenta la ideología criolla
cubana en este período: la burguesía cubana no se siente como tal,
carece de conciencia de ruptura, y lo cubano se considera como un
todo único y estático desde el comienzo de la colonia. Las capas anteriores al siglo XIX no son vistas, como en las demás literaturas, como el
fundamento en donde, en cierto modo se debía de asentar la conciencia histórica, sino simplemente como un momento más en el espacio
histórico global.

Desde esta perspectiva podemos abordar la primera novela de
Carpentier *Écue-Yamba-Ó*. Con unas inquietudes sociales y con un
inconsciente ideológico en el que la noción de historia no existe, o no
está muy clara, Carpentier escribe una novela en la que trata de incor-
porar los elementos mágicos, rituales folklóricos, etc., de la población
negra que el "afrocubanismo" y el auge europeo de las culturas "negris-
tas" habían puesto de actualidad. Pero esta novela de Carpentier no

---
[6] Rodríguez, Juan Carlos y Salvador, Álvaro, "La literatura en Cuba: un caso aparte", en *Introducción al estudio de la Literatura Hispanoamericana*, Madrid, Akal, 1987, 2ª
ed.,1994, pp. 248-265.

tiene nada que ver con la narrativa "indigenista" o "populista" que en esos años están haciendo otros autores como Miguel Angel Asturias o Ciro Alegría. Carpentier no hará un libro en donde se puedan apoyar las reivindicaciones nacionales o populares, enmarcándolas en un fondo autónomo y propio, tal y como hace Asturias identificando ese fondo cultural autónomo con los mitos indígenas guatemaltecos. Por el contrario, Carpentier escribe una novela a medias costumbrista, a medias vanguardista, a medias llena de utopismo social, en la que el proyecto de la narración no arranca de la identificación entre los intereses de la burguesía criolla y los de la población indígena, como ocurre en los autores anteriormente mencionados, sino que Carpentier escribe una novela pretendiendo que allí aparezca directamente la "voz" del negro, pretendiendo "narrar" desde el negro. Aparece, por tanto, en esta novela, un tratamiento de las reivindicaciones populares completamente distinto al de otros autores que en esos años abordan la narrativa indigenista. Porque Carpentier no pone, no puede poner, en boca de ese mundo de negros que son los protagonistas de su novela, las reivindicaciones del criollismo nacionalista, como Ciro Alegría las pone en boca de los indios peruanos o Asturias las inserta en los mitos indígenas guatemaltecos e incluso en las figuras indígenas de *Hombres de Maíz* o del *Papa Verde*.[7]

2. LA EXPLOSIÓN EN UNA CATEDRAL

Desde el momento en que Carpentier comprende que su novela ha sido un intento fallido, su obsesión por la historia crece. Durante casi ocho años, según él mismo ha confesado, estuvo estudiando la historia de América.[8] Tardó el doble en publicar una segunda novela. Y su investigación, su ansia por comprender y asimilar los entresijos de la historia no se limita a lo estrictamente teórico, sino que todas las obras que va publicando hasta la aparición de *El siglo de las luces* nos van ofreciendo los frutos de esta investigación. Pero sería erróneo afirmar que este primer ciclo de su obra narrativa se cierra con la obra antedicha.

---

[7] Ibid.
[8] Vid. Alejo Carpentier. *75 aniversario*, Ministerio de Cultura, La Habana 1979, p. 3.

Desde nuestro análisis pensamos que el proceso concluye en *Los pasos perdidos.*

Vayamos por partes. ¿Qué significa *El reino de este mundo* en relación con su obra anterior? En primer lugar un cambio de "espacio"; se traslada la acción a un lugar que sí tiene historia, una historia intensísima y "maravillosa", pero maravillosa por real, por historia: Haiti.[9] En segundo lugar, una nueva perspectiva de todo el bagaje del afrocubanismo, perspectiva que se consigue al introducir la noción de historia en el desenvolvimiento ritual de los mitos más ancestrales. Hasta que Ti Noel no comprende que la magia sólo es útil si se pone al servicio de los demás hombres, el mito no le sirve de nada.[10] Pero ¿no es esta misma idea la que está presente en la concepción que de la historia tiene la ideología burguesa europea desde el siglo XIX?

Más tarde, sólo cuatro años, aparecerá *Los pasos perdidos.* Mucho se ha hablado de la imagen de Sísifo como eje central de esta obra, pero ¿quién es Sísifo? ¿Únicamente el músico fracasado que busca desesperada-mente su destino... o también Carpentier escribiendo *Écue-Yamba-Ó?* Y Cuba ¿no es una enorme Sísifo? En esta novela Carpentier aclara una importante cuestión en su combate con la historia: no hay que buscar únicamente el pasado (y mucho menos refugiarse en él), para que el hombre, el artista, pueda encontrar sentido a su existencia. El hombre es un ser irremediablemente histórico pero entendiendo la historia como dialéctica: "Los que hacen arte [...] no sólo tienen que adelantarse a un ayer inmediato, sino que se anticipan al canto y forma de otros que vendrán después, creando nuevos testimonios tangibles en plena conciencia de lo hecho hasta hoy".[11] Por otra parte la novela insiste en un aspecto ya planteado en *El reino de este mundo*, pero ahora de un modo más consciente, tal y como ha señalado muy acertadamente Ariel Dorfman: la historia no sólo está en el tiempo sino también en el espacio. En América, basta con cambiar de territorio para que varios siglos de historia aparezcan o desaparezcan. Y esa es una *realidad* muy

---

[9] Nos referimos al Juramento de Bois Caiman de 1791 y a la posterior revolución e independencia de Haití. Vid. Carpentier, A., "La cultura de los pueblos que habitan en las tierras del mar Caribe", en *La novela latinoam-ericana en vísperas...* op. cit., pp. 177-189.

[10] Vid. Dorfman, *Op. Cit.*, pp. 106-109

[11] Carpentier, A., *Los pasos perdidos*, Barral Editores, Barcelona, 1974, p. 272.

realidad, pero para la mentalidad histórico-evolutiva de un hombre europeo tremendamente *maravillosa*. Pienso que aquí, en este desajuste espacio-temporal del mundo americano está la base de su teoría de lo "real maravilloso".

¿Qué nos resta aún, hasta que se produzca la explosión en la catedral? Relatos, varios relatos que insisten en la misma problemática, que la rodean, que la abordan desde distintas posiciones. Existen una serie de elementos significativos en estos cuentos que para la crítica, según lo que he podido comprobar, han pasado desapercibidos. ¿Qué simboliza Juan Romero en *El camino de Santiago*? El Mito que ha movido al mundo durante muchos siglo: el mito de la religión que finalmente se muestra inoperante falseador, anacrónico, y es sustituido por otro Mito, el de la riqueza fácil y fabulosa que ofrecen los nuevos mundos, representado por Juan el Indiano y que muy pronto se muestra también como mentira. Tanto un personaje como el otro (en realidad son los mismos) simbolizan las ideologías que han movido y siguen moviendo al mundo, ahora ya en un círculo vicioso. Algo parecido ocurre en la desmitificación del héroe, el héroe de todas las épocas y de todos los tiempos de la historia occidental, que se efectúa en *Semejante a la noche,* cuando Carpentier nos muestra qué intereses se ocultan tras su fachada ideal y desinteresada (y qué necesidades). 0, en fin, el antihéroe de *El acoso* no es más que una imagen de la traición, una posibilidad que estaba latente en *Los pasos perdidos:* quien traiciona a la historia no sólo se traiciona a sí mismo, sino que se condena a la "intemporalidad" y, por supuesto, a la inexistencia

El hecho de que, al iniciar la lectura de *El siglo de las luces,* no podamos situar el momento histórico en el que se desarrolla la acción, hasta que sobrepasamos los diez primeros capítulos, no deja de ser significativo. Conocemos un argumento que lo mismo puede estar desarrollándose en el siglo XVIII, en el XIX o en el XX, y que más tarde el autor situará en los comienzos del XIX. ¿Qué quiere decir esto? ¿Que el tiempo es básicamente el mismo en estos siglos, o que los hombres son básicamente los mismos aunque el tiempo cambie, porque ciertos valores, ciertas condiciones concretas de vida, cierta concepción del mundo, etc., lo son también? Efectivamente, este espacio de tiempo coincide con el período de consolidación y establecimiento definitivo de las relaciones burguesas. Esta es la función con la que, a nuestro juicio, la imagen del cuadro titulado "Explosión en una catedral" aparece, una y otra vez, como un fantasma obsesivo, a lo largo de la novela. Imagen con un mayor sentido simbólico del que pudiera parecer a simple vista. Porque, más allá de las dudas de Esteban o de la supuesta traición a las ideas revolucionarias de Victor Hugues, esta imagen simboliza exactamente lo que de positivo, de progresista, de revolucionario tuvo la nueva época: la violenta voladura de los valores del antiguo régimen, la desaparición del mundo sacralizado de las antiguas monarquías europeas que impusieron a Hispanoamérica el yugo de la Colonia.

Cuando al final de la novela, el cuadro va cayendo en la penumbra, oscureciéndose, diluyéndose, no es porque los valores que el cuadro representa hayan perdido vigencia histórica o porque su sentido haya sido traicionado, sino simplemente porque su simbología ha quedado desfasada. Los enemigos de la libertad no son ahora aquellos que levantaron la antigua catedral, sino precisamente los que la dinamitaron. La opresión impuesta desde el altar y el trono ha sido sustituida por una nueva opresión que imponen las relaciones basadas en el valor del dinero y del mercado. Por esta razón Sofía, que más que símbolo de la sabiduría de la intuición revolucionaria, lo es de la fe inquebrantable en la Utopía de un mundo mejor, se lanza (y arrastra a Esteban) a la lucha contra el ejército napoleónico que ha invadido España. Y este final no actúa solamente como símbolo de la futura lucha por la independencia que desencadenará el pueblo hispanoamericano, gracias, en gran medida al proceso revolucionario que la novela nos describe, –utilizando, una vez más, el desplazamiento histórico-espacial– sino como la profecía de una lucha futura contra ese nuevo enemigo, surgido de entre los cascotes de la explosión en la catedral: la lucha contra el imperialismo político y económico de la burguesía europea, cuya primera manifestación significativa es, precisamente, la autarquía napoleónica.

3. LAS PALABRAS NO CAEN EN EL VACÍO

El futuro de esta lectura que hemos propuesto para el final de *El siglo de las luces,* está desarrollado hasta la saciedad en la obra que Carpentier publica doce años más tarde: *El recurso del método.* Ya el título mismo es una ironía del racionalismo europeo. Ironía que se transformará en parodia grotesca con la descripción de los rasgos del protagonista de la novela: "el dictador ilustrado". No trata, pues, Carpentier de ofrecer al lector la figura de un dictador a la manera tradicional hispanoamericana, como el representante oscuro de la "barbarie" ancestral dentro de la tradición que inauguraran Juan Facundo Quiroga y Juan Manuel Rosas. Su personaje es un hombre culto que conoce de cerca todos los valores de la "civilizada" cultura europea, valores que utilizará para afianzar su posición oligárquica, su puesto de eficiente capataz para los intereses del imperialismo. En realidad, este personaje no es más que una degeneración, un esperpento, una excrecencia exótica del despotismo ilustrado, pero también una consecuencia particular de un sistema social, de una concepción del mundo, aquella que se inicia con el Siglo de las Luces.

El tema de los fascismos había sido analizado por Carpentier en *Los pasos perdidos,* planteándose ya en ese texto el fracaso de los valores burgueses europeos, que pone en evidencia la guerra civil española y manifiesta de un modo extremo la lucha mundial contra el nazismo. Pero el tratamiento que del tema hace Carpentier en esta obra es quizá demasiado abstracto, demasiado "humanista". Nuestro autor no parece tener del todo claros, en este texto, los puntos de contacto, las coincidencias, la zona espesa en la que capitalismo y fascismo se interrelacionan y alimentan. Participa en la repulsa general y en la lucha contra la degeneración política y moral que significa el fascismo, pero oponiéndole únicamente los valores abstractos del sentimiento democrático.

Sin embargo, a partir de la elaboración de *El siglo de las luces* la aspiración democrática se llena en Carpentier de un contenido directa y radicalmente revolucionario, y este nuevo sentido hace que pueda plantearse en profundidad las aberrantes contradicciones de un sistema nunca hasta entonces cuestionado tan profundamente en su obra. La "historia como evolución" ha dado paso a la "historia como ruptura", y la crónica de ese cambio está descrita en *El recurso del método.* La imagen del "dictador ilustrado" es la memoria más reciente de los países hispanoamericanos, para cuya recreación Carpentier no necesita ya el cambio espacial, porque esa memoria es también la de Cuba. El proceso histórico que esta memoria sigue, desemboca ya, sin reservas, sin dudas, sin falsos moralismos pequeño-burgueses, en la revolución que se anuncia tras el derrocamiento del dictador y a pesar de los "Amos del Norte".

La consagración de la primavera es la consecuencia lógica de todo ese proceso de introspección histórica. Tres niveles podemos distinguir, fundamentalmente, en esta obra:

a) En primer lugar, la autobiografía novelada del mismo autor, detallada y profunda descripción de todo ese proceso de investigación y autorreconocimiento histórico que venimos señalando.

b) En segundo lugar la construcción simbólica de este proceso en la obsesión de la coprotagonista Vera: el "ballet afrocubano" basado en la obra de Stravinsky que da título al libro. Obsesión que está presente a lo largo de toda la obra (de un modo semejante a como ocurría con el cuadro en *El siglo de las Luces*) y que sólo se transformará en resultado satisfactorio cuando la revolución haya triunfado plenamente. Retoma así Carpentier uno de sus motivos más antiguos y queridos, pero otorgándole un sentido radicalmente nuevo: lo que viene a decirnos es que la recuperación de los valores autóctonos, dentro de la problemática tradicional de la ideología criolla hispanoamericana, no tiene sentido, será siempre una reproducción, más o menos esquemática, de la antigua querella entre Civilización y Barbarie. Sólo situándose realmente fuera de esa problemática, al margen, concibiendo la realidad "nacional" de "otro" modo podrá conseguirse la recuperación de esos valores y su fusión con formas procedentes de otras culturas. La música, como sabemos, es otra de las grandes obsesiones temáticas de Carpentier, otro de los ejes centrales de su obra, pero más allá del propio autor la música es el arte más representativo de las aspiraciones nacionalistas burguesas durante todo el siglo XIX.[12] *La consagración de la primavera* de Stravinsky es el símbolo de esa tradición, pero la lectura cubana que de esa obra hace Carpentier por medio de Vera (y de su concienciación revolucionaria) aspira a ser el símbolo del arte futuro que podrá aportar la Revolución.

c) El relato épico de esa "epopeya" constituye el tercer y más determinante nivel de la novela. Los otros dos niveles giran en torno a éste y contribuyen a darle, por una parte, coherencia ideológica y, por otra, densidad narrativa. Pero en definitiva, el gran protagonista del libro es, sin duda alguna, la Revolución y su consolidación.

---

[12] Vid. Carpentier, Alejo, *La música en Cuba*, México, F.C.E., 1946 y *Letra y Solfa*, Caracas, Síntesis Dosmil, 1975; Acosta, Leonardo, *Música y épica en la novela de Alejo Carpentier*, La Habana, Letras Cubanas, 1981.

Después de todo lo relatado, sólo quedaría lugar para "el arpa y las sombras", es decir, para la recapitulación, para volver a los orígenes, aunque con una actitud radicalmente distinta. A través de la ternura y el humor Carpentier nos muestra cómo la agonía de Colón y los fantasmas de su memoria no son más que las sombras de una historia que, por azar, se abrió en el Caribe y en el Caribe quiere quedar definitivamente cerrada.

4. LAS CRÓNICAS DE ESPAÑA

A lo largo de la vida y la obra de Alejo Carpentier, España estuvo siempre muy presente como cultura e incluso como tema literario. Ya en su niñez, sería su padre, Jorge Julián Carpentier quien, a pesar de ser francés, le iniciaría en el conocimiento y el amor a esa lengua y a esa literatura. De otra parte, como hemos visto que él mismo señalaba en su conferencia "Conciencia e identidad de América", en los colegios de su infancia en La Habana se empleaban todavía los mismos manuales que se utilizaron en la España de finales del XIX, tanto los de historia como los de gramática o de literatura.[13] Los casi desconocidos cuentos de Pío Baroja serían uno de sus modelos más tempranos.

A partir de entonces, la "atracción de España" se intensifica. En 1933 publicaría su primera novela ¡Ecué-Yamba-O! en España, pocos años más tarde, al publicar su segunda novela El reino de este mundo (1949), primer manifiesto de "lo real maravilloso americano", incluye en ella un significativo epígrafe de Los trabajos de Persiles y Sigismunda:

> Lo que se ha de entender de esto de convertirse en lobos es que hay una enfermedad a quien llaman los médicos manía lupina...

Y, en fin, en Los pasos perdidos (1953) se multiplican las referencias al ingenioso hidalgo don Quijote de la Mancha.[14] La novela corta, El camino de Santiago (1956), arranca con una extraordinaria visión de la España del siglo XVI, dividida entre las normas impuestas por un poder

---

[13] Carpentier, Alejo, La novela hispanoamericana en vísperas...,op. cit. p. 89.

[14] Para la relación entre Carpentier y Cervantes ver Luisa Campuzano, "El síndrome de Merimée o la españolidad literaria de Alejo Carpentier", en Carpentier entonces y ahora, Letras Cubanas, La Habana, 1997, pp. 41-65.

rígidamente religioso y el fomento del espíritu aventurero ante el ali-
ciente de las promesas encerradas en el Nuevo Mundo. *El siglo de las
luces* (1962) se incia con la atmósfera de La Habana colonial y culmina
en Madrid con el heroico episodio que los personajes principales protagonizan en el 2 de Mayo, uniendo el sentido último de la novela con la
rebelión de los españoles frente la invasión de las tropas napoleónicas.
En *Concierto barroco* (1974) pueden advertirse claras alusiones a los conquistadores y colonizadores españoles de América, y la nostalgia por
algunos pueblos manchegos. Tanto *El recurso del método* (1974), como su
antecedente, la novela corta *El acoso* (1956), están inspirados en un artículo titulado "Retrato de un dictador", dedicado al dictador Gerardo
Machado, y publicado en la revista *Octubre,* que dirigieron en Madrid
desde junio de 1933 a abril de 1934, María Teresa León y Rafael Alberti.
Muy significativa nos parece la primera nota a pie de página que Alejo
Carpentier coloca en su artículo:

> Al escribir estas líneas me asalta el temor de que el lector pueda creerlas
> exageradas por un prurito de deformación literaria. Aquellos que han vivido en
> La Habana por los años 1926 a 29, podrán deciros que es bien pálida ante la rea-
> lidad, esta evocación de una era de desvergüenza y prostitución colectiva.[15]

De todos es sabido que los catorce primeros capítulos de *La consagración de la primavera* (1979), se centran en los avatares de la guerra civil
española y se basan, como veremos más adelante, en las crónicas sobre
la guerra que Carpentier escribió para la revista *Carteles* y agrupó bajo el
nombre de "España bajo las bombas". Finalmente, conviene señalar, la
especial lectura lúdica y desmitificadora que Carpentier hace de Cristóbal Colón, de la reina Isabel la Católica y de la empresa toda del descubrimiento en *El arpa y la sombra* (1979), su última novela.
    Carpentier viajó por primera vez a España en 1933, año en que
publica su primera novela y entabla amistad con Lorca, Salinas y otros
intelectuales de la época. Al año siguiente vuelve con motivo del estreno
de la obra de Lorca *Yerma* y, según algunos autores, gestiona la edición

---

[15] Fue publicado en el número 3 de *Octubre,* ag/sep. de 1933. Se reeditó en *Letras
del Sur,* n° 1, Granada, Enero/Febrero, 1978, pp. 24-28, el mismo año en que José Miguel
Oviedo descubría esta conexión en su artículo "Para las fuentes de *El acoso* y *El recurso del
método*: un artículo desconocido de Alejo Carpentier", en *Eco,* XXXIII, 206,dic. 1978, pp.
155-168.

en España de *Residencia en la tierra* de Pablo Neruda. El último viaje tiene lugar en plena guerra civil, en julio de 1937 para asistir al *II Congreso de Escritores Antifascitas.*[16] Carpentier había viajado a España por primera vez desde Francia, a cuya capital llegó en 1928, escapando de la dictadura de Gerardo Machado. En Francia permanecerá hasta 1939. No suspenderá, sin embargo, sus colaboraciones con la revista *Social* ni con la revista *Carteles*, actuando ahora como corresponsal. Él mismo describió esta actividad en las "confesiones" que hizo años más tarde al escritor César Leante: "Los artículos de 1928 al 1939, se dividen en dos categorías muy distintas, en lo que se refiere a Cuba: 1, los artículos de *Social*, muy bien ajustados a la actualidad artística y literaria que los motivaba; 2, los de *Carteles*, que son de muy distinto género, y no deben confundirse con los anteriores porque no debe olvidarse que *Carteles* no era una revista literaria y que, por ello, mis 'crónicas de París' habían de ser mucho más sencillas, fáciles, periodísticas, que las de *Social*. (Sin embargo, las que se refieren a viajes a España, Bélgica, ciudades de Francia, etc., no son del todo malas.)[17]

Efectivamente, antes y después de su primer viaje a España, Carpentier escribe sobre temas españoles en estas crónicas, acerca de distintos temas como el *cante jondo*, el estreno de la versión parisina de la *Numancia* (en la que él mismo colaboró como músico), o sobre distintos personajes, desde Raquel Meller o *La Argentinita*, a Picasso, Falla, Dalí o Rafael Alberti:

el admirable Rafael Alberti acaba de pasar algunos días en París [...] ¡Pocas veces en mi vida habré logrado tropezar con un exponente de juventud tan auténtico como Alberti! Juventud con todo lo que implica –o debería implicar– de dinamismo, lirismo, seguridad, independencia de ideas, y potencialidad de escándalo [...] Escribir sobre los ángeles no le impidió pronunciar aquella fabulosa conferencia para damas, que terminó con el asesinato de una palomita; dar

---

[16] Se tiene noticia precisa de estos tres viajes, pero él en el "Preámbulo" de la serie "España bajo las bombas", afirma que habían sido cinco viajes consecutivos: "–hombres que he conocido en tiempos de paz, en cinco viajes consecutivos a España...", en *Obras Completas,* vol. VIII, México, Siglo XXI, p. 100.

[17] Carpentier, Alejo, declaraciones a César Leante, "Confesiones sencillas de un escritor barroco", en *Recopilación de textos sobre Alejo Carpentier,* La Habana, Casa de las Américas, p. 64.

a la escena *El hombre deshabitado*, no le impidió hilvanar los cuplés voluntariamente cojos de *Fermín Galán*...[18]

No obstante, las crónicas más interesantes, más llenas de vida y significación histórica y literaria, son las crónicas de sus viajes a España. Las de los primeros años en las que recorre una España anterior a la guerra civil y que titula "Crónicas de un viaje sin historia", nos sorprenden por su impresión del paisaje tan cercana a la de algunos miembros de la generación del 98:

> La luz del alba se alza lentamente sobre un paisaje que, al principio, parece infinitamente desolado. Una llanura que no es un llano. Llanura hecha de ondulaciones indefinidas y, sin embargo, presentes. Ondulaciones asimétricas, pero siempre semejantes a ellas mismas. De trecho en trecho, una hondonada viene a romper esta monotonía geológica, sin alterar por ello la unidad del conjunto [...] Pero lo prodigioso aquí es la composición de este terreno. Guijarro sobre guijarro. Tierra gris, sedimento de materia desgastada, como el que se amontona al correr de los siglos, al pie de las torres en ruina [...] ¿Es esto Castilla? ¿Castilla? ¿Castilla, de la que algunos amigos viajeros me hablaron con fervor infinito? [...] Al principio no comprendo. Pero, poco a poco, siento que un extraño fenómeno se produce en mi espíritu. Todo recuerdo de vida anterior se va borrando. Toda espera de un porvenir inmediato se anula. No tengo ya la sensación de venir de parte alguna, ni de ir a un sitio preciso. El tiempo ha detenido su marcha.[19]

No parece que se trate de un hombre preocupado por la nueva estética y los movimientos de vanguardia el que contempla así el paisaje castellano. A pesar de que él mismo afirmará más adelante que "sé de antemano que pertenezco a una generación que no sabe detenerse, que ha nacido para la acción y tiene conciencia de ello"[20], más parece ante esta muestra de sentimiento contemplativo que al admirar por primera vez los paisajes castellanos está recreando lo que de ellos le dijeron algunos textos de Azorín o Unamuno:

---

[18] En "Teatro político, teatro popular, teatro viviente", *Carteles*, 23 de agosto de 1931, incluida en *Obras Completas* de Alejo Carpentier, vol. VIII, p. 380.

[19] No hay que olvidar que por aquellas fechas Federico García Lorca, amigo de Carpentier, se quejaba de la obsesión por Castilla como modelo de la cultura nacional. En "Crónicas de un viaje sin historia. Nuevos semblantes y nuevos ritmos en la llanura.", incluida en *Obras Completas*, op. cit. pp. 62 y 63.

[20] En "Imágenes de Toledo", *Carteles*, 1 de Febrero de 1934, Ibid. p. 84.

El paisaje es de una grandeza tal, de una belleza tan singular, tan conmo-
vedora, tan desconcertante, que abandono a mis compañeros de una noche,
para contemplar este amanecer que no olvidaré nunca...

Castilla es algo superior a todo lo que pude imaginar a través de los relatos más apasionados de los místicos de ese páramo duro, huraño y ardiente...[21]

Muy distinto será el paisaje que Carpentier contempla cuando
regresa a España en 1937 para participar en el II Congreso de Intelectuales Antifascistas que se iba a celebrar en Valencia en plena guerra
civil. Muy conocido es el primer episodio de la primera de estas crónicas, "El túnel de Port Bou":

...Y se ha presentado, en tierras francesas aún, un pequeño ferrocarril de enlace
[...] *que ya huele a guerra*. Tren destartalado, con locomotora de tipo antiguo,
con vagones viejos, de ventanillas incompletas, cuyas ruedas gimen lamentable-
mente a lo largo de los rieles. Y el tren ha desaparecido bajo tierra. Dos minutos
de oscuridad. Dos minutos de silencio. Rodamos hacia un mundo donde los factores *vida y muerte* cobran nuevas categorías, nuevos significados; donde la facultad de *existir* se exalta hasta lo dionisiaco en un juego prodigioso y abominable
contra las voluntades de aniquilamiento.
...¡Luz deslumbradora! Cortina que se ha abierto brutalmente sobre un
espectáculo nuevo. ¡Estamos en España! [...] Y son los mismo árboles, las mismas piedras, las mismas playas de arenas finas que lamen las olas musicales del
mediterráneo...
...¡Estamos en España! A cualquier hora, en cualquier instante, los aviones pueden dejar caer sobre estas viejecitas, sobre estos niños, sobre estos
modestos empleados ferroviarios, feroces cargas de explosivo. Aldea fronteriza,
Port-Bou conoce un terrible privilegio: el de poseer una estación terminal
importante. Los franquistas han tratado de destruirla varias veces.[22]

Conocido es el empleo que Carpentier hace de estos episodios en
los catorce primeros capítulos de su novela *La consagración de la primavera*,[23] pero quizá sea más interesante ahora cotejarlos con los testimo-

[21] En "Crónicas de un viaje sin historia. De los Pirineos a la meseta castellana.",
Carteles, 7 de Enero de 1974, Ibid, p. 56.
[22] En "Hacia la guerra", *Carteles*, 12 de septiembre de 1937, Ibid. p. 108.
[23] Vid. Varela Jácome, B.,"Tensiones españolas en *La consagración de la primavera*",
en *Las relaciones literarias entre España e Iberoamérica*,Madrid, Universidad Compluten-
se,1987, pp. 595-610; Rita Gnutzmann, "*La consagración de la primavera* o la novelación de
la realidad", Ibid, pp. 611-620 y Manuel Aznar Soler "Alejo Carpentier y la guerra

nios de alguno de sus compañeros de viaje para valorarlos en su doble vertiente de documentos periodísticos y, simultáneamente, literarios, esto es, como "crónicas" en su sentido más lato. Aunque no se citan casi nunca, integraban también este grupo de intelectuales hispanoamericanos, solidarios con la causa de la república, algunas mujeres, entre ellas la escritora mexicana Elena Garro, casada entonces con Octavio Paz. Elena Garro recogió más tarde en su libro *Memorias de España. 1937* todas las peripecias de este viaje y relataba como sigue la llegada a España:

> Pasamos una noche de perros, sin dormir, sin agua, sucios y cansados. Realmente la revolución era fatigosa. Por la mañana, al llegar a la frontera española, los intelectuales se dividieron, y Malraux, acompañado de sus amigos, entró por una vereda en la montaña, mientras que nosotros tomamos un trenecito viejo, cruzamos un túnel y aparecimos en Port-Bou. Allí una comisión oficial del pueblo nos llevó a la playa:
> –¡Mírenla! Ahí la tienen, camaradas; una bomba con conciencia de clase. ¡No estalló!
> Y nos mostraron una especie de huevo enorme de hierro que yacía sobre la arena.[24]

Otro de los grandes escritores hispanoamericanos que acudieron al Congreso, cubano también, fue el poeta Nicolás Guillén, que contaba la llegada de los expedicionarios a Valencia del siguiente modo:

> El mismo día llegamos a Valencia, al anochecer, sonaron las sirenas; la ciudad fue bombardeada. Bonita recepción [...] A Marinello y a mí nos habían instalado en una misma pieza de hotel, un hotel que estaba situado en la muy valenciana calle de la Paz. Nos apresuramos a vestirnos pues alguien nos tocó a la puerta mientras gritaba "¡Al refugio, al refugio!" [...] Entramos de inmediato, y el espectáculo que se nos ofreció no era de los más tranquilizadores. Sobre todo, llamaban dolorosamente la atención los niños menores, apretados convulsivamente por sus madres.[25]

También su compañero y amigo, Félix Pita Rodríguez, corrobora este episodio, citando la intervención del propio Carpentier:

civil española: hacia *La consagración de la primavera*", en *Escritura*, año 9, núms 17-18, Caracas, enero-diciembre, 1984, pp. 67-90.
[24] Garro, Elena, *Memorias de España. 1937*, México, Siglo XXI, p. 12.
[25] Guillén Nicolas, *Páginas vueltas*, La Habana, Ed. Unión, p. 118.

Estábamos en un hotel, en Valencia, durmiendo Marinello y un rumano en el mismo cuarto que yo, cuando Carpentier me despierta: "¡Felo, Felo, aviones!" Cuando quise darme cuenta ya no vi a Carpentier y Marinello, que era el más sereno de todos nosotros, se vistió impecablemente. Carpentier estaba sin zapatos, descalzo, con la camisa por fuera, y corría como un gamo. El que lo pasó fue Carlitos Pellicer, que iba envuelto en una sábana. Abajo estaba Pablo Neruda, dando una conferencia sobre estrategia y táctica...[26]

Del mismo modo, Elena Garro da su versión:

Un ruido infernal se desató sobre la ciudad, "¡buuuu!", al mismo tiempo que una voz surgida de las tinieblas, una voz terrible anunció: "¡Al refugio, al refugio, el peligro es por aviación!", repitiendo la frase sin descanso. Por la ventana vi caer una lluvia de luces azules: "¡Es el fin del mundo!", grité, salí del cuarto y bajé las escaleras descalza, con las trenzas sobre la espalda y metida en un camisón de gasa lila muy escotado. Las mujeres bajaban abrochándose las blusas negras y tres de ella me detuvieron en el portal: "¿A dónde vas desnuda?... ¡Desvergonzada!"[27]

El relato de Carpentier es mucho más detallado que el de sus compañeros y, al tiempo, mucho más literario, en la medida en que ya en la misma crónica utiliza los acontecimientos para crear una atmósfera y sugerir posibles argumentos. Veamos:

Serían las cuatro de la madrugada. En el medio sueño precursor del despertar preciso un ruido anormal, ruido que hiere mis oídos por primera vez. Zumbido de motores de aeroplanos, acompañados de un extraño silbido intermitente, como notas picadas de un flautín agudísimo. Quizás del aire desgarrado por las balas de los cañones antiaéreos [...] No he comprendido aún de lo que se trata. De pronto, una explosión sorda, subterránea, formidable golpe de ariete en la corteza del suelo, hace temblar las paredes del hotel [...] Sacudo a Pita Rodríguez, mi compañero de habitación, que duerme como un bendito: –¡Vamos!... ¡Los aviones!...[28]

---

[26] Entrevista de Antonio Merino a Féliz Pita Rodríguez publicada en el periódico *Brecha*, Montevideo, 30 de abril de 1987, recogida en la edición de Antonio Merino, *En la guerra de España* de Nicolás Guillén, Madrid, Ediciones de la Torre, 1988, p. 18.

[27] Garro, Elena, *Op. cit.*, pp. 18 y 19.

[28] En "Aviones sobre Valencia", *Carteles*, 26 de septiembre de 1937, incluida en *Obras Completas*, op. cit., p. 115.

Al final, cuando los aviones se han marchado y también el peligro, aunque los protagonistas estén todavía impresionados y atemorizados por lo que acaba de ocurrir, Carpentier introduce en la crónica un cambio de tono, una especie de pirueta frívola, que desplaza el dramatismo desde la realidad a la ficción y distancia la excesiva proximidad de lo trágico:

> Una linda muchacha, envuelta en un kimono claro, se dirige a una amiga.
> –Ya es muy tarde para dormir. ¿Si nos fuéramos a la playa?
> La voluntad de vivir recobra sus derechos...[29]

Episodios como el de los niños de Minglanilla, la visita a la Casa de las Flores, antiguo domicilio de Pablo Neruda, el encuentro con Ludwig Renn, el de los tres cochinitos, etc., etc., son muestras envidiables de la prosa de Carpentier, a la par que estremecedores documentos humanos de la guerra civil española. En definitiva, podemos afirmar que estas crónicas sobre España son una muestra más de la extraordinaria capacidad narrativa de Carpentier que, tanto en esta serie como en las que publicará en años posteriores a su vuelta a La Habana, efectúa una verdadera renovación del género, bebiendo en la tradición de los mejores cronistas modernistas y, simultáneamente, adaptándolas a las necesidades de un público mucho más numeroso y heterogéneo.

---

[29] Ibid. p. 116.

Pasos perdidos, identidad encontrada. La edad del paisaje en Alejo Carpentier

FERNANDO AÍNSA

Escritor y crítico uruguayo

"Más el barco avanza y su marcha es tiempo, edad del paisaje", descubre sorprendido el protagonista de la novela *Canaima* de Rómulo Gallegos en su viaje hacia las fuentes del río Orinoco, en plena selva de la Guayana venezolana. En esta frase, casi perdida en una minuciosa descripción del paisaje fluvial, se hace referencia a uno de los *leitmotiv* de la narrativa de la selva: la estrecha relación entre espacio y tiempo. En todo viaje hacia el interior de ese "corazón de las tinieblas" que es el mundo escondido de la selva, no hay sólo una distancia que se recorre, sino también un tiempo histórico que se remonta, como sucede en *Los pasos perdidos* (1953) de Alejo Carpentier.

Huyendo de un pasado con el cual quieren cortar o buscando su identidad, el protagonista de esta novela remonta simultáneamente un espacio geográfico y uno cronológico. Descubre sorprendidos que en cada una de las unidades espaciales atravesadas reina un tiempo histórico diferente. De la civilización contemporánea de las grandes ciudades a la prehistoria del mundo indígena, pasando por la colonia y la edad media de los pueblos perdidos, tiempos históricos diversos que coexisten en el espacio gracias al aislamiento geográfico que los separa. Sin necesidad de complejas "máquinas del tiempo" –como las imaginadas en las novelas de H.G. Wells o en las películas de ciencia ficción de la serie *Retorno al futuro*– los viajeros de estas novelas atraviesan los sucesivos compartimentos estancos de una historia que ha permanecido detenida en el tiempo. Viajar será, en cierto modo, ponerlos en contacto.

TIEMPO ACUMULADO Y TIEMPO "FRONDOSO"

Esta no es sólo una experiencia novelesca. Cualquier viajero que recorra América Latina puede tener la sensación de vivir en esos tiempo diversos, acumulación sin exclusión de las diferentes capas de la historia de la humanidad, ya desaparecidas en Europa, sobreviviendo milagrosamente en América. En barcos, avionetas, a lomo de mula o a pie se puede remontar el curso de la historia, desde capitales situadas en la costa, inmersas en el ritmo trepidante del mundo contemporáneo, hasta aldeas y tribus indígenas viviendo como en la Prehistoria. Separadas y aisladas como "cortezas geológicas" de la historia, superpuestas sin excluirse, las formas de vida del pasado coexisten con las del presente, lo que brinda a toda reflexión sobre el tema de la percepción del tiempo, una inevitable connotación espacial, por no decir geográfica. "América Latina es un continente donde el hombre del *Génesis,* el hombre medieval y el moderno pueden darse la mano", recuerda gráficamente el propio Alejo Carpentier.

La característica que permite visualizar, a veces en un mismo paisaje, las sucesivas "capas históricas" del arte indígena, colonial, africano y moderno ha fascinado a muchos viajeros, al punto que André Breton cuando visitó México en 1938 creyó descubrir en esta realidad de "tiempos acumulados" el escenario natural de la revolución surrealista, lo que para otros sería el fundamento del realismo mágico y de lo real maravilloso con que se definió una de las expresiones más emblemáticas de lo latinoamericano. Saül Karsz llegó a hablar de un "tiempo frondoso" latinoamericano, cuyos planos múltiples y cualitativos se fecundan y entrecruzan sin cesar.

Más allá del pintoresquismo que este tipo de visiones ha procurado en obras cuyos referentes temporales aparecen en el propio título –como *Cien años de soledad* de Gabriel García Márquez– es evidente que desde el descubrimiento de América hasta nuestros días, la percepción del tiempo, especialmente las nociones de pasado, presente y futuro, ha sido contradictoria y conflictiva. Pese a esa "frondosidad", la percepción del tiempo no ha sido la del mero transcurrir "sin dirección", sino la de un devenir más próximo del enunciado por Heráclito y desarrollado por Hegel, en el que, pausada y reflexivamente se inscribe el remontar cronológico de *Los pasos perdidos.* Su movilidad está íntimamente emparentada con el anhelo, con la voluntad, con la propia vida, con ese sentimiento que Oswald Spengler llamaba el "carácter orgánico" del tiempo.

En este contexto, el pasado se percibe como una forma idealizada del mundo indígena prehispánico opuesto al presente marcado por el progreso técnico y la explotación y la deculturación. Pero también el pasado es el sentimiento nostálgico que procura un orden patriarcal, rural, preindustrial y caudillista de estructuras coloniales o decimonónicas que supervive en muchas regiones del continente y que Sarmiento evoca en *Recuerdos de provincia*. Un pasado, pues, que puede ser tanto el modelo para el futuro reivindicado por nostálgicos conservadores como por revolucionarios románticos, tan contradictorios son los sentimientos que abriga la percepción del tiempo en la historia americana. Allí empiezan las tensiones y las contradicciones. Vale la pena evocar brevemente, por qué.

Apenas descubierta, América fue la depositaria de creencias y mitos cuya vigencia habían decaído en Europa. Entre otros la Edad de Oro de los orígenes de la humanidad –edad de abundancia. felicidad y amable coexistencia de los hombres, cantada por poetas e historiadores greco-latinos y perdida *illo tempore*– se reconoció en múltiples signos del Nuevo Mundo: los paisajes arcádicos y paradisíacos, el clima cálido, la abundancia natural de frutos, las gentes "primitivas" y sencillas viviendo en el "estado natural" que había precedido el "roussoniano" *Contrato social* entre los hombres.

Gracias a la filosofía erasmista, la escatología proyectó en América las visiones de paz de una renovada cristiandad. A diferencia de la escatología tradicional, cuyo dualismo oponía un tiempo temporal a uno intemporal entre el mundo terrestre y el celestial, el dualismo temporal que inaugura el descubrimiento de América es inmanente a este mundo: el otro tiempo (tiempo del cristianismo "primitivo", tiempo de la Edad de Oro, tiempo del Paraíso) puede reeditarse en otro espacio y ese espacio sería el del Nuevo Mundo.

En el descubrimiento de América todos los indicios condujeron a identificar la "nostalgia de los orígenes" de la humanidad con el nuevo territorio. La visión idealizada del pasado indígena que representan los Cronistas a lo largo del siglo XVI se convierte en un verdadero tópico y se prolonga hasta nuestros días en muchas obras sobre los espacios recónditos del que la selva será uno de los arquetipos más recurridos, *topos* donde se reitera esa visión "arcádica" y "áurea" por simple transposición de la división europea del tiempo. "El tiempo perdido" en la Europa sumergida en la Edad de Hierro se podía recuperar en América. A su búsqueda, entre tantos otros héroes desorientados de la narrativa de la selva, viaja el protagonista de *Los pasos perdidos*.

TIEMPO INDIVIDUAL Y TIEMPO COLECTIVO

Ahora bien si la definición ontológica del espacio es inclusiva de la de tiempo, indisociabilidad que ha inscrito la temporalidad de la vida humana en una "exterioridad" inevitable, la interdependencia entre tiempo y espacio se comprueba también en la física y en las matemáticas y se extiende a la metafísica, al punto de que Samuel Alexander afirma que "no hay espacio sin tiempo, ni tiempo sin espacio [...]; el espacio es por naturaleza temporal y el tiempo espacial"[1], ya que, si fuera intemporalizado, carecería de elementos que permitieran distinguirlo. Una relación que Eliseo Reclús convirtió en su obra *El hombre y la tierra* en la afirmación "la geografía es la historia en el espacio, tal como la historia es la geografía en el tiempo".

Si este principio gobierna ciencias como la geografía y la historia, se hace más evidente con el movimiento que el viaje de *Los pasos perdidos* realiza. La ley del movimiento indica –como lo prueba la obra de Alejo Carpentier– que el tiempo se estructura en función del espacio y viceversa. Se puede decir que, en principio, el movimiento engendra figuras espaciales independientes del tiempo. Un movimiento constituye siempre un trayecto de un punto de partida hacia uno de llegada, pero en cualquiera de las hipótesis de este análisis, no puede hacerse abstracción del tiempo realmente transcurrido durante el viaje. Por lo tanto, más allá del tiempo histórico que supervive en compartimentos estancos, en los cuales puede irrumpirse como en un escenario de ciencia ficción al cual se hubiera viajado gracias a la máquina del tiempo de Orwell, hay un tiempo individual. Es este un tiempo exclusivo del viajero protagonista, donde se acumulan experiencias entrelazadas y donde el recuerdo de unas influyen inevitablemente en las otras, sin que pueda hacerse abstracción de la memoria. Ambas nociones del tiempo configuran –más allá de los distingos clásicos de Henry Bergson entre tiempo vivido y tiempo físico, entre tiempo medido y la *durée*– lo esencial de la empresa novelesca de *Los pasos perdidos*.

Podemos así distinguir:

1) *El tiempo del protagonista que viene de un pasado irreversible y va hacia un futuro, aún indeciso e inexistente, en un movimiento que va desde un punto*

---

[1] Samuel Alexander: *Space, Time and Deity* (1920). Citado por Ricardo Gullón en *Espacio y novela*, Barcelona, Antoni Bosch Editor, 1980.

hacia otro. Es un movimiento que tiene, a su vez, una estructura precisa e imprecisa. Su imprecisión no proviene de los factores determinantes que lo han generado y de los que huye el protagonista –crisis matrimonial, escándalo con una amante, desajuste individual, crisis identitaria– sino del carácter inherente a todo tiempo biológico, es decir, del hecho que el tiempo personal está constituido por una sucesión homogénea de instantes que forman un presente continuo.

Al viajar, navegando por los ríos americanos que lo llevan al corazón de la selva se está, en realidad, remontando el curso de la historia. Pero no sólo porque dos nociones –tiempo y espacio– se imbrican, sino porque el movimiento que las une está en relación directa con el ritmo que se adjudica a una y otra. En efecto, cuanto más se retrocede en el tiempo, el movimiento en el espacio se hace más dificultoso. Remontar ríos y sendas, necesita de pasos cada vez más lentos, como si la velocidad inicial de penetración en el espacio contemporáneo se fuera frenando por la resistencia progresiva que van oponiendo los obstáculos naturales. Las dificultades son los celosos guardianes de un tiempo pasado en el mundo cerrado de la selva. Sin embargo, este ritmo diferenciado entre los diferentes tiempos contemporáneos –urgido, cronometrado, marcado por horas y días de la semana– al ceder al más intemporal de la vida primitiva, cuando no prehistórica, provoca en el viajero un desajuste suplementario.

Desde las primeras etapas de su viaje el protagonista de *Los pasos perdidos* anota: "Los cambios de altitud, la limpidez del aire, el trastorno de las costumbres, el reencuentro con el idioma de mi infancia, estaban operando en mí una especie de regreso, aún vacilante pero ya sensible, a un equilibrio perdido hacía mucho tiempo".[2] Poco después, precisa:

> Hasta ahora, el tránsito de la capital a Los Altos había sido, para mí, una suerte de retroceso del tiempo a los años de mi infancia –un remontarme a la adolescencia y a sus albores– por el reencuentro con modos de vivir, sabores, palabras, cosas, que me tenían más hondamente marcado de lo que yo mismo creyera[3].

---

[2] Alejo Carpentier, *Los pasos perdidos*, Barcelona, Seix-Barral, 1970, p. 70.
[3] *Los pasos perdidos*, o.c. p. 79.

Pese a que esas unidades histórica están aisladas entre sí y se desconocen, es inevitable que al nivel de la subjetividad del protagonista se pongan en estrecha relación. Es imposible no recordar o no hacer comparaciones entre los espacios y tiempos confrontados. *Los pasos perdidos* insiste en esta oposición dialéctica entre el aquí y el allá, el ahora y el entonces, y ofrece –a lo largo de la experiencia del viaje del protagonista– todas las fórmulas posibles de combinación entre espacio y tiempo. El viaje búsqueda constituye una especie de hilo conductor temporal entre los puntos espaciales recorridos. Por un lado, la casa cargada de "muebles y trastos colocados en un lugar invariable", ese "hogar destruido" del que huye el protagonista[4] y, por el otro, la utopía primitiva de Santa Mónica de los Venados al que llega al cabo del periplo. Del mundo contemporáneo a la prehistoria, de Nueva York a la selva americana, del pasado hacia el futuro, de la periferia al centro secreto, del desajuste a la plenitud gozosa de una identidad encontrada y asumida lejos de todo referente conocido.

Esta visión temporal transforma las aspiraciones, sueños y proyectos de la conciencia del tiempo individual en "tiempo común". El tiempo colectivo queda así identificado con una representación del mundo, con sus ritos y manifestaciones sociales, sus creencias, sus metáforas y su lenguaje propio. El tiempo no sólo se representa, sino que además "se vive", genera sentimientos.

2) *En segundo lugar* –y éste es un rasgo específico del tema de la identidad cultural de América Latina que *Los pasos perdidos* pone en evidencia– *hay un tiempo que es propio de cada una de las unidades aisladas que el personaje aborda en su remontar los ríos americanos.* Cada espacio atravesado es independiente, y constituye una isla cultural, verdadero universo cerrado y autónomo, con sus leyes y valores propios.

Cada capítulo de *Los pasos perdidos*, encierra un espacio determinado en unidades temporales específicas aisladas entre sí, que sólo el viaje del protagonista comunica circunstancialmente. La empresa de Carpentier es deliberada: un contrapunto entre Nueva York, representación de la edad contemporánea, y "la edad de piedra" que se descubre en las fuentes del Orinoco. Representa no sólo un contrapunto espacial, sino histórico. En efecto, "la Edad de Piedra, tanto como la Edad Media,

---

[4] *Los pasos perdidos*, o.c. p. 9.

se nos ofrecen todavía en el día que transcurren. Aún están abiertas las mansiones umbrosas del Romanticismo, con sus amores difíciles"[5].

En cada una de las etapas de su viaje –auténtico viaje iniciático en busca de sí mismo–, el protagonista encuentra un tiempo, cuya inserción histórica va retrocediendo. Del tiempo contemporáneo, pasa en Los Altos al tiempo de su infancia. Un poco más lejos, está viviendo varios siglos hacia atrás. Así, se siente iniciando "una suerte de Descubrimiento", al modo de los conquistadores españoles:

> Yo me había divertido, ayer, en figurarme que éramos Conquistadores en busca de Manoa. Pero de súbito me deslumbra la revelación de que ninguna diferencia hay entre esta misa y las misas que escucharon los Conquistadores del Dorado en semejantes lejanías. El tiempo ha retrocedido cuatro siglos. Ésta es misa de Descubridores, recién arribados a orillas sin nombre, que plantan los signos de su migración solar hacia el Oeste, ante el asombro de los Hombres del Maíz.[6]

Frente a un oficio religioso que describe en forma detallada, se pregunta si: "Acaso transcurre el año 1540", aunque rápidamente se corrige:

> Pero no es cierto. Los años se restan, se diluyen, se esfuman, en vertiginoso retroceso del tiempo. No hemos entrado aún en el siglo XVI. Vivimos mucho antes. Estamos en la Edad Media. Porque no es el hombre renacentista quien realiza el Descubrimiento y la Conquista, sino el hombre medieval.[7]

El viajero ignora las distancias reales del espacio geográfico, muchas veces separadas por pocos kilómetros y tiene la sensación de que ha vivido cientos de años que le permiten ser contemporáneo de hombres prehistóricos. El medio de comunicación entre estas diferentes épocas de la humanidad es el río.

> Junto a él, que es granero, manantial y camino, no valen agitaciones humanas, ni se toman en cuenta las prisas particulares. El riel y la carretera han quedado atrás. Se navega contra la corriente o con ella. En ambos casos hay que ajustarse a tiempos inmutables. Aquí, los viajes del hombre se rigen por el Códi-

---

[5] *Los pasos perdidos*, o.c. p. 272.
[6] *Los pasos perdidos*, o.c. p. 174.
[7] *Los pasos perdidos*, o.c. p. 175.

go de las Lluvias. Observo ahora que yo, maniático medidor del tiempo, atento al metrónomo por vocación y al cronógrafo por oficio, he dejado, desde hace días, de pensar en la hora, relacionando la altura del sol con el apetito o el sueño. El descubrimiento de que mi reloj está sin cuerda me hace reír a solas, estruendosamente, en esta llanura sin tiempo[8].

La dimensión de un nuevo tiempo no le impide sentirse, en algunos momentos, prisionero de sus viejas costumbres. Así, agitado entre sueños por los gritos de un vendedor ambulante, ha podido manotear:

> Sobre el mármol de la mesa de noche, aquel despertador que está sonando, si acaso, muy arriba en el mapa, a miles de kilómetros de distancia[9].

Son las reminiscencias del otro mundo, en ese arriba del mapa ceñido a precisos ritmos cronológicos, que lo llevan en otras oportunidades a pensar que:

> Yo vivo aquí, de tránsito, acordándome del porvenir –del vasto país de las Utopias, de las Icarias posibles–. Porque mi viaje ha barajado, para mí, las nociones del pretérito, presente, futuro. No puede ser presente esto que será ayer antes de que el hombre haya podido vivirlo y contemplarlo; no puede ser presente esta fría geometría sin estilo, donde todo se cansa y envejece a las pocas horas de haber nacido. Sólo creo ya en el presente de lo intacto; en el futuro de lo que se crea de cara a las luminarias del Génesis[10].

La lentitud del viaje por tierra le ha permitido ir integrando cada una de estas etapas en una toma de conciencia progresiva del tiempo histórico y su secreta vinculación con el espacio americano. Sin embargo, el inesperado retorno en avión al final de la obra da un sentimiento de relatividad a toda la empresa:

> Es decir, que los cincuenta y ocho siglos que median entre el cuarto capítulo del Génesis y la cifra del año que transcurre para los de allá, pueden cruzarse en ciento ochenta minutos, regresándome a la época que algunos identifican con el presente –como si lo de acá no fuese también el presente– por sobre ciudades que son hoy, en este día, del Medioevo, de la Conquista, de la Colonia o del Romanticismo11.

---

[8] *Los pasos perdidos*, o.c. p. 111.
[9] *Los pasos perdidos*, o.c. p. 46.
[10] *Los pasos perdidos*, o.c. p. 252.
[11] *Los pasos perdidos*, o.c. p. 229.

Sin embargo, estas comparaciones entre los diferentes tiempos históricos que coexisten en un mismo país americano, sólo pueden hacerse porque el protagonista viaja y puede ponerlas en relación. En efecto, para el hombre primitivo, que vive aislado en la selva, no hay otro tiempo histórico que el suyo. Su presente es nuestro pasado. No tiene otra referencia.

El paraíso, entre pasión y antropología

De allí la importancia del movimiento, por ende del viaje individual en la dialéctica tiempo y espacio. Esta visión personalizada podría llevar a suponer que, en todos los casos, el resultado es subjetivo. Tiempo y espacio se tiñen inevitablemente con el punto del vista del protagonista, narrador casi siempre en primera persona, aunque la primera persona de *Los pasos perdidos* pretende ser siempre objetiva y su análisis científico.

En sus páginas prima un fuerte racionalismo, lógica que desmenuza hasta las experiencias sentimentales, y una carga cultural y filosófica marca inevitable, cuando no en forma gravosa, los pasos del héroe a lo largo de la historia. La visión paradisíaca de la selva, a la que se sucumbe en algún momento, está neutralizada por un punto de vista antropológico e histórico, reflejo de la profesión que lo llevó a ese viaje, la de etnólogo musical. En efecto, si en algún momento se deja llevar por los sentidos y se cree en "el mundo del Génesis, al fin del Cuarto Día de la Creación", no deja de pensar que:

> Si retrocediéramos un poco más llegaríamos adonde comenzara la terrible soledad del Creador, la tristeza sideral de los tiempos sin incienso y sin alabanzas, cuando la tierra era desordenada y vacía, y las tinieblas estaban sobre la haz del abismo[12].

Por otra parte:

> Él no pretende que esto sea algo semejante al Paraíso Terrenal de los antiguos cartógrafos. Aquí hay enfermedades, azotes, reptiles venenosos, insectos, fieras que devoran los animales trabajosamente levantados; hay días de

---

[12] *Los pasos perdidos*, o.c. p. 184.

inundación y días de hambruna y días de impotencia ante el brazo que se gangrena[13].

La selva sería entonces un mundo del *Génesis* anterior al Paraíso y no posterior a su creación. Puede ser también un mundo "diabólico que rodeaba el Paraíso Terrenal antes de la Culpa", es decir, un mundo de "lo prenatal, de lo que existía cuando no había ojos", que no ha sido recreado por la Palabra, porque, tal vez, es la obra de:

> Dioses anteriores a nuestros dioses, dioses a prueba, inhábiles en crear, ignorados porque jamás fueron nombrados, porque no cobraron contorno en las bocas de los hombres[14].

Hay que preguntarse, entonces –coincidiendo con Rosario Rexach– si la preocupación por el tiempo en la obra de Carpentier no es una forma de abolirlo ya que:

> Los mismos problemas se repiten con insistencia, siempre dentro de distintas situaciones, siempre en tiempos diferentes, siempre en escenarios mudables. Pero siempre con los mismos vaivenes, porque el hombre es siempre el mismo para el novelista y el tiempo una mera ilusión. Vivimos en un tiempo sin tiempo. Por eso hace de la historia una fuente de sus temas. Ya se encargará él luego de proyectarlo en el presente[15].

El protagonista de *Los pasos perdidos* es capaz de atravesar la historia como el *Orlando* de Virginia Woolf, tema que reaparece como una constante en la obra de Carpentier, a través de títulos cuyas connotaciones espacio-temporales son directas: *Viaje a la semilla, Camino a Santiago, Guerra del tiempo, Semejante a la noche, Los fugitivos, El reino de este mundo* y *El siglo de las luces*.

El tema del "viaje en el tiempo", al modo de *Los pasos perdidos,* pero en sentido inverso, está presente en el relato *Semejante a la noche.* Un soldado movilizado para ir a la guerra de Troya vive su última noche de libertad antes de embarcarse; y lo hace de un modo similar y simultáneo al de otros soldados (aunque pudiera tratarse de él mismo) en diferen-

---

[13] *Los pasos perdidos,* o.c. p. 192.
[14] *Los pasos perdidos,* o.c. p. 203.
[15] Rosario Rexach, prólogo a *Alejo Carpentier: estudios sobre su narrativa* de Esther Mocega, Madrid, Playor, 1980; p. 13.

tes épocas de la historia: la Edad Media, el Renacimiento, el siglo XVII, un caleidoscópico relativismo temporal que –como ha destacado Alexis Márquez para *El siglo de las luces*–puede "producir dislocaciones y trastornos que desembocan en situaciones paradójicas y grotescas. Tal como ocurre cuando víctor Hugues, gobernador de la Guadalupe, sigue aplicando los métodos del Terror y rigiendo la isla en nombre de Robespierre, sin saber que éste, destituido y guillotinado, hace tiempo que yace en el cementerio"[16]. Sin embargo, no son estas consideraciones metafísicas sobre el tiempo. El ejemplo de *Viaje a la semilla*, cuento publicado por primera vez en 1944, es interesante porque –más allá del tiempo que se remonta desde la muerte de Marcial, marqués de Capellanías, hasta su propia concepción en el vientre materno– Carpentier adelanta la que será una constante en su obra: el tratamiento del tiempo como un recurso de novelista, más que como una preocupación filosófica. Para hacer más eficaz el recurso narrativo lo completa con uno utilizado en la composición musical, procedimientos de los que hace gala en varias de sus obras. "El propio Carpentier ha confesado que lo determinante en la elaboración de *Viaje a la semilla* fue su deseo de aplicar a la narración literaria –recuerda Márquez– un recurso propio y frecuente de la composición musical, como es la recurrencia, en la que una frase musical, se repite en forma inversa. De modo que fue, inicialmente, una preocupación formal, y no temática, lo que lo puso frente al problema del tiempo"[17].

EL ESPACIO ACCEDE A LA EXPERIENCIA

El tiempo pasado no es, sin embargo, necesariamente mejor. Tentado por la vida primitiva, el protagonista de *Los pasos perdidos* no comete el error de ensalzar el mundo arcádico como espacio a reconquistar. Carpentier no idealiza al indio como representación del *bon sauvage* ni identifica en forma simplificadora la selva con el paraíso terrestre. Como ha destacado Klaus Müller Bergh:

---

[16] Alexis Márquez, *Lo barroco y lo real-maravilloso en la obra de Alejo Carpentier,* México, Siglo XXI Editores, 1984, p. 410.

[17] Alexis Márquez, obra citada, p. 401.

Aunque Carpentier destaca los valores del mundo primitivo y los estima más que los postulados de la civilización moderna, no comete el error de afirmar que el viaje del personaje principal es un camino de evasión que conduce a la utopía. Por el contrario, cada etapa del itinerario confronta al héroe con realidades elementales y ni sus amores con Rosario reflejan los de *Paul et Virginie*, ni las comunidades indígenas son sociedades idealizadas habitadas por nobles salvajes *roussonianos*[18].

No hay engaño posible, ya que el propio personaje ha comprobado como la apasionante tarea del Adelantado, el "fundador de Ciudades", no puede confundirse de ninguna manera con la de un constructor del Paraíso. Sin embargo, si no hay una meta clara al término del viaje y si la utopía buscada no puede concretarse, ¿adonde nos conduce el viaje de *Los pasos perdidos*?

No faltan otras interpretaciones, pero es evidente que en esta novela de Carpentier no se pretende otra cosa que una suerte de reflexión ante el espacio que va accediendo a la experiencia. Pero se trata de una reflexión dialéctica, donde la relación vital del hombre y el contorno se va modificando en la medida en que la conciencia protagónica viaja a través del espacio. La reflexión vivencial parte de un principio enunciado con claridad: "Los mundos nuevos tienen que ser vividos, antes que explicados"[19].

Si bien el tiempo es consustancial con otras dimensiones de lo real, como es el caso del espacio, también lo es de la materia misma, ese "coeficiente de existencia" que es posible aprehender por medios sensoriales. El espacio–tiempo es la propia experiencia, lo vivido, el lugar de la memoria y de la esperanza y, en la medida en que es posible representárselo, se lo puede reconstruir en la conciencia o, simplemente, recrearlo, crearlo, inventarlo en la ficción novelesca o poética.

La temporalidad del espacio, los "espacios del tiempo" de que hablaba Juan Ramón Jiménez, supone además que todo espacio mental tiene un pasado y un futuro. En ese tejido se inserta el espacio de la vida presente con su carga no sólo recordable o anticipante, sino operante. Con el espacio de "detrás" (pasado) y el de "delante" (futuro), abre sus

---

[18] Klaus Muller Bergh, "Alejo Carpentier: Estudio biográfico crítico", *Homenaje a Carpentier*, Nueva York, Las Américas, 1972, p. 97.
[19] *Los pasos perdidos*, o.c. p. 271.

puertas a otros ámbitos de acción, temporalidad transversal que no hace sino enriquecerlo. La propia cultura y la lengua, la investigación y la expresión artística están condicionadas por esta inscripción en el tiempo. Por lo pronto, el tiempo se espacializa como recuerdo. Al fijar el instante, se escenifica. Si ello es claro en el cuadro o la escultura que retienen el gesto, también lo es en toda reconstrucción novelesca, tentada por la descripción visual y por la sucesión "espacial" de escenas que componen su propia historia.

Un principio no sólo que no sólo se comprueba racionalmente en *Los pasos perdidos*, sino que es también vivido con gozosa plenitud. Como se dice el protagonista: "no debo pensar demasiado. No estoy aquí para pensar", antes de descubrir que en la naturaleza hay un poema secreto, no siempre explicitado ni comprendido en su cabal significación:

> Es todo un ritmo el que se crea en las frondas; ritmo ascendente e inquieto, con encrespamientos y retornos de olas, con blancas pausas, respiros, vencimientos, que se alborozan y son torbellino, de repente en una música prodigiosa de lo verde. Nada hay más hermoso que la danza de un macizo de bambúes en la brisa. Ninguna coreografía humana tiene la euritmia de una rama que se dibuja sobre el cielo. Llego a preguntarme a veces si las formas superiores de la emoción estética no consistirán, simplemente, en un supremo entendimiento de lo creado. Un día, los hombres descubrirán un alfabeto en los ojos de las calcedonias, en los pardos terciopelos de la falena, y entonces se sabrá con asombro que cada caracol manchado era, desde siempre un poema[20].

En la hechura del caracol y de los otros moluscos, en la Espiral, parece simbolizarse una ciencia de formas que ha entusiasmado a críticos preocupados por la posible "lógica de lo imaginario" y sobre "la imaginación como una de las prolongaciones de la naturaleza". Entre otros, Roger Caillois explica en *Mitología del pulpo* las dificultades para separar los animales de la fábula de los animales de la zoología:

> Por ello es inevitable que la imaginación se imponga a la observación cada vez que vertebrados, artrópodos o moluscos presentan alguna anomalía o bien alguna semejanza fortuita con un detalle conocido en otra parte o incongruente en ellos[21].

---

[20] *Los pasos perdidos*, o.c. p. 208.
[21] Roger Caillois, *Mitología del pulpo, Ensayo sobre la lógica de lo imaginario*, Caracas, Monte Avila, 1976, p. 7.

Por su parte, Claude Dumas cree que estamos incapacitados para percibir la geometría de la naturaleza:

> Pero el mundo moderno puede, como las civilizaciones primitivas, no comprender ciertas realidades, ciertos signos inscritos alrededor suyo. Las formas de las cosas creadas son acaso una observación, un alfabeto, una geometría que no acabamos de comprender. ¿Qué mensaje se esconde en las líneas de las plantas, de los musgos, de las conchas marinas?[22].

La prefiguración de las formas del porvenir –"el barroquismo por venir" que se adivina en la espiral del caracol– se convierte en *Los pasos perdidos* en la imagen simbólica de un laberinto vegetal y circular. Por ello, Carmen Bustillo se pregunta si en definitiva no es un "cosmos laberíntico" el que informa el discurso de Carpentier, laberinto construido por el hombre con sus propios errores, aunque siga buscando "la salvación en el laberinto del tiempo"[23].

"Cronología del laberinto que podía ser la de mi existencia"[24], se dice el protagonista, al comprobar que lo que es natural e inteligible para quién ha nacido en la selva, no lo es para el extranjero, el intruso que accede desde otro espacio y otro tiempo; condenado por lo tanto a estar descolocado, aunque pretenda lo contrario. Los forasteros, no podrán ser nunca los dueños del privilegio de pertenecer a un punto de "irradiación germinativa", al decir de Mircea Eliade, ese centro a partir del cual una visión determinada del mundo se despliega armoniosamente. Al descubrir la esencia de su identidad americana en el centro de la selva, el protagonista de *Los pasos perdidos*, piensa en quedarse y recomenzar una nueva vida.

> Hoy he tomado la gran decisión de no regresar allá. Trataré de aprender los simples oficios que se practican en Santa Mónica de los Venados y que ya se enseñan a quien observe las obras de edificación de su iglesia. Voy a sustraerme al destino de Sísifo que me impuso el mundo de donde vengo, huyendo de las

[22] Clause Dumas, *"El siglo de las luces* de Alejo Carpentier: novela filosófica", *Homenaje a Carpentier*, o.c. p. 348.
[23] Carmen Bustillo, *Barroco y América Latina. Un itinerario inconcluso*, Caracas, Monte Avila, 1988, p. 170-171.
[24] *Los pasos perdidos*, o.c. p. 60.

profesiones hueras, el girar de la ardilla presa en tambor de alambre, del tiempo medido y de los oficios de tinieblas[25].

Al acceder al "Valle del Tiempo Detenido", el protagonista de *Los pasos perdidos* cree en un momento de éxtasis amoroso que es posible quedarse y edificar su propio centro en el corazón de la selva, olvidado del resto del mundo. Sin embargo, la ilusión es fugaz y, al recapacitar sobre su entusiasmo, puede decirse razonablemente:

> Fui un ser prestado. Rosario misma debe haberme visto como un Visitador, incapaz de permanecer indefinidamente en el Valle del Tiempo Detenido [...] Quienes aquí viven no lo hacen por convicción intelectual; creen, simplemente, que la vida llevadera es ésta y no la otra. Prefieren este presente al presente de los hacedores de Apocalipsis. El que se esfuerza por comprender demasiado, el que sufre las zozobras de una conversión, el que puede abrigar una idea de renuncia al abrazar las costumbres de quienes forjan sus destinos sobre este légamo primero, en lucha trabada con las montañas y los árboles, es hombre vulnerable por cuanto ciertas potencias del mundo que ha dejado a sus espaldas siguen actuando sobre él. He viajado a través de las edades; pasé a través de los cuerpos y de los tiempos de los cuerpos, sin tener conciencia de que había dado con la recóndita estrechez de la más ancha puerta[26].

Las puertas del mundo cerrado de la selva, en tanto son puertas de un pasado al que ya no se pertenece, no se han abierto con facilidad durante el tiempo que ha durado el viaje de *Los pasos perdidos*. A todo lo más han brindado una ilusión momentánea de integración. Para identificarse plenamente con el pasado que sobrevive en el presente, el renunciamiento del protagonista tendría que haber sido más radical y haber cruzado las barreras de obstáculos que la naturaleza oponía tenazmente con fiebres, picaduras de insectos y una muerte que acechaba disimulada entre las hojas del Jardín del Edén, serpiente diabólica de mordedura venenosa, símbolo amenazante que convierte el desafío de la colonización del espacio en una aventura de significación más profunda.

Porque si es evidente que el espacio primigenio no se encuentra ya dado, se lo puede construir con empeño. El verdadero centro del mundo está donde el hombre ha decidido abrir un claro en la selva y sig-

---

25 *Los pasos perdidos*, o.c. p. 196.
26 *Los pasos perdidos*, o.c. p. 271.

nificar el espacio para convertirlo en *su* tiempo presente. El centro del mundo, buscado con ansiedad, está finalmente donde se logra ser uno mismo y ello solo es posible en el tiempo presente. Esta es tal vez la moraleja –si necesitara una– que brinda *Los pasos perdidos*. Si el protagonista –como podría sucederle a cualquiera de nosotros– se ha perdido en un laberinto vegetal en el que se metaforiza el dédalo del tiempo, más que idealizar o maldecir el pasado, más que confiar excesivamente en el futuro en un continente que se sigue calificando como "joven" y llamando Nuevo Mundo, su prioridad –la nuestra– debiera ser "buscar el presente", una forma de encontrar su propia identidad. Esta "búsqueda del presente" –como recordara Octavio Paz en su discurso de recepción del Premio Nóbel –"no implica renuncia al futuro ni olvido del pasado: el presente es el sitio de encuentro de los tres tiempos", pero, sobre todo este "otro tiempo" es el tiempo verdadero: "el presente, la presencia".

Los pasos perdidos y La vorágine: contactos y diferencias

VIRGILIO LÓPEZ LEMUS
Escritor y crítico cubano

Las selvas amazónicas hallan un nuevo esplendor en las letras latinoamericanas, cuando se convierten en sitios de novelas, espacios donde lo real se vuelve mágico y la magia es la realidad misma, donde la historia se enrosca como las serpientes y se muerde la cola, o asciende en espiral, siempre sabiendo que esa historia es una suerte de digresión de la Historia universal, un apartado de singular enrevesamiento de microhistorias humanas frente a una naturaleza brutal y a la par espléndida, convertida en un personaje más.

Y con tal tono, ya parece que estoy hablando de *La vorágine*, la famosa obra que José Eustasio Rivera publicó en 1924, y que me gusta situar en la cabeza de otra espiral narrativa que va a tener un punto elevadísimo en 1929, con la edición de *Doña Bárbara*, de Rómulo Gallegos, quien retornará a las selvas en 1935 con *Canaima*, mismo año en que Ciro Alegría publicó *La serpiente de oro*. Ese ciclo ha de continuar en 1947 con *El camino de El Dorado*, de Arturo Uslar Pietri, y alcanzó otro de sus momentos cimeros con *Los pasos perdidos*, de Alejo Carpentier, editada en 1953. La serie continúa con altos en 1966, por *La casa verde*, de Mario Vargas Llosa, o con quizás una de las menos elevadas entre las obras de Miguel Angel Asturias, *Maladrón*, de 1969, así como el *Daimón* de 1981, de Abel Posse...[1] A esta serie puede agregarse otras novelas, pero basta para advertir cómo se enmarcan, literariamente hablando, incluso de manera inmanentista, las dos obras que hoy nos interesa comparar: *La vorágine*, y *Los pasos perdidos*.

Ambas poseen un referente realista singular, si bien la obra de Rivera aún pudiera hallársele algún resabio del realismo positivista o de coloratura romántica, con todo lo que de ruptura con tales corrien-

---

[1] Fernando Ainsa ofrece un similar bosquejo de obras afines en su ensayo citado en la Bibliografía, en las pp. 103 y 104.

tes filosóficas y literarias hay en la misma novela, pero ya en *Los pasos perdidos* se ha rebasado la cronología lineal absoluta y la complejidad de la trama se avoca a otro realismo, ese que desde *El reino de este mundo* el propio Carpentier le agregó el apelativo de "maravilloso".

No deja de haber una magia dura y de trasfondo en *La vorágine*, pero ciertamente el tratamiento narrativo es otro y la singularidad de "lo real maravilloso" precisamente va a encontrar en *Los pasos perdidos* una de sus obras mayores.

Si bien hay diferencias sutiles entre "lo real maravilloso" y el más tarde enunciado "realismo mágico", lo que quedó bien definido en los estudios de Irlemar Chiampi, entre las novelas que nos ocupan ambos términos hallan gratificación, o sea, podemos hallar elementos del uno y del otro en ambas, como leer que cada caracol manchado pueda ser para siempre un poema, en *Los pasos perdidos*, o hallar situaciones en extremo mágicas en *La vorágine*. Aunque el análisis desde el punto de vista del realismo en estas novelas aun puede tener mucho que decirnos, vale que prefiera ahora entornar mis pasos hacia asuntos que más bien muestran el sentido de la identidad, de la alienación/desalienación que enunciara Carpentier, pero que, desde luego, no están ausentes en la temprana obra de Rivera.

La vorágine se mantiene en sus primeros capítulos como una novela localista, "de la tierra", pero su interés sube de manera vertical cuando casi sin darnos cuenta se nos ha transformado en una "novela de la selva"; antes de penetrar en la "entidad voraginosa", ese personaje-Odiseo que de hecho es Arturo Cova, toca uno de los puntos que en lo sucesivo será debate fuerte en las letras latinoamericanas, ya lanzado a la lid en el *Facundo* (1845), de Domingo Faustino Sarmiento, con su tesis sobre la pugna entre civilización *vs* barbarie, tan brillantemente comentada e incluso refutada por José Martí unas décadas después. En *La vorágine*, Cova enfrenta la antinomia ciudad-campo con esta frase casi al comienzo de la novela:

> ¿Para qué las ciudades? Quizás mi fuente de poesía estaba en el secreto de los bosques intactos, en la caricia de las auras, en el idioma desconocido de las cosas; en cantar lo que dice al peñón la onda que se despide, el arrebol a la ciénaga, la estrella a las inmediaciones que guardan el silencio de Dios... (p. 103)

Cova ha emprendido u viaje que es a la vez fuga, encuentro, confirmación de identidad personal. Se advierte que su pregunta y su respuesta tienen un matiz existencial, pero a la vez hay una definición estética que se asume como eticidad, o más bien como conducta ante la circunstancia que define al hombre, lo centra de una manera identitaria. En el personaje central de *Los pasos perdidos* la búsqueda material va en otra dirección: la de unos instrumentos necesarios al hombre en pos de una música que de pronto se va convirtiendo en el crujir de la selva. Pero como tal búsqueda se asume como una especie de pretexto para un internamiento espiritual, de búsqueda del yo inmerso en sus circunstancias, ambos personajes, el de Carpentier y el de Rivera, se tocan en ese afán existencial de hallarse, hallar sentido, ser quien se es en correspondencia con un mundo voraginoso que quiere asimilarlos, borrarlos, convertirlos en diminutas partes de un entramado natural absorbente. Ambos personajes se adentran en una suerte de paraíso que es a la par infierno, o un limbo frente a la llamada civilización citadina. En ambos casos, no hay una expulsión del paraíso con la mujer pecadora, sino una incursión (o un exilio) del hombre en la selva, en pos o junto a la mujer, y en la medida en que avanzan, las fuerzas de la naturaleza desencadena en ellos valores psicológicos que les eran desconocidos. Es así cuando la civilización vista como alienación (y de cierta manera como "barbarie", al menos en Carpentier), va quedando detrás, en pos de los pasos de un Cova-poeta, que en cada situación o paisaje ve un signo o un ente de reflexión, de manera cercana, si no similar, a como en *Los pasos perdidos* el personaje central va conformando con su aventura una sutil "novela de tesis", bien diversa de la que ha recibido tal nombre en el *tractus* literario europeo,[2] puesto que muchas veces el acontecimiento le gana el espacio central a la reflexión. El viaje de ambos personajes no es el de un Adán expulsado sino el de un Odiseo en pos de la aventura, por cierto, a veces un poco quijotesca, pues Rivera y Carpentier ofrecen a sus personajes centrales aristas de Odiseo y de Quijote. El que busca, se ve inmerso en una serie de aventuras que le sacan de su hábitat y lo lanzan, en medio de la circunstancia, a un encuentro con la otredad y a una reafirmación o al menos a un replanteo de esencia de la identidad personal.

---

[2] Por supuesto que me refiero a, entre otras, las obras de Aldous Huxley.

Ya en *La vorágine* hallamos descripciones de la vida humana en los llanos que bien preceden al realismo mágico hallable en torno al personaje central de *Los pasos perdidos*. En los dos casos, junto a la mujer, el personaje casi advierte o al menos siente que la selva es una entidad monstruosa que traga a los hombres que la habitan, o, en el caso de los viajeros, a los que vienen desde afuera a habitarla en una suerte de *fatum*, de destino consumado o de exilio, cuando la vorágine se convierte en pasos perdidos del hombre supuestamente civilizado (al que hoy llamaríamos del "primer mundo"). Por eso dice Cova: "La selva trastorna al hombre, desarrollándole los instintos más inhumanos: la crueldad invade las almas como intrincado espino, y la codicia quema como fiebre..." (p. 189) Se advierte que así como hay tiempo para el *tractus* factual novelado, también lo hay para la reflexión, para realizar una suerte de análisis ontológico en el que el individuo sufre un doble enfrentamiento, consigo mismo y con la otredad que literalmente se le incorpora.

No sabemos bien si hay una correspondencia o coincidencia con aquella opción de Malraux de hablarnos de *la condición humana*, cuando lo que acontece en la selva es un encontronazo con una identidad que el propio personaje no presumía en su sí mismo, y que brota como una alteridad. Es una alteridad dentro de sí, a la par brotando como identidad. Este "juego" de difícil equilibrio psicológico hace de *La vorágine* una novela tensa, en la que no se describe el estado natural del "buen salvaje" selvático, sino una suerte de historia de vida de seres humanos sometidos al doble juego de la explotación: del explotador que es a la vez explotado. La selva y la injusticia en ella se entrelazan, forman un tejido más importante dentro de la novela que el entramado de la flora y de la fauna en sus estados naturales; ese entramado parece tragarse a los personajes, los minimiza, e incluso los niega, como acontece con el mismo Cova, cuando es desplazado del interés narrativo central por las aventuras de un padre (el infortunado Clemente Silva) en busca primero del hijo y luego de la sepultura de sus restos. La búsqueda de Cova y la de Silva, parecen resumirse en una idea del personaje central: "¿Volver yo a las ciudades, desmedrado, pobre, enfermo? El que dejó sus lares en busca de fortuna no debe tornar pidiendo limosnas..." (p. 344) Parece esta una gran frase de "indiano", aplicable a todo exilio, a toda fuga del medio que le es torturante, a todo aquel que emprende el camino de su propia vorágine, y que si retorna, debería ser como en el caso de Odiseo, al centro del hogar de mil modos enriquecido, y no a la limosna que lo degrade.[3] Ese trasfondo de alineación-desalienación está en la base de *Los pasos perdidos*, su personaje central parece responder o comentar la frase de Cova, cuando nos dice:

> La época me iba cansando. Y era terrible pensar que no había fuga posible, fuera de lo imaginario, en aquel mundo sin escondrijos, de naturaleza domada desde hacía siglos, donde la sincronización casi total de las existencias hubiera centrado las pugnas en torno a dos o tres problemas puesto en carne viva. Los discursos habían sustituido a los mitos; las consignas a los dogmas. Hastiado del lugar común fundido en hierro, del texto expurgado y de la cátedra desierta, me acerqué nuevamente al Atlántico con el ánimo de pasarlo ahora en sentido inverso. (p. 98)

No, no es la misma desgarradura biográfica de Cova, exactamente, pero en el fondo psicológico del asunto, sí que lo es. Cova quizás no sea tan consciente como el reflexionante personaje de Carpentier, acerca de que se enfrenta a una "simbiosis de cultura", pero en definitiva su propia biografía es eso, una simbiosis cultural en la que el individuo pareciera un instrumento de un *fatum* histórico; en palabras carpenterianas: "Me preguntaba ya si el papel de estas tierras en la historia humana no sería el de hacer posible, por vez primera, ciertas simbiosis de culturas..." (p. 129) Justo eso resulta la microhistoria de los personajes metiéndose en el alma de la selva, un alma devoradora, una suerte de útero inverso, que absorbe en lugar de parir, aunque en su contradictoria realidad se está produciendo un parto histórico, que para Cova podría ser muerte y para el personaje de Carpentier vida transformándose, mundo de apariencias, gran metamorfosis fundacional.

Si bien no es la búsqueda de contradicciones lo que mueve a los dos novelistas latinoamericanos, diríamos que en el sentido de búsqueda de identidad sí la hay, los individuos salen de sí para hallarse, y de pronto descubren que su otro-yo selvático es también parte de la identi-

---

[3] No se deje de advertir la relación de esta frase citada de La vorágine con Los pasos perdidos. Parecerían intercambiables. Asimismo, puede decirse que el pasaje de Silva, casi fantasmagórico, buscando a su hijo en la selva, es una de las más bellas imágenes de la literatura hispanoamericana.

dad. Como afirma sabiamente Fernando Ainsa en su estudio "El topos de la selva en *La vorágine* y *Los pasos perdidos*": "Si un desajuste existencial profundo marca el impulso inicial que lo lleva a dejar la urbe periférica, el movimiento centrípeto en que lo traduce, conduce a una disolución panteísta de la identidad en el centro de una naturaleza desbordante, tan hostil como seductora". (p. 107) Parece a veces que la selva es esa identidad asumida, que los personajes se han hallado fuera de sí en el paraíso selvático, en el infierno de las relaciones sociales en él, y esa doble valía de paraíso/infierno es de cierta manera nudo gordiano de ambas narraciones, en las que el viajero en tanto cronista o testimoniante, da fe de su vida y en torno de ella se dibujan la selva y los otros hombres, violencias natural y humana, dicotomía que el ser debe asumir como unidad y el fondo oscuro del sí mismo, como identidad frente a ellos.

Resulta interesante esta odisea de la identidad, en la que los personajes salen de sí para hallarse, o mejor sea dicho, dejan entrar en sí al mundo voraginoso para ver que la otredad es mismidad, en tanto ambos son viajeros y testimoniantes de ese mundo amalgamado del que gradualmente van formando parte, hasta renunciar de una manera u otra al retorno, como dice el propio personaje central de *Los pasos perdidos*: "Hoy he tomado la gran decisión de no volver *allá*" (p. 212), palabras dichas como en un diario, como una autoconfesión, como un dictamen, que también de cierto modo pudo suscribir Arturo Cova.

Si el mundo selvático (selvas natural y humana) los transforma en la medida que ellos asumen la realidad y la realidad los asume, hay asimismo una dosis de transformación desde el yo, desde el individuo capaz de cambiar el mundo, asunto este que está en el centro de la problemática literaria occidental desde el grito rimbaudiano de "Yo soy otro", que entraña "cambiar la vida".

Pero veamos qué tipos de viajes emprenden y desarrollan tan peculiares viajeros: el primero diríase que es en pos de la mujer, de la hembra, asunto elemental que se repite desde la expulsión del Paraíso, o que de cierto modo realiza Odiseo en pos de Penélope... En todo caso es un búsqueda varonil de complemento en la mujer-hembra, que no se daba del todo en la civilizada Mouche, capaz de desarrollar una bisexualidad que parece quedar remitida a la ciudad, a la mujer civilizada de ciudad que es Mouche, y no a la mujer elemental que es la Rosario finalmente hallada. Creo que el sentido del viaje existencial está mejor delineado en Carpentier que en Rivera, puesto que ese complemento sexual elemental se desdobla en otro viaje: el de la búsqueda de los instrumentos musicales, que es a la par un pretexto para viajar en pos de la reflexión sobre tiempos y espacios, que resulta ser expresión de lo real maravilloso. Pero el viaje se torna una suerte de mordedura de cola cuando el viajero funda ciudades. La fundación de una ciudad en el corazón de la selva (que también acontece en *La vorágine*) entraña un punto cimero del viaje, un retorno a la semilla, una vuelta de rosca en una espiral histórica, en la que el hombre no resulta finalmente tragado como especie por la naturaleza, sino que se torna un fundador de ciudades, o sea, un ente prometeico, un civilizador.

La fundación es de hecho un acto de retorno. El sentido de creación y de revolución de la circunstancia llevan al individuo a la negación del mundo natural, sin que logre superar el carácter selvático de los otros individuos que han de poblar los nuevos pueblos emergidos de la aventura de la explotación, de las búsquedas de recursos de vida, y sobre todo del afán de quedarse para siempre en el mundo desalienante de la selva, donde, sin embargo, ha de surgir de la propia labor la nueva ciudad, el nuevo viaje hacia la alienación... Como dice Carpentier en la propia novela: "los mundos nuevos tienen que ser vividos, antes que explicados." *La vorágine* y *Los pasos perdidos* dan fe de esos mundos nuevos como actos nacientes, quieren ser el testimonio de vida (historia de vida) del ser ante la nueva circunstancia, pero, de hecho, al convertirse en textos, al adquirir el valor de la textualidad, adquieren el matiz de la explicación, de la fijeza de un ayer que ha sido fuente del hoy transnarrativo. Una hipertextualidad también se traga a las novelas como en una selva, la selva de la civilización, de la que la literatura, siendo arte, es también acto de fe y de fe de vida.

Así como se puede ser fundador de una ciudad, se puede escribir sobre el acto que precede a ese momento creativo, o dígase con palabras de Mircea Eliade, el momento de ordenamiento cósmico del mundo. De la selva aparentemente sin orillas, se va saliendo a una nueva realidad, a una nueva condición (humana), que el viajero, el aventurero, el buscador de nuevos códigos, de una manera u otra ha ido forjando. La historia da una vuelta de espiral, pareciera que tanto en *La vorágine* como en *Los pasos perdidos*, siendo sin embargo novelas tan diferentes, el individuo avanzó en círculo, o mejor sea dicho en espiral, en donde desde la alienación citadina el yo buscó la desalienación selvática, e inmerso ya en ese mundo disolvente, sin embargo tuvo que realizar, como una fatalidad, el acto de fundar una ciudad, de cierto modo de avanzar hacia la alienación, porque la condición humana no dio un salto desalienador definitivo.

Es cierto que esta afirmación que acabo de subrayar, es la mar polémica. Quede como un modo de interpretación vinculado a los propios principios expuestos por Carpentier, tanto dentro de la novela, como en sus teoría de los contextos y en sus teorizaciones acerca de la narrativa contemporánea. Su aporte da un paso más allá, extranovelísticamente, de los presupuestos que José Eustasio Rivera decanta en *La vorágine*, porque Carpentier asimismo ofrece paratextos, explica, explicita en sentido narratológico, o, lo que es lo mismo, crea una *poética*. *Los pasos perdidos* es una piedra angular de esa poética, pero esta novela tiene antecedentes, y no cabe dudas que *La vorágine* es uno de ellos, y no uno demasiado circunstancial, dados sus numerosos puntos de contactos, incluso en los planos de la reflexión.

Si Rivera sigue con paso diestro dentro del enmarañado mundo selvático las pasiones humanas, sus dolores y alegrías menudos, la situación de violencia natural y humana en que se ven inmersos sus personajes, Carpentier no deja de hacer todo esto, pero sus miras narrativas tienen un significado más trascendente, pasando por filosofías como el existencialismo o el marxismo, que complejizan más aún a la perversa selva, a la brutal realidad en que penetran el poeta Cova o el músico carpenteriano, en busca de "algo", que puede ser la identidad, que puede ser el sí mismo, pero también van en pos de la condición humana, de la esencia viva del ser luchando con su circunstancia.

Micro y macro historias se complementan, indisolublemente, son otra selva, la selva de la existencia de la especie humana en un viaje que no parece tener fin, que parece tener como objetivo subliminal la búsqueda de una identidad que lo torne a un paraíso utópico, a un sueño, a la fundación de ciudades en las islas cósmicas, donde la justicia, el bien y la belleza lleven al individuo a su desalienación definitiva. Tal supuesta meta parece estar lejos en el viaje, en tanto vamos dando golpes con nuestro destino en medio de una vorágine que nos traga como individuos y como especie, y marca como pasos perdidos a nuestro andar, aparentemente ciegos o en apariencia guiados por una teleología que figura mucho mejor en el mundo de José Lezama Lima que en el de José Eustasio Rivera o Alejo Carpentier. Si el viajero es un "extranjero" en la faz selvática del mundo, el emigrado entra cada día a su selva con un renovado sentido de esperanza o desesperanza en el que se juega su alienación y su desalienación. La búsqueda económica de la desalienación o de la propia identidad, es uno de los grandes retos del mundo contemporáneo. La selva y sus gentes hoy llamados "tercermundistas", hacen ahora mismo el viaje inverso, se internan en la "civilización occidental", y nuevos Covas o nuevos músicos venidos de extraños mundos, quieren integrarse, y en el proceso de integración, a la larga transformarán el mundo en sí para alcanzar un mundo para sí, lo que es ya una meta casi divina de la especie humana.[4]

Estas reflexiones finales bien que podrían verse alejadas de las novelas de Rivera y Carpentier, pero yo no lo creo. Creo, sí, que las reflexiones y las poéticas desarrolladas por estos hombres impares de la narrativa del siglo XX, están vivas en medio de un cambio radical de las circunstancias. La nueva novela de los nuevos emigrados, el nuevo rumbo de la búsqueda de la identidad en medio del capitalismo globalizado, introduce nuevas circunstancias a la que podríamos llamar la búsqueda eterna del hombre desde la bíblica expulsión del paraíso, desde todas las salidas a dar batalla del Ingenioso Hidalgo don Quijote de la Mancha, hasta la vorágine de Cova o los pasos perdidos de un músico que sale de la supuesta civilización hacia el encuentro de una no menos supuesta barbarie. La identidad humana, del ser en sí hacia el ser para sí, sigue su curso, en tanto estas dos joyas de la narrativa de lengua española han fijado un espacio singular de ese *tractus*, y lo han fijado como historia y como poesía, como mito y como realidad vivida, la ficción

---

[4] Este asunto de raíz identitaria, o de transpolación de identidades culturales, merecerá zagas sucesivas en el tractus literario occidental. La gran invasión del Sur hacia el Norte y del Este europeo hacia el oeste capitalista, no podrá pasar inadvertida para la narrativa y para los estudios de los finales del siglo XX y del siglo XXI, tan diferentes, pero en esencia semejante a las épocas posteriores al Descubrimiento de América. El asunto se ha ido globalizando y se ha convertido en un problema mundial de emigraciones y refugiados. Desde Adán a la actualidad, ¿cuántos han transitado con pasos perdidos en medio de la vorágine?

eleva sus preces hacia el ara y rinde tributo a la larga existencia del ser luchando por hallar su plenitud.

Bibliografía[5]

AINSA, FERNANDO: "¿Infierno verde y Jardín del Edén? El topos de la selva en *La vorágine* y *Los pasos perdidos*", *Espacios del imaginario americano. Propuestas de geopoética*, La Habana, Editorial Arte y Literatura, 2002.

CHIAMPI, IRLEMAR, *El realismo maravilloso: forma e ideología en la novela hispanoamericana*, Caracas, Monte Avila, 1983.

CARPENTIER, ALEJO, *Los pasos perdidos*, La Habana, Ediciones Unión, Bolisilibros, 1969.

RIVERA, JOSÉ EUSTASIO, *La vorágine*, La Habana, Instituto del Libro, Ediciones Huracán, 1969.

---

[5] Llevo al mínimo tal bibliografía, bastante grande en la relación de las novelas aquí tratadas.

Entre Norte y Sur: las Américas en *Los pasos perdidos* de Alejo Carpentier

LUISA CAMPUZANO

Universidad de La Habana / Casa de las Américas

En el centenario de Alejo Carpentier (1904-1980), me he propuesto regresar a su quizá más estudiada novela, *Los pasos perdidos* (1953) –en lo adelante *LPP*–, travesía en el tiempo, en el espacio, en las lenguas, en las identidades, que se construye como el relato de viaje a la América del Sur que un compositor y musicólogo de origen cubano, tempranamente emigrado a Nueva York, habría escrito en inglés.[1] Pero en esta novela, que de acuerdo con lo que acabamos de decir, sería una traducción, un traslado al español de aquel relato, se esboza además una concepción polarizada, antagónica de las Américas, que si bien tiene anclajes genéticos en el siglo XIX (la exaltación romántica de la Naturaleza, el ideologema sarmentiano de civilización y barbarie, "Nuestra América" de Martí, la "Oda a Roosevelt" de Darío, o el arielismo de Rodó), articula su trama al macrocontexto histórico de la segunda posguerra mundial y el inicio de la guerra fría, y la despliega espacial y temporalmente en torno a un eje Norte-Sur. Narrada por un yo-autobiográfico que anota experiencias desarrolladas en una actualidad que no dista mucho de la que correspondería a la escritura del texto,[2] pero que simultáneamente con su desplazamiento geográfico hacia el Sur, se abisma en otras temporalidades cada vez más remotas, pero coexistentes con el presente del relato, *LPP* recoge el periplo circular del protagonista, que hastiado de su monótona existencia y de su trabajo en una firma publicitaria de Nueva York, aprovecha sus vacaciones para aceptar la invitación de una universidad a viajar a una selva en busca de ciertos instrumentos musicales. Allí se rebela contra su destino e intenta rehacer su vida. Pero fracasa y tiene que regresar a su abrumadora rutina.

---

[1] Gustavo Pérez Firmat, "El lenguaje secreto de *Los pasos perdidos*", *Modern Language Notes*, Baltimore, 99, 2, 1984, pp. 342-357.

[2] Eduardo González, "Los pasos perdidos, el azar y la aventura", *Revista Iberoamericana*, Pittsburgh, 38, 81, 1972, pp. 585-613.

La superposición de múltiples capas de sentido en *LPP*, la inagotable riqueza de su densidad intertextual y su "frondosidad verbal", han promovido muy diversas lecturas. Sin embargo, como ha señalado perspicazmente Donald Shaw, la intencionalidad ideológica de la novela ha sido poco o nada explorada, así como sus "caricaturizaciones" de escenarios –Nueva York–, o de personajes –la parisina Mouche–, tan marcadamente contrastados con sus otros respectivos –la ciudad hispanoamericana, la mestiza Rosario–, que se muestran mucho más como productos de la subjetividad del narrador, que como creaciones derivadas de la orientación política del autor,[3] quien, como ha sugerido González Echevarría, habría construido, desde la ironía, un protagonista quijotesco con el que jamás podríamos identificarnos ni nosotros ni él.[4]

Me interesa detenerme, como lo indica el título de estas páginas, en las Américas que nos propone este narrador de la novela: es decir, en los Estados Unidos, la América Latina, y la América profunda, anterior a la Conquista, pero –esta va a ser mi hipótesis–, en la medida en que son vividas, contempladas y descritas por él como intelectual que se llama a sí mismo "desarraigado", como hispano o latino *avant la lettre*, cuya mirada estrábica, doble, establece un permanente contrapunto, un contraste entre lo que siempre percibe como polarizado, como antagónico: el Norte *vs.* el Sur. Y que lejos de intentar resolver esta contradicción, lo que hará es obviarla, escaparse de ella mediante la vuelta edípica a un espacio prenatal, el "viaje a la semilla", al Cuarto Día de la Creación, es decir, a la selva.

Esta novela, como he intentado demostrarlo en otra ocasión,[5] impugna bien temprano los mitos modernistas de la "extraterritorialidad" del artista[6] y de la "ganancia estética" obtenida de la expatriación y del exilio,[7] concretizando su rechazo de manera particularmente alegó-

[3] Donald Shaw, *Alejo Carpentier,* Boston, Twayne Publishers, 1985, p. 51.

[4] Roberto González Echevarría, "Ironía y estilo en *Los pasos perdidos*", en su *Relecturas Estudios de literatura cubana,* Caracas, Monte Avila, 1975, *passim*.

[5] Luisa Campuzano, "Un extraño en dos ciudades", en *Alejo Carpentier et* Los pasos perdidos, Carmen Vázquez (comp.), París: INDIGO & côté femmes éditions, 2003, pp. 31-42.

[6] George Steiner, *Extra-territorial: Papers on Literature and the Language Revolution,* New York, Atheneum Press, 1971.

[7] Caren Kaplan, *Questions of Travel. Postmodern Discourses of Displacement* (1996), Durham y Londres, Duke University Press, 2da. ed., 1998, pp. 27-64.

rica en el episodio de los Reyes Magos de Los Altos, donde aparecen en
diálogo con Mouche tres jóvenes artistas locales para quienes París es el
único destino posible. Y esta es también –trato de sostenerlo ahora– la
primera novela latinoamericana en la cual la visión de las Américas está
dada desde la óptica tremendamente insólita a comienzos de los cincuenta del siglo XX, de alguien que sí-es-y-no-es, de un inmigrante, de
un *inbetween* no asumido, tan ignorante de su propia identidad, que es
justamente ante a esos tres jóvenes artistas de Los Altos que el narrador,
imaginando el futuro de ellos, comienza a reconstruir su propio pasado
de intelectual nómada, la inutilidad ahora mejor analizada de su vida, y
siente por primera vez la necesidad de hacer algo diferente, que será
totalmente radical –en el sentido etimológico del término–: internarse
en el espacio primigenio de la selva, arraigarse, hundirse en sus raíces.[8]

La crítica ha coincidido en resaltar, en el primer capítulo, la ambigüedad del protagonista, sujeto y objeto de una narración en primera
persona que se expresa en la escurridiza temporalidad del copretérito,
un pasado que no concluye, que continúa en el presente. De igual
modo, varios estudiosos, partiendo del hecho mismo de que es un sujeto innominado, opinan que hay mucho de desvaído, de poco consisten-
te en su caracterización.[9] Pero si buscamos en ella los rasgos y los desarrollos que lo presentan como un intelectual colocado en un contexto
posmigratorio de desarraigo, esta caracterización alcanza una elaboración literaria y una densidad psicológica mucho mayores que las que le
han concedido.

A mi parecer, el protagonista de *LPP* ostenta marcas de "ambigüedad", de "multiplicidad" mucho más profundas que las que se han atri-
buido a la anfibología derivada del uso de la primera persona singular
de copretérito,[10] o el equívoco inherente al yo hipostático de la literatura de viajes, que se desdobla, como sabemos, en el yo de entonces y de
allá, contemporáneo de su propio periplo, y el yo correspondiente al

[8] Luisa Campuzano, "Notas para un estudio de la relación entre artista y sociedad
en *Los pasos perdidos*: los 'Reyes Magos' de Los Altos", *Imán*, La Habana, II (1984-1985),
pp. 323-336.

[9] Para resumen crítico de la bibliografía al respecto, cf. Arno Giovannini, *Entre culturas: Los pasos perdidos de Alejo Carpentier*, Berna, Peter Lang, 1991, pp. 73-78.

[10] Roberto González Echevarría, "Introducción", en: Alejo Carpentier, *Los pasos
perdidos* (1953), ed. de Roberto González Echevarría, Madrid, Cátedra, 1985, p. 48.

ahora y el acá de su escritura. El protagonista de *LPP* es, también, por supuesto, el personaje escindido entre "el Yo presente y el Yo que hubiera aspirado a ser algún día", según se ve a sí mismo en el espejo del salón del Curador (87).[11] Porque es sobre todo el inmigrante que pasó inadvertida y rápidamente de la extrañeza y la distancia, a la incorporación y la naturalización, sin haber elaborado su duelo; el melancólico que se percibe a sí mismo como prisionero, y sólo encuentra formas de rebelarse en distintos modo de autoagresión.

Sin embargo, las señas del inmigrante apenas son perceptibles, y por eso han resultado irrelevantes para la crítica. Oculto bajo muchas máscaras que construye en su relato: la del músico devenido en publicitario, la del marido insatisfecho, la del veterano desencantado de la guerra, la del hastiado del mundo, la del prisionero de la ciudad, el rostro del inmigrante sólo asoma, alusivamente, en muy pocas ocasiones. Pero en momentos de cambio, como cuando Ruth, su esposa, parte de gira, y comienzan sus vacaciones; o cuando en su viaje llega a la ciudad hispanoamericana y reencuentra un escenario parecido al de su infancia y primera adolescencia ; o cuando decide internarse en la selva en busca de los instrumentos; repito, en esos momentos de cambio, de viraje, reaparece, como marca de su irrenunciable condición, el español, produciéndose lo que se ha llamado "el regreso de las palabras", es decir, el retorno de la lengua materna, esa conexión fragmentaria, pero nunca del todo interrumpida, mejor, ininterrumpible, del exiliado con un mundo perdido.[12] Del mismo modo su condición de inmigrante se pone en evidencia en el hecho de que toda su vida se desenvuelve, en la única comunidad posible para los escritores y artistas expatriados, según Raymond Williams, la comunidad del "medio" intelectual, "de sus propias prácticas"[13] constituida por la amante "surrealista", sus colegas del estudio fílmico, un pianista, una bailarina, una decoradora, un arquitecto, *Extieich*, el pintor ruso… (91-97), a los que se suman la esposa actriz, y posiblemente judía, y el Curador del museo, venido de algún

---

[11] Las citas de *LPP* corresponden a la edición preparada por Roberto González Echevarría; las páginas van a continuación del texto citado, entre paréntesis.

[12] Joseph Wittlin, "Sorrow and Grandeur of Exile", *apud* Caren Kaplan, o*p. cit.*, pp. 37-38.

[13] Raymond Willams, The Politics of Modernism: Against the New Conformists, Londres, Verso, 1989, p. 45.

país de Europa central. Cuando esta comunidad se esfuma, aunque sea transitoriamente –la gira de la esposa, las vacaciones del equipo publicitario–, el protagonista cae en el vacío, no sabe a dónde dirigir sus pasos. El yo-narrador de *LPP* sólo alude a su condición de inmigrante en dos momentos del primer capítulo, es decir, de la primera parte de la trama que se desarrolla en Nueva York: "luego de un *desarraigo* que me hiciera vivir *dos adolescencias –la que quedaba del otro lado del mar y la que aquí se había cerrado*– no veía dónde hallar alguna libertad fuera del desorden de mis noches [....] (73, mis énfasis); "El [Curador] sabía cómo yo *había sido desarraigado* en la adolescencia [...] (86, *idem*). Pero en el capítulo dos, que se desarrolla en la ciudad latinoamericana, y como en una suerte de anagnórisis provocada por los propósitos de los jóvenes artistas que ha encontrado en Los Altos –episodio que ya comentamos–, vuelve a referirse a su condición de inmigrante, casi con las mismas palabras, de modo que llega a resultar del todo evidente que ésta es, para él, una fijación, una obsesión recurrente en momentos límite y acuñada lingüísticamente en los mismos términos: "Yo percibía esta noche, al mirarlos, cuánto daño me hiciera un temprano desarraigo de este medio que había sido el mío hasta la adolescencia; cuánto había contribuido a desorientarme [...]" (138). Notemos que los términos que elige en las tres ocasiones para referirse a su traslado: "desarraigo", "desarraigado", están muy fuertemente cargados de la agresividad que aparece –ya recta, ya metafóricamente– en todas las acepciones del verbo del que se derivan[14]. Y esta agresividad es reforzada por el uso enfático y diacrítico del pronombre personal, y de la voz pasiva en "yo había sido desarraigado" y por el complemento de lugar del cual : "de este medio que había sido el mío" Por otra parte, quiero resaltar cómo la condición doble de las "dos adolescencias", se territorializa en "del otro lado del mar" y "aquí", y se concibe como binaridad: "la que quedaba" –pretérito imperfecto: "no terminado"– allá, y la que "se había cerrado" –pretérito pluscuamperfecto: "más que terminado"– aquí. O sea, que la adolescencia "que quedaba del otro lado del mar", permanecía de algún modo

---

[14] "Arrancar de raíz un árbol o una planta [...] Extinguir, extirpar enteramente una pasión, una costumbre, un vicio [...] Apartar del todo a uno de su opinión [...] Echar, desterrar a uno de donde vive o tiene su domicilio". Real Academia Española, *Diccionario de la lengua española*, Decimoséptima edición, Madrid, Espasa, 1947, p. 427.

más allá de ese gran espacio metafórico y real de separación, estaba "en este medio que había sido el mío" al que llega, aunque no sea el mismo, cuando viaja a la ciudad latinoamericana; mientras que la adolescencia de aquí, el "aquí" de Nueva York, era algo definitivamente clausurado, o que parece que el protagonista no quería ni siquiera recordar...

Estudios recientes sobre las llamadas "culturas del desplazamiento",[15] es decir, las culturas de las comunidades posmigratorias, coinciden en partir de las concepciones de Freud sobre la melancolía para abordar los conflictos producidos por el exilio,[16] la nostalgia,[17] o el discurso reticente con el que se representa la emigración.[18] Como sabemos, el duelo y la melancolía son, para Freud, reacciones "ante la pérdida de un ser querido o de una abstracción que haga sus veces, como la patria [...]"[19] (Freud, 1976, t. XIV, p. 241). El duelo puede ser superado con el tiempo. Pero cuando no se supera el dolor de la pérdida, cuando no se elabora el duelo, los sentimientos de pena y de tristeza se vuelven contra quien los experimenta, colocándolo en un estado melancólico que erosiona todas sus relaciones con el mundo exterior –que considera, al igual que el narrador de *LPP*, como un teatro o como una cárcel–, y lo lleva a la concentración narcisista en su autoconocimiento o su autoflagelación –lo que sucede igualmente con el narrador de *LPP*–. En la melancolía, la pérdida no se define muy claramente, es más inconsciente, o se bloquea. Duelo y melancolía, sin duda, aquejan al protagonista de *LPP* y modelan, entre otras cosas, su visión de cuanto le rodea. El ejemplo supremo es la ciudad en que reside, a la que llegaremos tras un breve, pero necesario preámbulo.

Estructurada en seis capítulos que ocupan, en la edición de Cátedra, unas doscientas cincuenta páginas, la novela concede al mundo de

---

[15] José David Saldívar, "Las fronteras de Nuestra América: para volver a trazar el mapa de los Estudios Culturales Nortemericanos", *Casa de las Américas*, La Habana, 37 (204), jul.-sep., p. 319.

[16] Caren Kaplan, *op. cit.*

[17] Svetlana Boym *The Future of Nostalgia*, Nueva York, Basic Books, 2001.

[18] Yolanda Martínez-San Miguel, *"Caribe Two Ways": cultura de la migración en el Caribe insular hispánico*, San Juan (Puerto Rico), Ediciones Callejón, 2003.

[19] Sigmund Freud, "Duelo y melancolía", *Obras completas*, Buenos Aires, Amorrortu, 1976, t. XIV, p. 241.

la selva tres y medio capítulos –es decir, algo más de sus tres quintas partes–, mientras que a los escenarios urbanos les reserva los dos capítulos iniciales y parte considerable del último. Porque en la lectura que propongo la selva es, como he dicho al principio, un viaje a lo prenatal, a lo primigenio, situado en un tiempo y un espacio totalmente ajenos y anteriores a la solución de su propio dilema, que el narrador no quiere resolver, sólo me ocuparé de las ciudades, visitando brevemente, en función de ellas, otra jungla no menos impresionante, la frondosísima *selva selvaggia* de los manuscritos y antetextos de *LPP*.

Comencemos con una breve revisión de la versión publicada, o sea, del relato de viaje del narrador, en el que el primer capítulo, como suele suceder en este tipo de narraciones, habla de un tiempo anterior al tiempo del viaje, es decir, del día y medio que lo antecede, capítulo que no lleva fechas porque habría sido escrito tras el periplo de su narrador y estaría, por tanto, impregnado de las consecuencias de su viaje.

Los epígrafes colocados a la cabeza de estos dos primeros capítulos desarrollados en Nueva York y la ciudad latinoamericana, constituyen verdaderas inscripciones esculpidas a su entrada y elocuentísimas proyecciones de lo que piensa de ellas quien, como narrador, como autor, ha elegido estos textos como cornisas para su propio relato y, sobre todo, como orientación para el lector –porque sin dudas sabe que esa es la finalidad de los epígrafes–: "Y los cielos que están sobre tu cabeza serán de metal; y la tierra que está debajo de ti, de hierro. Y palparás al mediodía como palpa el ciego en la oscuridad", es la ominosa cita del *Deuteronomio* (28-23-28) que abre la puerta de Nueva York; y "Ha! I scent life!" es el resplandeciente verso del *Prometheus Unbound,* de Shelley, que sirve de pórtico a la ciudad latinoamericana.

El marcado contraste que se evidencia en estos epígrafes, se despliega, como sabemos, a lo largo de los dos capítulos, que se construyen como crítica o alabanza, respectivamente, de los escenarios donde se desarrollan. Pero el enfrentamiento de Norte y Sur que su lectura sucesiva promueve, no llega a ser, en esta primera parte de la novela, más que una concreción metonímica de la propia lucha interior del protagonista, quien no ofrece argumentos históricos, políticos o económicos, que justifiquen sus juicios, sino que meramente traduce, a nivel sensorial, sus experiencias vitales tanto en Nueva York como en la ciudad latinoamericana.

Pero como estas experiencias se proyectan igualmente como un enfrentamiento, una confrontación entre lo que fue su pasado, y el futuro que se le arrebatara cuando lo llevó su padre al Norte, futuro que vive ahora allí como penoso presente, la satisfacción que proporciona a sus sentidos, por ejemplo, lo que huele, oye, come o ve en el Sur, tiene como correlato negativo a Nueva York, lo que de modo implícito, y por ello no menos elocuente, se inscribe en su relato: en Nueva York los repiques de las campanas de las iglesias son puras grabaciones, el pan se fabrica industrialmente, no hay pregones en las calles, etc. En la ciudad latinoamericana esta plenitud sensorial funciona, proustianamente, como activadora de la memoria, permitiéndole poco a poco rescatar su lengua, sus recuerdos. Por último, ya en camino hacia la selva, después de haberse visto a sí mismo, fuera de sí, en el espejo de los Reyes Magos de Los Altos, la memoria activada en la ciudad parecida a la de su infancia, le permite superar las pérdidas sucesivas y coincidentes de la madre y de la patria –que se confunden en el duelo–, su desamparo, su desarraigo, y ese desmedro que el padre, despreciador de todo lo latinoamericano, había instalado en él. Así parece recuperar la memoria de un pasado que vivió en otra ciudad: "la ciudad cálida y bulliciosa de [su] nacimiento" (153), que es a todas luces La Habana; su calle, que es la calzada de Jesús del Monte,[20] con su parroquia epónima; y su casa, una típica casa de la clase media alta cubana de fines del siglo XIX o comienzos del XX, "de ancho soportal con columnas encaladas" y unas "lucetas azules, blancas, rojas, que cierran el arco del recibidor con gran abanico de vidrio" (157-158).

Si la descripción de Nueva York es vaga, alusiva, en el primer capítulo, resulta mucho menos reticente en el sexto, cuando el protagonista decide aprovechar su regreso a la ciudad para cumplir su compromiso con la universidad, divorciarse de su esposa y adquirir lo necesario para desarrollar su trabajo en Santa Mónica de los Venados. Desde que el avión comienza a aproximarse a la ciudad, cuando todavía no sabe todo lo que va a ocurrirle, su visión, afinada por la distancia y el contras-

---

[20] En carta a Pepe Rodríguez Feo de octubre de 1949, Carpentier aludía, en relación con la representación de La Habana en la literatura cubana contemporánea, a su lectura de *En la Calzada de Jesús del Monte*, poemario de Eliseo Diego aparecido ese mismo año, donde creía encontrar. Cfr. Luisa Campuzano, *Carpentier entonces y ahora*, La Habana, Letras Cubanas, 1997, pp. 22-24.

te con los mundos que ha recuperado o conocido, es un poco más concreta, más crítica en lo específicamente mensurable; y por tanto, si bien el narrador sigue siendo sobre todo oblicuo en sus descripciones –recordemos su construcción de la ciudad como prisión a partir de la rememoración de las cárceles de Piranesi–, aun cuando cae sobre él toda la serie de infortunios que Mouche y Ruth desencadenan, resultan más reconocibles como neoyorkinos los espacios, y más identificables como tales, en particular, las costumbres y el ambiente. Por ejemplo, el poder desmesurado de la prensa –que lo hará sucesivamente su objetivo, su instrumento y su víctima–; la mecánica de un sistema judicial viciado por los tecnicismos y las argucias de los abogados –que lo dejarán sin un centavo–; el puritanismo de una sociedad hipócrita –que le retira todo apoyo–, etcétera.

Las más elaboradas imágenes de la Nueva York de *LPP*, no están en *LPP*. En una lectura de esta novela como texto del narrador, como su relato de viaje, podemos aceptar cómodamente la ausencia de su nombre, pero por qué, precisamente en un relato de viaje, los escenarios se desdibujan y se someten al anonimato. En *LPP*, la Nueva York del primer capítulo es sobre todo una atmósfera, un modo de vivir atropelladamente y sin sentido, una suma de inteligentes y elípticas alusiones (la librería Brentano's –único espacio que lleva su nombre–, sirenas de barcos que se respondían de río a río por encima de los edificios, el Museo). En verdad, las más elaboradas imágenes de la Nueva York de *LPP* se quedaron en los esbozos o en los manuscritos, suprimidas, reprimidas por el autor.

Llegada a este punto, es necesario precisar, siquiera brevemente, de qué hablo cuando me refiero a los manuscritos de *LPP*, antes de detenerme en alguno de ellos.[21] Entre la gran cantidad y variedad de manuscritos de *LPP* entregados por su autor a la Biblioteca Nacional « José Martí » de La Habana a lo largo de los años setenta, que suman varios miles de páginas, hay múltiples reescrituras de tres versiones distintas de la novela, mecanografiadas y con títulos cuidadosamente establecidos: *Las vacaciones de Sísifo*,[22] *Santa Mónica de los Venados*[23], y por último, tras

[21] Agradezco a Lilia Carpentier su autorización para consultar estos manuscritos y a Araceli García Carranza su siempre generosa ayuda.
[22] BNJM. CM Alejo Carpentier, n° 180.
[23] BNJM. CM Alejo Carpentier, n° 96.

una larga indecisión certificada por el espacio en blanco dejado a la cabeza de cada página de sucesivas realizaciones de la que llegaría a ser la versión definitiva, *Los pasos perdidos*[24]. También hay decenas de apuntes de diverso carácter, escritos a lápiz o a pluma: citas, notas, proyectos esquemáticos de elaboración u ordenación de capítulos –dispersos en distintos sobres y carpetas–; así como centenares de páginas también manuscritas, y reunidas en sobres rubricados como «trabajo preparatorio[25]». A ello se suman, por una parte, conglomerados de múltiples versiones de centenares de páginas y notas mayormente mecanografiadas, correspondientes a distintos estados de elaboración de diferentes pasajes de las distintas versiones de la novela[26]; y por otra, diversos antetextos publicados o inéditos, e inclusive un álbum con cincuenta y tres fotografías, rotulado, siguiendo indicaciones del autor, «Escenario de *Los pasos perdidos* de Alejo Carpentier».

Quisiera transcribir y apenas anotar un boceto de la novela –preparado, a mi entender no antes, sino en el transcurso de su primera fase de redacción–, y tan temprano, que todavía el narrador es un fotógrafo, y no el músico que conocemos en *LPP*. Quiero hacerlo porque en este boceto se percibe muy claramente la importancia, el peso de la presencia de espacios neoyorkinos, la evidencia de que la trama se inicia en esta ciudad cuya identidad va a ser desvanecida en la versión final:

> I
> Despierta de noche
> Subway
> Cámara obscura
> Películas publicitarias
> (No sabe lo que come en la obscuridad – salmón etc)
> Sale de noche
> Cita en bar a obscuras donde se baila
> Base ball nocturno
> Noche de alcohol
> Somnífero – (¿lesbiana?)
> (Ausencia de tiempo)

---

[24] BNJM. CM Alejo Carpentier, n° 65 y n° 68.
[25] BNJM. CM Carpentier, n° 66, 1ª carpeta.
[26] BNJM. CM Alejo Carpentier, n° 66, 2da carpeta.

II
Cuando le llegan las vacaciones duerme
Almuerza en un sótano
Va a C. Park en busca de aire puro (Frío)
Entra en una conferencia sobre la prehistoria
A la salida le proponen lo de las fotos
Estatua de la Libertad
III
El tiempo empieza a retroceder
Mientras *menos* luz artificial, más luz *de sol* –Mientras mayor lentitud, más
tiempo– Mientras menos adelantos, alimentos *más cabales*. Descubrimiento de la
carne. A la vez, *la carne* de la mujer [.....]^{27}

Lo anotado bajo las cifras romanas I y II corresponde en parte
–por ejemplo, la escena en el subway– a desarrollos de los primeros
capítulos de *Las vacaciones de Sísifo* y de *Santa Mónica de los Venados*, versiones iniciales de *LPP*. Otras secciones se desplazan –i.e., la cita en el
bar, que pasa al capítulo VI–, se reducen notablemente, o se transfor-
man e introducen en otro contexto –v.g. la película publicitaria– en la
versión definitiva. Y otra parte, ni siquiera se escribe, o, si se escribió, no
se conserva en los manuscritos: el baseball nocturno, el paseo por el
Central Park, la Estatua de la Libertad.

Como sabemos, cuando más seguro está el narrador de que ha
encontrado su lugar para siempre en Santa Mónica de los Venados, la
ciudad recién fundada en la selva, llega un avión a buscarlo, porque su
demora en regresar a Nueva York ha dado lugar a que piensen esposa y
amigos que ha desaparecido o ha sido secuestrado. Y a partir de ese
momento, poco a poco vuelve a ser quien era. Al tenderle el piloto una
cantimplora con wisky y un cigarrillo de tabaco rubio, regresan las
ansias de otros sabores. Pero es no sólo eso, sino que, como dice:

el idioma de los hombres del aire, que fue mi idioma durante años, desplaza en
mi mente [...] el idioma matriz, el de mi madre, el de Rosario. Apenas si puedo
pensar en español, como había vuelto a hacerlo, ante la sonoridad de vocablos
que ponen la confusión en mi ánimo. (292)

Confusión que percibe como una doble identidad incapaz de ser
descifrada por él:

---

^{27} BNJM. CM Carpentier, n°66, 1ª carpeta..

> Hay, dentro de mí mismo, como un agitarse de otro que también soy yo, y
> no acaba de ajustarse a su propia estampa; él y yo nos superponemos incómoda-
> mente, como esas planchas movidas de un tiro de litografía [...] – como cosas
> que ojos sanos contemplan con lentes de miope. [...] Me siento a la vez desha-
> bitado y mal habitado (291)

Obviamente, de regreso por primera vez a Nueva York, el narrador
no sabe todavía quién es, qué le sucede, cómo convivir con esa identidad doble que percibe como el error de una máquina litográfica o de
unos lentes de miope. Como la novela termina cuando el protagonista
sube a la embarcación con que inicia su segundo y definitivo viaje de
retorno a Nueva York, convencido de que no puede hacer otra cosa,
sino regresar, no sabemos si él ha logrado dar consigo mismo; si ha podido reconciliar sus dos mitades tras la dilatada rememoración por escrito
de cuanto ha vivido. Pero lo que se nos ofrece con el libro que estamos
terminando de leer, porque allí, en aquel embarcadero de la selva concluye, precisamente en ese instante en que inicia su último retorno a
Nueva York, no sólo es el relato de viaje del protagonista, sino también
un relato autobiográfico, un verdadero resumen de su *iter vitae,* dada la
recuperación de distintos momentos de su pasado que incorpora a su
escritura. Y esto, aunque él no lo acepte o no se lo pueda explicar,
refuerza nuestra lectura de su condición vital como la condición de un
inmigrante, porque precisamente,

> casi todas las primeras obras de narradores pertenecientes a las minorías étnicas
> norteamericanas poseen –incluso en mayor medida de lo que sucede con la pri-
> mera novela de cualquier autor– un definido carácter autobiográfico [debido a
> que] les urge, más que a otros, textualizar sus propias vidas, como la vía de expli-
> carfse su experiencia en relación con una cultura que tiende a marginarlos,
> cuando no a rechazarlos.[28]

Como sabemos, los libros y las obras de arte nos dicen *hoy.* Por ello,
en el inicio de un siglo que se nos anuncia como el de los grandes desplazamientos humanos, y, consecuentemente, como el del surgimiento
o la multiplicación, en tensos contextos posmigratorios, de nuevas identidades híbridas, bilingües, productoras de una cultura de fronteras, he

---

[28] Julio Rodríguez-Luis. "Sobre la literatura hispánica en los Estados Unidos".
Casa de las Américas Américas 34 (193), oct.-dic 1993, p. 40.

querido resaltar en esta lectura, como homenaje a su autor, la vigencia de *Los pasos perdidos*, sin dudas una novela de despiadada, incisiva y apasionante actualidad.

El acoso: ruptura, crisis y continuidad

LEONARDO PADURA FUENTES
Escritor y crítico cubano

> La novela debe llegar más allá de la narración, del relato,
> vale decir: de la novela misma, en todo tiempo, en toda época,
> abarcando aquello que Jean Paul Sartre llama "los contextos".
> ALEJO CARPENRTIER, *Problemática de la actual novela latinoamericana.*

Siempre me ha resultado sospechoso –por no decir revelador– el escaso interés que han manifestado los estudiosos de la narrativa carpenteriana por su novela de 1956, *El acoso*. Más mencionada que analizada, más comentada que examinada, esta breve y en verdad desconcertante pieza de algo más de cien páginas, parece haber desestimulado a críticos y ensayistas que, al no encontrar en ella el reflejo directo de las grandes preocupaciones épicas y teóricas del escritor cubano, han preferido obviarla, en favor del estudio de las novelas "clásicamente" carpenterinas, a través de las que se accede con mayor facilidad a una proposición conceptual sostenida por el novelista a lo largo de muchos años.

Publicada por primera vez en una edición de la casa argentina Losada, en 1956, y luego incluida en la versión original de *Guerra del tiempo*, en 1958, ciertamente *El acoso* resulta una obra conceptualmente atípica en el universo de Carpentier, por cuanto no aparecen en ella ni un tratamiento sostenido y manifiesto de los elementos más visibles de su teoría de lo real maravilloso americano, concebida como la manifestación de una realidad altamente específica –como ocurriera en las piezas anteriores, *El reino de este mundo* (1949) y *Los pasos perdidos* (1953)–, ni búsquedas explícitas en temas tan recurrentes –también en la narrativa posterior del autor– como la libertad y la evasión en su sentido metafísico, el fluir circular del tiempo, el peculiar contexto afrocaribeño con sus componentes mágicos o el enjundioso problema del hombre y la historia como reflexión filosófica global.

En cambio, la pertenencia de *El acoso* al universo literario de Carpentier se hace mucho más evidente en determinados componentes formales, como ocurre con su estilo profundamente barroco –es, qui-

191

zás, la más barroca de todas sus obras, tanto por su lenguaje como por su construcción–, con su empleo de la narración y la descripción en ausencia de diálogos, con su estructura compleja y fragmentada, y con la utilización de la música como referente composicional y argumental, entre otros.

La aparente "inconsecuencia" contenidista de *El acoso*, sin embargo, más que una omisión analítica, reclama precisamente un atento escrutinio de las singularidades de la novela, capaz de ubicarla en función del examen evolutivo de la literatura carpenteriana y para la necesaria búsqueda de constantes y rupturas con la obra pasada y con la venidera del gran novelista cubano. Indagar hasta qué punto –y por qué– *El acoso* se aleja de los rumbos más tradicionales en este tan homogéneo devenir estético es, pues, el verdadero reto crítico que levanta una pieza aparentemente descarriada...

Ante todo es preciso, entonces, detenerse en la composición misma de la novela. El argumento de *El acoso* aparece estructurado en tres partes –notadas con números romanos– que, a su vez, se dividen en 18 bloques o capítulos –separados por espacios– que se distribuyen así:

I Parte: 3 bloques;
II Parte: 13 bloques;
III Parte: 2 bloques.

Con esta estructura, según comentara el propio autor, "quise hacer un relato que fuera un poco una forma de sonata, una construcción tripartita. Hay una primera parte que es la exposición de los tres personajes, es decir, de los tres temas; hay un juego de variaciones centrales; hay, al final, lo que en música corresponde a la coda".[1]

La primera parte, que se desarrolla casi completamente en el teatro donde se ejecuta la *Sinfonía Heroica* de Beethoven, presenta a los dos personajes que alternarán la conducción del relato: un taquillero, estudiante de música, que narra en tercera persona; y un perseguido –el Acosado, quien utiliza el monólogo interior en primera persona–, que trata de refugiarse en la sala de conciertos, a donde ha llegado seguido por dos hombres. El tercer bloque cuenta la aventura frustrada del

---

[1] Alejo Carpentier. "Entrevista en Radio Televisión Francesa" (París, 1963), en *Entrevistas*, Compilación, selección, prólogo y notas de Virgilio López Lemus, Editorial Letras Cubanas, Ciudad de La Habana, 1985, p. 92.

taquillero con la prostituta Estrella y su regreso al teatro, antes de que termine la ejecución de la obra.

La segunda parte, mientras tanto, sólo narrada por el Acosado, se desarrolla con dos personas narrativas –tercera del singular y momentos de monólogo interior– y con dos ritmos temporales diversos: mientras los bloques 1 al 3 transcurren en seis días, los diez restantes –desde la muerte de la anciana en cuya casa se ha refugiado, hasta la llegada al teatro– ocurren en unas pocas horas, durante la misma noche, y en su devenir argumental se mueve en dos tiempos a su vez diferentes: el presente de persecusión y terror, y el pasado, que va de la pasión revolucionaria a la traición por miedo.

La tercera parte, finalmente, en apenas dos capítulos que se desarrollan otra vez en la sala de conciertos, se reparten uno para el monólogo interior del Acosado y otro para el taquillero, que referirá la noticia de la ejecución del protagonista.

La parte con mayor peso argumental de la obra, la II, permite armar, a través de un escabroso montaje, la historia del Acosado y las razones de su huida y persecución. Así, según sintetiza Frances Wyers, en uno de los pocos estudios serios de la novela:

> Relacionando coincidencias triviales y estableciendo mentalmente el sistema de referencias dobles se puede recomponer la biografía del estudiante provinciano que vino a la capital a estudiar arquitectura. Los acontecimientos siguen este orden: al llegar a La Habana vive cierto tiempo con su vieja nodriza, se hace miembro del Partido Comunista, pero después de ver que la policía ha reprimido violentamente una manifestación estudiantil, pasa "al bando de los impacientes". Aunque sus actos de terrorismo comienzan de un modo harto idealista ("Todo había sido justo, heroico, sublime en el comienzo"), el juicio sumarísimo y leonino de un estudiante enemigo ("época del Tribunal") y su primer asesinato político, le precipitan en lo que él reconoce como una "burocracia del terror", un sindicato del crimen que cínicamente se aprovecha del fervor y el idealismo de sus miembros. Finalmente, como si fuera un asesino a sueldo, acepta una cantidad por dirigir la eliminación del adversario político de cierto Alto Personaje. Arrestado a la mañana siguiente del crimen, el estudiante delata por miedo a la tortura y, al salir de la cárcel, se halla él mismo perseguido por sus anteriores socios.[2]

---

[2] Francis Wyers Weber. "*El acoso*: la guerra del tiempo de Alejo Carpentier", en *Asedios a Carpentier*, Editorial Universitaria, Santiago de Chile, 1972, pp. 149-150.

Si transcribo tan minuciosa descripción argumental de la novela se debe a que, del ordenamiento de los hechos anteriores a la última jornada del Acosado, y los de esa misma noche de juicio final, depende la comprensión del manejo de varios elementos importantes en esta obra: el tiempo narrativo, la relación con el referente histórico y el contexto urbano donde se desarrolla el relato y hasta el tipo de realismo utilizado por el escritor.

Aunque en un primer momento el complicado montaje argumental de *El acoso* (estructurado, como decía, por dos voces narrativas –el Acosado y el taquillero– y organizado sobre monólogos interiores que dislocan el tiempo y constantes retrospectivas introducidas como verdaderos *flash-back* de indudable sabor cinematográfico) podría hacer pensar en un manejo del tiempo similar a los diversos modelos ya trabajados por Carpentier, lo cierto es que el ordenamiento cronológico y consecutivo de los acontecimientos advierte que, en esta ocasión, sólo se trata de una proposición formal, más que una elaboración conceptual, por cuanto la aparente desorganización temporal únicamente implica al montaje mismo y no a una específica concepción del tiempo, visto como decursar invertido o como transcurrir recurrente –tal como sucede en *Los pasos perdidos* o "Semejante a la noche". Sólo el tiempo interno de la obra ha sido entonces descompuesto en planos que se alternan y superponen de acuerdo a las leyes de la recuperación de la memoria trabajadas por la técnica del monólogo interior, recurso al que –explícita o implícitamente, en primera o en tercera persona– acude Carpentier en los bloques narrados por su protagonista.

Mientras tanto, el tiempo como fluir histórico global, que había alcanzado incluso categoría temática en piezas anteriores del autor, permanece al margen de la reflexión carpenteriana, ajena en esta ocasión a las arduas nociones filosóficas e históricas típicas del autor. Sólo una mirada crítica muy empecinada podría dedicarse a buscar una especial voluntad hacia lo histórico como manifestación del tiempo en la presencia de ciertas permanencias temporales –sentimientos como el miedo–, en la profunda (y para mí dudosa) relación entre el mensaje épico de la *Heroica* y los sucesos de esa noche, o, incluso, en los códigos morales que decretan el destino de los personajes. Pero todos estos elementos, a mi juicio, apenas afectarían la esencial voluntad carpenteriana de mantener, en esta novela, las reflexiones sobre el tiempo sólo en el plano de la realización estética y de la recuperación de la memoria.

Pero el hecho de que existan dos tiempos en la obra, sin duda contribuye a complejizar su asimilación: así, en el texto se funden un presente de cuarenta y seis minutos –o sea, el tiempo que dura la ejecución de la *Heroica*, principio y fin de la novela– y un pasado que, aun abarcando varios años –desde la llegada del Acosado a La Habana, como estudiante de arquitectura–, concentra sus acontecimientos en las horas previas al concierto –desde la muerte de la vieja nodriza hasta el encuentro del Acosado con sus perseguidores, todo en la misma noche.

Sin embargo, la relatividad del tiempo que propone la estructura de la novela está puesto en función, ante todo, de una tesis existencial –y de filiación existencialista– relacionada con el carácter mismo de la vida del hombre: ¿qué hechos fortuitos y qué decisiones llevaron a ese personaje a la sala de conciertos donde será ejecutado?; ¿por qué caminos se organizó –o desorganizó– su existencia para llegar a tal estado ya irreversible?

Estas preguntas, que el Acosado se hace desde su monólogo de la I Parte, buscarán su respuesta en la II, cuando a partir de su memoria reconstruya su vida, haga un recuento de decisiones y compromisos lentamente expuestos en la novela. El tránsito de la pregunta desencadenante –I parte– a la búsqueda de las razones –II parte–, podría satisfacer el juicio de un clásico diccionario filosófico marxista que asegura: "Según la doctrina existencialista, para adquirir conciencia de sí mismo como 'existencia' el hombre ha de encontrarse en una 'situación límite', por ejemplo, ante la faz de la muerte"[3]. Por ello el personaje apenas hallará la respuesta en el monólogo final, cuando descubra que sólo un posible regreso a sus orígenes –viaje a la semilla– podría salvarlo de sus errores, y por eso desea:

> volver a las chozas de la infancia, hechas de tablas, de retazos, de cartones, donde me agazapaba en días de lluvia, entre las gallinas mojadas, cuando todo era humedad, borbollones, goteras –como ahora– y no respondía a los que me llamaban, haciéndome gozar mejor de mi soledad en penumbras, no responder cuando me llamaban, saberme buscado donde no estaba...[4]

---

[3] M. Rosental y P. Iudin. *Diccionario filosófico*. Editora Política, La Habana, 1981.

[4] Alejo Carpentier. *El acoso*, en *Dos novelas. El reino de este mundo. El acoso*, Editorial Arte y Literatura, La Habana, 1976, pp. 256-257. El resto de las referencias a la novela, anotadas por la paginación, corresponden a esta edición.

Pero el regreso a este mundo idílico, desde un "abominable presente", es ya imposible. Con razón Ariel Dorfman ha anotado sobre este vivir de lo histórico –la propia vida– en *El acoso* que:

> enfoca a un hombre que vive lo histórico desde una situación límite, donde el tiempo concreto pesa más que en otras novelas, este acoso donde cada hecho, minúsculo, casi casual, forma parte de una irrepetible y fatal marcha hacia la muerte. Para el acosado [...] la Historia es el inescapable mecanismo de un reloj dentro del cual se encuentra, perseguido por quienes traicionó. Por primera vez y por última [hasta el momento en que Dorfman publica su texto], Carpentier rechaza lo panorámico, para buscar el engranaje existencial, momento a momento, con que se crea una vida humana, "el encadenamiento implacable de los hechos"...[5]

La historia como transcurrir fatalmente imperturbable, del cual no hay posibilidad de escapar (aun cuando se adquiera "conciencia de sí mismo"), y la decisión como acto único de ejercicio de la libertad, advierten claramente la permanencia de cruciales nociones existencialistas en esta novela sobre la cual, poco después de publicada *El siglo de las luces* y ya establecido en Cuba otra vez, diría Carpentier –en tono casi de "culpable" de devaneos ideológicos ajenos a la ortodoxia marxista– que "...*El acoso* es *quizás* mi único libro, creo, que puede parecer pesimista, algo desesperado, porque es la historia de un esfuerzo inútil".[6]

El esfuerzo inútil es la revolución (real) que fracasa y que arrastra en su espiral macabra a muchas personas como este futuro Acosado, y la Historia (la realidad) es la cárcel que le ofrece Carpentier a un personaje para el cual es imposible cualquier evasión (ya sea la del Marcial de "Viaje a la semilla" o la del narrador de *Los pasos perdidos*), cualquier redefinición y nuevo comienzo (como los emprendidos por Ti Noel o Juan el Indiano en "El Camino de Santiago"), incluso cualquier conocimiento certero de su papel histórico (como el soldado griego de "Semejante a la noche"). Sólo en el destino fatal del protagonista de *Ecue-*

---

[5] Ariel Dorfman. "El sentido de la historia en Alejo Carpentier", en *Imaginación y violencia en América Latina*, Ed. Universitaria, Santiago de Chile, 1970, p. 108.

[6] Alejo Carpentier. *Entrevistas*, p. 92, ed. citada. Sobre los referentes históricos de *El acoso* véase: Modesto G. Sánchez, "El fondo histórico de *El acoso*: época heroica y época de botín", *Revista Iberoamericana*, números 92-93, Pittsburgh, julio-diciembre, 1975.

Yamba-O –que será el mismo destino que espera a su hijo– hay alguna referencia a tan pesimista actitud en la obra de Carpentier, con la diferencia de que para el negro Menegildo la vida era una extraña conjunción de voluntades humanas y misterios sobrenaturales –que lo acercaban a la tragedia griega–, mientras que para el Acosado la más rampante realidad –con su fracaso histórico– es la única medida de un destino que él mismo ha ido forjándose con sucesivas decisiones que lo llevan a la exclusión final de todas las cofradías y, por ende, a la muerte –tal como ocurre en más de una novela existencialista.

De este modo, la involución humana e ideológica del personaje es el reflejo mismo de su tránsito por la historia, pues antes de sufrir la crisis mística de sus últimas horas, cuando pretende asumir una fe católica que de algún modo lo salve de su circunstancia desesperada, ha sido, sucesivamente, militante del Partido Comunista, violento extremista de izquierda, gángster a sueldo y, finalmente, traidor. Pero, a estas alturas, poco importa ya que comprenda, al encontrar el viejo carnet del Partido, que su militancia pudo ser "...la última barrera que hubiera podido preservarle de lo abominable" (p. 193): ya trascendió todas las fronteras y por ello hasta el refugio religioso le es negado, espiritual y materialmente, cuando es expulsado de la iglesia, en el penúltimo bloque de la II parte, para ya caer en manos de sus perseguidores.

La anulación del hombre ante las circunstancias, la falta de sentido que adquiere su dimensión humana en el juego histórico, el valor mínimo de la vida queda patentizada con el final del protagonista: mientras Carpentier se dedicó en la II parte a recoger el detallado curso de una vida, la muerte del personaje se resolverá como un hecho insignificante. Desde la perspectiva del taquillero –que por momentos parece utilizado en la novela únicamente para que asuma la narración de este final–, en el último párrafo del libro, cuenta:

> Entonces, dos espectadores que habían permanecido en sus asientos de penúltima fila se levantaron lentamente, atravesaron la platea desierta, cuyas luces se iban apagando y se asomaron sobre el barandal de un palco ya en sombras, disparando a la alfombra. Algunos músicos salieron al escenario, con los sombreros puestos, abrazados a sus instrumentos, creyendo que los estampidos pudieran haber sido un efecto singular de la tormenta, pues, en aquel instante, un prolongado trueno retumbaba en las techumbres del teatro. (p. 260-261)

La intención de Carpentier es evidente: el personaje ni siquiera tiene nombre – "Uno menos –dijo el policía recién llamado, empujando el cadáver con un pie"–, su muerte no es descrita directamente, los disparos apenas son escuchados y, como revelación final sabemos que el dinero tenido por falso, con el que el Acosado quizás se hubiera podido salvar, era en realidad "bueno". ¿Qué queda de "la grandeza del hombre" pregonada en *El reino de este mundo*? Nada: el fracaso es el vacío, la revolución es su contrario, la historia es el absurdo de la vida cuando se le reduce a la perspectiva de un individuo...

No obstante, las ideas puestas en juego en esta novela y la selección misma de su asunto y su argumento, indican una relación literaria más abarcadora que la de una influencia filosófica y la de una visión del mundo asumida por Carpentier, pues engloba también una específica relación con el referente: *El acoso* parte de una realidad-real, de un suceso histórico, que Carpentier conoció y sobre el cual su imaginación apenas funcionó como mecanismo de ordenamiento estético. No hay pues, en esta obra, la recurrencia a los referentes textuales que tantas veces manejó, sino el conocimiento directo, más o menos vívido (por vivido) de acontecimientos reales –y el escritor ha hablado incluso de una voluntad testimonial a través del montaje de varias historias verídicas del momento revolucionario cubano de los años 30, ubicables en la génesis argumental de la obra. El pesimismo que trasuma la novela, entonces, es el pesimismo ante una realidad conocida.

Lo interesante, en la visión evolutiva de la obra carpenteriana, está en medir las diferencias de la óptica filosófica con que asume esta historia-real y la que, veinte años después, utilizaría al redactar su novela *La consagración de la primavera*, un verdadero canto a la esperanza, a la fe, a la victoria, a través de un realismo que –no sólo en cuanto al mensaje– compartía ya presupuestos del realismo socialista al que se acerca el Carpentier más militante. La violenta transformación de un pesimismo histórico raigal que lo compulsa a trabajar –y escoger, ante todo– la historia de un fracaso (un esfuerzo inútil) a través de la biografía de un traidor, en la optimista adopción de una larga historia coronada por la consagración victoriosa, advierte –calidades estéticas aparte, mucho mayores sin duda en la novela "pesimista" de 1956 que en la "optimista" de 1978– cuánto han cambiado las nociones históricas de Carpentier en ese período. Sin embargo, la primera transformación ya se había visto en el combativo final de *El siglo de las luces* –a pesar de las distancias argumentales respecto a *El acoso*–, cuando Carpentier dio a Esteban y Sofía la ocasión de morir luchando, a pesar del fracaso revolucionario que han vivido. La ruptura que en tal sentido se producirá respecto a *El acoso* claramente advierte los rigores de una profunda evolución ideoestética.

El tratamiento realista de un referente (una historia-real, eminentemente política) en una estructura compleja de acuerdo a sus proposiciones filosóficas y a su peculiar tratamiento estético del tiempo, está indicando, además, la existencia de una voluntad metodológica en el escritor. Por primera vez en su novelística Carpentier ha prescindido de ambientes y situaciones exóticas, incluso para la mirada de un latinoamericano; también por primera vez lo sicológico ha sido antepuesto a lo épico, al punto de que la peripecia del libro es posible de resumir en unas pocas líneas; y, finalmente, en *El acoso*, también por primera vez en las novelas de Carpentier, está excluido todo elemento mágico, todo elemento fantástico y toda búsqueda explícita de lo singular americano, ya sea por su manifestación folklorizante o por su tratamiento diferenciador y por eso sólo es posible constatar una presencia evidente de lo que él ha definido como lo real maravilloso en el ámbito físico de una ciudad (La Habana), de la cual trata de revelar, en sustanciales aunque breves disquisiciones, el espíritu barroco que alienta su arquitectura y, sobre todo, su inconfundible fisonomía espiritual, tan escabrosas como la estructura y el lenguaje empleados por el escritor.

LA CIUDAD DEL ACOSADO

La narrativa cubana, cuya fundación puede ubicarse inequívocamente en la segunda mitad de la década del 30 del siglo XIX nace con una misión y con una conciencia que pudiéramos llamar contextual: contextos raciales, de iluminación, políticos, económicos y, por supuesto arquitectónicos, sobre todo en el caso de la narrativa urbana, que se ocupó, fundamentalmente, y a través de un temprano proceso narrativo, de la construcción de una imagen de la ciudad de La Habana como referente o espejo de la nación en ciernes.

Del romanticismo costumbrista de Cirilo Villaverde al realismo finisecular de Ramón Meza, La Habana decimonónica cobró una notable corporeidad literaria en la narrativa insular, que luego se encargarían de profundizar, ya en el siglo XX, los principales autores afiliados a la estética naturalista, Miguel de Carrión y Carlos Loveira.

Ya hacia la década del 40 del pasado siglo, cuando confluyen autores como el propio Carpentier y otros no menos notables entre los que cabe citar a Lino Novás Calvo y Carlos Montenegro –ambos, curiosamente, gallegos de nacimiento–, La Habana es una ciudad con una literatura y con una imagen literaria, a pesar de lo cual, todavía en la década del 60 en su ensayo "Problemática de la actual novela latinoamericana", Alejo Caprentier llega a afirmar:

> creo que ciertas realidad americanas, por no haber sido explotadas literariamente, por no haber sido nombradas, exigen un largo, vasto, paciente proceso de observación. Y que acaso nuestras ciudades, por no haber entrado aun en la literatura, son más difíciles de manejar que las selvas y las montañas [...] Al ver cuán pocas veces han dado los novelistas cubanos, hasta ahora, con la esencia de La Habana, me convenzo de que la gran tarea del novelista americano de hoy está en inscribir la fisonomía de sus ciudades en la literatura universal, olvidándose de tipicimos y costumbrismos. Hay que fijar la fisonomía de las ciudades como fijó Joyce la de Dublín.[7]

Y agrega, casi de inmediato: "La gran dificicultad de utilizar nuestras ciudades como escenarios de novelas está en que nuestras ciudades *no tienen estilo.*"[8], y abunda:

> Las [ciudades] nuestras [...] están de hace tiempo en proceso de simbiosis, de amalgama, de transmutaciones –tanto en lo arquitectónico como en lo humano. Los objetos, las gentes, establecen nuevas escalas de valores entre sí, a medida que al hombre americano le van saliendo las muelas del juicio. Nuestras ciudades *no tienen estilo.* Y sin embargo empezamos a descubrir ahora que tienen lo que podríamos llamar un *tercer estilo.* O que comenzaron por no tener estilo, como las rocallas del rococó...[9]

Moviéndose entre una problemática que considera común a la literatura latinoamericana y, por lo tanto, también propia de la novelística cubana, Carpentier parece tener una lectura y una visión por momentos

---

[7] Alejo Carpentier. "Problemática de la actual novela latinoamericana", *Tientos y diferencias,* en *Ensayos,* Editorial Letras Cubanas, Ciudad de La Habana, 1984, pp. 11-12. (La primera edición del libro es de 1964).

[8] Ibidem, p. 13.

[9] Ibidem, p. 13.

excesivamente física, esencialmente arquitectónica y, por lo tanto, limitada al espacio visible más que al intangible, si nos atenemos a la narrativa dedicada a La Habana escrita no ya cuando publica *El acoso* (1956), sino ocho años después, cuando publica su ensayo. Pero aun así agrega a su análisis:

> Muy pocas ciudades nuestras han sido reveladas hasta ahora –a menos que se crea que una mera enumeración de exterioridades, de apariencias, constituya *la revelación* de una ciudad. Difícil es *revelar* algo que no ofrece información libresca preliminar, un archivo de sensaciones, de contactos, de admiraciones epistolarias, de imágenes y enfoques personales; difícil es ver, definir, sopesar algo como fue La Habana, menospreciada durante siglos por sus propios habitantes, objeto de alegatos (Ramón Meza, Julián del Casal, Eça de Queiroz) que expresaron el tedio, el deseo de evasión, la incapacidad de entendimiento".[10]

Sin embargo, La Habana que reflejan obras como el excepcional relato "La noche de Ramón Yendía", de Lino Novás Calvo (1942) y la propia novela *El acoso*, de Carpentier, es ya una ciudad "hecha", "nombrada", "definida", creada por la realidad a la vez que establecida por la literatura e, incluso, por las artes plásticas cubanas. No es casual que estas dos piezas, obras claves en la fijación de la imagen narrativa de La Habana, se produzcan una vez agotado el período de "renacimiento" rural, de regreso a lo primitivo, que se produjo a lo largo de los años 20 y 30, con autores como Luis Felipe Rodríguez y hasta los propios Carpentier –*Ecue-Yamba-O*– y una parte considerable de la cuentística de Novás Calvo. Pero una vez agotada la moda rural-nacionalista, que se puso en consonacia con una parte significativa de la novela latinoamericana que exhibió como sus grandes modelos de entonces –sus novelas ejemplares–, obras típicamente rurales como *Don Segundo Sombra, La Vorágine* y *Doña Bárbara*.

Sin embargo, ya en las obras citadas estos dos importantes autores asumen la cuidad como escenario no explicado, sino asumido; como espacio de conflictos dramáticos y no como ambiente de contradicciones sociales, étnicas, económicas (reflejo de una problemática nacional), tal como lo habían hecho los autores del XIX e, incluso, los detallistas novelistas de la primera parte del siglo, cercanos a la estética del naturalismo.

---

[10] Ibidem, p. 14.

Una curiosa confluencia argumental acerca a estas dos piezas: ambas narran la historia de una persecución en La Habana, en los días de la frustrada revolución del año 33. Mientras, un elemento revelador que las singulariza se debe al hecho de que a la hora de hacer sus representaciones urbanas tanto Novás como Carpentier acuden a las perspectivas que mejor dominan: Novás a la de un taxista, oficio que realizó en los años 20; Carpentier la de un estudiate de arquitectura, carrera que, como su personaje, inició y no concluyó, pero de la que tiene amplios conocimientos.

La ciudad de "taxista" que ofrece "La noche de Ramón Yendía" es un dédalo de calles, avenidas, calzadas, es una ciudad abierta, sin fronteras, que no ofrece refugio. Es, además, una ciudad vista desde la estatura de un hombre, desde el timón de un automóvil, y esa perspectiva la acerca definitivamente al negro pavimento. Ramón Yendía, en su pretendido ocultamiento de posibles perseguidores y luego, ya en la misma persecución que le costará la vida, se mueve todo el tiempo por las calles, pues las considera su único refugio y la única solución de salida a su situación dramática. Huye entre las calles, busca en ellas confundirse y evaporarse de ser posible y por un momento las ve como un camino hacia la salvación.

Mientras, La Habana que recorre el exestudiante de arquitectura de *El acoso*, es un universo poblado de edificios, casas, columnas, monumentos datados y afiliados a una estética, una ciudad *construida, diseñada*, poseedora de un estilo –sea cual fuere– que en su amalgama de sitios cerrados puede ofrecer la salvación al acosado. Si las calles son el refugio de Ramón, las calles son el enemigo del Acosado; si las edificaciones son la cárcel y la muerte para Ramón, éstas son la protección posible para el Acosado.

Estas dos nociones diversas y antagónicas de la ciudad conforman, en su paralelismo o perpendicularidad –según se lea–, un conjunto capaz de ofrecer una sola imagen. Así, mientras Novás crea un mundo con las calles de La Habana, sin apenas levantar la vista para recrearse en sus edificaciones, El Acosado describe constantemente los elementos arquitectónicos que le son significativos por sus valores o por su falta de ellos, pero, sobre todo, por su capacidad de singularización e identificación, tan importante en la estética carpenteriana de lo real maravilloso como ámbito propio, caracterizado por diversos contextos –entre ellos, por supuesto, el arquitectónico. Novás describe curvas, esquinas, estrecheces; Carpentier narra edificios; Novás se mueve a velocidad de vértigo, Carpentier a un ritmo reposado, necesario para la descripción de los lugares; Novás deja que su personaje muera en plena calle, muy cerca de donde comenzó su huida, Carpentier hace que ejecuten el suyo en el interior de un teatro, a escasos metros del sitio donde estuvo escondido hasta pocas horas antes.

Aunque estas dos piezas narrativas, por su propio argumento, quizás podrían haberse desarrollado en cualquier ciudad moderna, especialmente latinoamericana, la contextualización de elementos de orden político –ambas son episodios relacionados con la frustrada revolución del año 1933–, social, arquitectónico, físico, las hacen definitivamente habaneras, pues el ámbito de la ciudad es el escenario único e irrepetible de la tragedia. No es tampoco fortuito que ambos protagonistas, además de traidores y perseguidos políticos, sean hombres nacidos en ciudades del interior, valoren por un momento la posibilidad de buscar refugio en sus sitios de origen, pero desechen de inmediato la idea: la ciudad es el mejor refugio, el único posible, por la posibilidad de ofrecerles la disolución en el anonimato. La Habana se convierte, entonces, no ya en el escenario tipificado, nombrado exhaustivamente, descrito en sus constumbres y tipos que se propuso la narrativa anterior, necesitada de crear este "espejo" de la nación y darle no sólo rostro, sino nombre, figura, color, a través de sus caracterísicas más visibles: La Habana es ya una ciudad literaria y lo importante, en estas obras, es su presentación como espacio urbano definitivamente propio.

Pero La Habana de *El acoso* es, además, una ciudad laberíntica y barroca, como la propia estructura argumental y temporal de la novela. Sin duda Carpentier, al lanzar al perseguido a las calles de la ciudad, realiza un ejercicio conceptual capaz de hacer confluir el espacio físico real con la construcción novelesca. El tiempo narrativo alterado en el cual se desarrolla la anécdota tanto como la estructura espiral del argumento que pasa una y otra vez por caminos paralelos, superpuestos, coincidentes (verdadero laberinto estructural), crean un universo barroco que se aviene perfectamente con el contexto arquitectónico específico que se va descubriendo en el peregrinar el personaje. Las alternancias de luminosidad y oscuridades, de columnas y soportales, de espacios abiertos y cerrados, de edificaciones con diversos estilos más o menos falsos, más o menos auténticos, contribuyen a reproducir espacialmente la sensación de laberinto barroco que el autor quiere darnos de La Habana como contexto tipificante, definidor de una cierta noción de la cubanía en tanto amalgama espiritual, también tangible, visible, en el ámbito de la ciudad.

Lo maravilloso –singular, cabría decir– del contexto habanero no está dado aquí por las vías de asombro o la exaltación, sino por el de la identificación tipificadora capaz de dar consistencia narrativa a un contexto irrepetible, fruto de diversos entrecurzamientos históricos ubicados en el origen mismo de la ciudad. Pero, a diferencia de sus predecesores, Carpentier ya no necesita explicitar, contar, la historia de esas confluencias, sino apenas mostrarlas, hacerlas evidentes en sus armonías y contrastes, pues su búsqueda –como la de Novás Calvo– no está ya en el ámbito de lo fenoménico, sino en la definición de ciertas esencias caracterizadoras: La Habana de *El acoso* es una ciudad hecha y Carpentier sólo tiene que perfilar algunos de sus matices para hacerla definitivamente propia.

CRISIS Y CONTINUIDAD

La suma de ausencias-diferencias que significa *El acoso* dentro del devenir de una novelística de notable coherencia conceptual está advirtiendo, necesariamente, la existencia de un replanteo estético que, implicando método, recursos y otras nociones artísticas preferenciadas (el caso ya visto del tiempo y el abordaje de lo histórico) permita el traslado del autor a un universo apenas trabajado con tan explícitas intenciones universalizadoras (tal vez con la excepción de "Semejante a la noche", muy próximo en el tiempo a *El acoso*). Porque ahora Carpentier nos ha ubicado en una novela eminentemente sicológica, cercana incluso a ciertos planteos de la novela negra (de la cual fue defensor), con todas las ambigüedades sicológicas que caracterizan a los personajes de estas tipologías narrativas (recuérdese *Santuario*, de Faulkner, *El largo adiós*, de Chandler, *La llave de cristal*, de Hammett), y cuyo interés focal no va a estar en la imagen de lo circundante, de las relaciones históricas, social o culturalmente trascendentes del ámbito y la espiritualidad americana, sino en la introspección existencial del fracaso, el miedo, el error, de un individuo (que si bien está referido a una circunstancia concreta, casi testimonial), es transferible a cualquier universo cultural afín (y no es casual que tanto el acosado como el taquillero carezcan de nombre en la novela y sólo la prostituta haya sido bautizada: Estrella). Si el argumento de las anteriores novelas de Carpentier es inevitablemente americano –lo cual constituye una de las características de su método–, ahora lo universal se impone a lo local, y es dejada al margen toda caracterización explícitamente diferenciadora, tipificadora, del entorno americano, con la importante excepción del referente histórico del que parte la historia y el contexto urbano específico en que es ubicada y con los cuales, por cierto, se persigue también la visión universalizadora, partiendo de lo estrictamente local.

Lo verdaderamente curioso es que *El acoso* resulte, cronológicamente, la novela que siga a las dos piezas del más deslumbrado realismo maravilloso, aquellas en que teoría y estética se fundían, incluso, en un método artístico dedicado a patentar, casi párrafo a párrafo, que la historia de América era una crónica toda de lo real maravilloso y en las que América, por su virginidad, por su acervo mítico, aparecía como una especie de refugio occidental para la imaginación y la poesía. ¿Qué razones pudieron determinar este cambio, que a su vez implicará un nuevo modo de reflejar lo americano cuando Carpentier regrese a su universo y sus preocupaciones más típicas en *El siglo de las luces*?

Sólo la presencia de una profunda crisis metodológica y conceptual pudo engendrar tan violenta transformación, visible en *El acoso*, y a su vez, concretada en un nuevo modo de asumir lo real maravilloso en las novelas posteriores –un nuevo modo que hemos llamado "contextual".

Varios factores parecen gravitar sobre este interesante momento evolutivo de Alejo Carpentier. Uno de ellos es la difícil coyuntura filosófica a que lo habían llevado las influencias asumidas, en especial el existencialismo, con su carga de pesimismo histórico y tragicidad raigal, con su noción heterodoxa de no-progreso y con su interés literario manifiesto en los estados sicológicos y en la alienación del hombre moderno, más propicios a una narrativa de lo dramático que a una novelística de lo épico, que tanto interesó a Carpentier.

De otro lado –aunque como complemento preciso de lo anterior– se encuentra la propia asimilación de la historia de América que tiene Carpentier en estos momentos: al parecer, van quedando atrás los días del deslumbrado reencuentro con lo propio y la esperanzada noción de futuro de un continente en el que, en realidad, nada parecía augurar tiempos mejores: la bonanza de la Segunda Guerra Mundial deja tras sí crisis económicas, golpes de estado, nuevas dictaduras, persecuciones políticas: poco de que enorgullecerse, sobre todo para un escritor que ya había superado hacía mucho tiempo la "enfermedad infantil del afrocubanismo" y del vanguardismo, con todos sus entusiasmos, incluidos los políticos.

Pero, junto a todas estas condiciones histórico-concretas, sicológicas y filosóficas (no menos concretas), sobre Carpentier está pesando una revelación estética más profunda y cruenta: el método realista maravilloso empleado en sus dos novelas anteriores se le comenzaba a hacer estrecho como modo de comprender, asumir, reflejar la realidad americana. Porque: ¿si algo no era extraordinario, fabuloso, notablemente insólito y singular no podía ser objeto del realismo maravilloso? Las novelas de 1949 y 1953 dicen a las claras que no: ambas son una sucesión de hechos extraordinarios, una galería de personajes insospechados, un muestrario de mitos, mitificaciones y revelaciones, una comparsa de magia, asociaciones inimaginadas, encuentros fortuitos, relaciones primitivas, pactos esotéricos con la naturaleza, fabulosas descripciones de ambientes naturales, sociales y políticos únicos, comprobaciones de tiempos paralelos, invertidos, repetidos, perdidos, circulares...

Entonces, si un fenómeno americano no caía en esas maravillosas clasificaciones, ¿era asumible por un realismo maravilloso interesado en lo especialmente deslumbrante de la realidad? ¿Era su método, en verdad, el más propicio para revelar aquella relación con lo universal tanto tiempo buscado en las entrañas de lo local? En parte sí, pero en parte no. Su ortodoxia como sistema metodológico era su propio límite y esta limitación, al cabo de dos novelas, parece habérsele manifestado diáfanamente a Carpentier. Según su método, sólo historias insólitas, con personajes fabulosos podían propiciar tal revelación de lo maravilloso. Y debió preguntarse: ¿sólo lo extraordinario es maravilloso? Pretenderlo así sería cometer el mismo error de Breton y los primeros surrealistas al conceder que únicamente lo bello es maravilloso, cuando lo grotesco, lo cruel, lo sádico también era de interés del movimiento que ellos mismos alentaban.

Entonces, si lo extraordinario (lo maravilloso) es sólo lo milagroso (inesperada alteración de la realidad, lo llamó Carpentier en 1948), ¿lo cotidiano no lo es? ¿Las relaciones que conforman una realidad específica, singular, en América, siempre tenían que resultar obviamente extraordinarias...?

Si el reflejo negativo de esta crisis es *El acoso*, novela de radical supresión de todo proceso insólito, de toda realidad explícitamente extraordinaria y una negación, incluso, del método narrativo antes utilizado, la respuesta salvadora, con la que se propicia la recuperación del legado anterior, será la escritura de *El siglo de las luces*, nueva pieza de lo real maravilloso, a la que seguirá, apenas dos años después de su publicación, un texto que bien podría haberla prologado –como ocurrió en 1949 con el manifiesto sobre lo real maravilloso americano y *El reino de este mundo*–: me refiero, por supuesto, a "Problemática de la actual novela latinoamericana", el ensayo fundador de la teoría carpenteriana de los contextos, esos "contextos cabalmente latinoamericanos", una propuesta teórica cuyo tratamiento literario fundamentará la evolución ya concretada hacia los nuevos caminos que, a partir de *El acoso*, emprenderá la concepción teórica y narrativa de lo real maravilloso americano patentado por Alejo Carpentier.

Alejo Carpentier: la consagración que se llevó

RAFAEL E. SAUMELL

Sam Houston State University

En "El autor y su obra", cronología preparada por Ambrosio Fornet sobre Alejo Carpentier, se nota con facilidad algo que todos sabemos. Hay un largo hiato entre 1962, cuando Carpentier publica *El siglo de las luces*, y 1974 cuando salen de la imprenta *Concierto barroco* y *El recurso del método*. En 1978 aparece *La consagración de la primavera* y en 1979 *El arpa y la sombra*. Claro, me refiero sólo a novelas. En 1964 había lanzado la antología de ensayos *Tientos y diferencias* y un fragmento de una novela titulada *El año 59*. Tres años después *Bohemia* saca a la luz "Los convidados de plata", capítulo de la obra mencionada. Habrá que esperar hasta 1972 para leer *El derecho de asilo*.[1]

Sin embargo, a partir de 1974, fecha de su cumpleaños setenta, la presencia de Carpentier se hace ubicua en las organizaciones gremiales, los centros de enseñanza superior y los medios noticiosos y culturales dentro y fuera de Cuba: Orden José Joaquín Palma de la Unión de Periodistas de Cuba (1974); Doctor Honoris Causa por la Universidad de La Habana (1975); Premio Internacional Alfonso Reyes de Ciencia y Literatura (México, 1975); Premio Mundial Cino del Duca (París, 1975); Honorary Fellow por la Universidad de Kansas, EE.UU. (1976); Premio Miguel de Cervantes y Saavedra (Madrid, 1977); Premio Medicis (París, 1979). Está en todos los sitios: el diario *Granma*, el noticiero cinematográfico de Santiago Álvarez, un par de documentales, en los salones de conferencias, etc.

Sobre este segundo período creativo, Ángel Rama escribió el artículo "Los productivos años setenta de Alejo Carpentier"[2], donde contrasta esta etapa con la "anterior década de silencio" (226) además de señalar sus rasgos predominantes. De ellos sólo voy a indicar el relacio-

---

[1] Alejo Carpentier, *El siglo de las luces*, edición de Ambrosio Fornet, Madrid, Cátedra. Letras Hispánicas, 1982.

[2] *Latin American Research Review*. Vol. 16, No. 2 (1981), 224-245.

nado con el asunto de este trabajo: el hecho de que entre el primer y el segundo ciclo Carpentier "ha evolucionado, o para ser más estrictos, ha revolucionado, en lo que esto implica de cambio pero también de *recuperación de fuentes*", es decir, "los agitados veinte, el Grupo Minorista, la *Revista de Avance*, la lucha contra el Machadato y la creación del partido comunista cubano, los del descubrimiento de la vanguardia artística europea junto con el ejercicio de la literatura social propio del período" (226). [cursivas mías]

A la sazón, el autor ya había amoldado su biografía y su conducta intelectual de manera tal que ambas correspondieran a los requisitos y demandas del presente histórico y del relato teleológico implantado por la 'nomenklatura'. Del período republicano Carpentier reclama su vinculación, desde los años veinte, con las agrupaciones artísticas y políticas opuestas a la Enmienda Platt, a la presencia del imperialismo yanqui y al sector reaccionario del mambisado. Subraya su apoyo a la revolución de 1933, respalda el asalto al cuartel Moncada (1953) y el ataque a Palacio (1957), se incorpora a la obra revolucionaria iniciada en 1959.

El carácter "revolucionado" y "la recuperación de fuentes" son muy importantes para comprender por qué Carpentier fue promovido, abundantemente, por la política cultural del estado como gran autor oficial durante ese crucial y tensísimo decenio.[3] Él había dado muestras

---

[3] Algunos acontecimientos importantes ocurridos entre 1970 y 1979: el fracaso de la Zafra de los 10 millones; el realineamiento con la Unión Soviética; el arresto y "confesión" del poeta Heberto Padilla; la ruptura de vínculos con la revolución por parte de numerosos intelectuales europeos y latinoamericanos; la clausura de la revista *Pensamiento Crítico*; I Congreso Nacional de Educación y Cultura; el castigo, silenciamiento y arresto de numerosos escritores y artistas, por ejemplo Reinaldo Arenas y René Ariza; se inician contactos y se permiten las primeras visitas masivas de exiliados cubanos a su isla natal; excarcelamiento de presos políticos; muerte de José Lezama Lima (1976) y Virgilio Piñera (1979); la celebración del I Congreso del Partido Comunista; la creación de la Asamblea Nacional del Poder Popular y del Ministerio de Cultura, encabezado por Armando Hart Dávalos; la implantación de una nueva división político-administrativa; la promulgación de un nuevo Código Penal que incluye la figura delictiva de la "Propaganda enemiga", encaminada a cercenar aún más la inexistente libertad de expresión; presencia militar en el Medio Oriente y en África; celebración en La Habana de la Cumbre del Movimiento de Países No-Alineados, elección de Castro como su presidente y viaje de éste a Nueva York, el primero desde 1960; derrocamiento del régimen somocista en Nicaragua, etc.

suficientes de discreción y de obediente disciplina partidista ante los numerosos y graves incidentes ocurridos en la isla a lo largo de los setenta. Ese mutismo, sinónimo de lealtad a la dirigencia del país, se suma a la "recuperación de fuentes" y constituye el resultado de un proceso de reconstrucción del "yo" carpenteriano.

Esta lectura teleológica repercute en los relatos personales, periodísticos y literarios del escritor. Gracias a su reconstrucción como sujeto comprometido y aquiescente con el poder actual, Carpentier recibe el nombramiento de Ministro Consejero de la Embajada de Cuba en París, diputado a la Asamblea Nacional del Poder Popular y militante del partido. El impacto de esos cargos en su obra se hace evidente en muchos de los textos publicados entonces. Me concentraré en cuatro de ellos: "La cultura de los pueblos que habitan en las tierras del mar Caribe"; "Conciencia e identidad de América"; "Un camino de medio siglo" y *La consagración de la primavera* (1978).[4]

Para entrar en esta materia voy a incluir un incidente fortuito que me acercó fugazmente a la persona de Carpentier. A principios de julio de 1979, el poeta Roberto Díaz Muñoz, entonces vice-presidente para la TV del Instituto Cubano de Radio y Televisión (ICRT), nos encargó a Leonardo Acosta y a mí la preparación de un programa con Carpentier en ocasión de celebrarse en La Habana el festival Carifesta. El diecinueve por la mañana, en uno de los remodelados estudios de M y 23 en el reparto El Vedado, algunos funcionarios del ICRT más Leonardo y yo le dimos la bienvenida.

El escenario montado para la emisión fue simple. Una plataforma, una silla y un escritorio. Detrás se colocó una cortina, quizás de color azul claro, de la cual colgaba un mapa de las islas del Caribe. Se designó a una locutora para que leyera la presentación. Después de que el director pronunció la típica expresión "¡grabando!" se presentaron algunos problemas. Por unos diez o quince minutos nos pareció que la tecnología no quería acompañarnos en esa jornada tan especial. Cuando todo

---

[4] En el siguiente orden: *La novela latinoamericana en vísperas de un nuevo siglo y otros ensayos* (México, Siglo XXI Editores, 1981): 177-189; *Razón de ser* (Ciudad de La Habana, Editorial Letras Cubanas, 1980): 1-10 y 11-37; (La Habana, Editorial Letras Cubanas, 1979). El primero es la transcripción de una conferencia dada en la TV cubana el 19 de julio de 1979. El segundo y el tercero son discursos dados en Venezuela el 15 y el 20 de mayo de 1975.

parecía marchar eficazmente, de pronto las máquinas de vídeo-graba-
ción dejaban de funcionar. Hubo que recomenzar más de una vez.

Casi veinticinco años después de la que al cabo sería su última presentación en Cuba, aún suena en mis oídos como una arrastrada letanía
la primera frase dicha por Carpentier en su para nada aburrido monólogo sobre la historia caribeña: "Este mapa, inútil es decirlo, nos muestra el conjunto del área geográfica del Caribe…" (177). El hecho es que
debió repetirla mucho por culpa de los equipos y luego de innumera-
bles órdenes de "¡corten!" y "¡grabando!" emitidas por el coordinador
del estudio. Carpentier no parecía molesto pero nosotros sí lo estábamos aparte de sentirnos apenados. Por ese motivo, Leonardo y yo baja-
mos desde la cabina hasta el escenario y le ofrecimos nuestras disculpas.
Él nos respondió, de muy buen talante, que no nos preocupáramos y
que tampoco deberíamos olvidar que ésos eran gajes propios de un oficio del cual venía de vuelta.

En esa ocasión me enteré del aprecio que sentía Carpentier por
Leonardo Acosta, cuyo padre, José Manuel, había sido compañero de
Julio Antonio Mella en la creación de la Universidad Popular José Martí,
firmante de la "Protesta de los 13" y miembro del "Grupo Minorista".
Asimismo, Carpentier le manifestó a Leo que estimaba bastante el rigor
desplegado por éste en las áreas del periodismo cultural, la crítica y la
investigación académica.[5]

Esa mañana, y ante tantos indicios de vigor físico e intelectual,
nadie podía imaginar que aquella conferencia sería el acto de despedi-
da de Carpentier para el gran público cubano y caribeño, consignado, a
propósito, por Fornet en su cronología. A fines de 1979 circularon en
La Habana los primeros rumores sobre la enfermedad incurable que
acabaría con su vida el veinticuatro de abril de 1980, mes y año de los
sucesos de la embajada del Perú, del comienzo de una oleada de emigración masiva hacia los Estados Unidos a través del puerto del Mariel y
del suicidio, nada menos que el 26 de julio, de Haydée Santamaría Cua-
drado.[6]

---

[5] Con respecto a la Universidad Popular, la "Protesta de los trece", el Grupo Minorista y en cuanto a la participación de J.M. Acosta hay abundante bibliografía. Una de
ellas es el libro de Raúl Roa *El fuego de la semilla en el surco* (La Habana, Editorial Letras
Cubanas, 1982). Ahí se menciona al padre de Leonardo en repetidas ocasiones.

[6] En 1980 comienza la "Campaña de profundización y radicalización de la

Sin lugar a dudas, para mí constituyó un honor el haber estado cerca, siquiera por dos cortísimas horas, de un autor tan leído, respetado y discutido por mi generación, la de los nacidos durante los cincuenta. Carpentier provenía de una antigua, brillante y controvertida vanguardia política, literaria y artística, atomizada, como las restantes y presentes generaciones, en cuanto al tópico Cuba republicana/revolución de Castro. En 1979, varios de sus colegas de *Social, Avance* y del Minorismo se hallaban dispersos territorialmente, tanto en el plano ideológico como en el físico. Pienso en dos ejemplos prominentes: los villareños Jorge Mañach (1898) muerto en el exilio (Puerto Rico, 1961), y Juan Marinello (1898) fallecido en La Habana (1977), en intenso olor a gloria revolucionaria.

De cierta manera, en la conferencia televisada Carpentier conecta temas de aquel pasado cuando él, Mañach y Marinello pudieron trabajar en un mismo universo republicano. Resume sus teorías sobre la formación de lo caribeño que había venido dando a conocer desde hacía tres decenios, en específico a partir de la publicación en 1948 del prólogo a la novela *El reino de este mundo* (1949). En este sentido, Antonio Benítez Rojo ha formulado la idea de que para aquél "el Ser caribeño tiene que iniciar el viaje utópico hacia su reconstitución desde un espacio cultural que queda necesariamente "afuera", ya se refiera éste a Europa, África, Asia o América en tanto foco dominante en su sincretismo" (266).[7]

Las constantes caribeñas a las que alude Carpentier son varias: geográficas (insular y continental); naturales; históricas; antropológicas; etnológicas (mestizaje) y políticas. De éstas llama la atención la observación hecha en cuanto a los líderes de la revolución haitiana quienes, de acuerdo con él, enriquecieron el concepto de independencia al resemantizarlo de forma que incluyera lo nacional y la emancipación total, frente a la idea enciclopedista de independencia pero sólo ante Dios y la monarquía. Otra novedad apuntada, y aquí vuelvo a la teleología, es la existencia "avant la lettre" de un "humanismo caribe", antecedente del

conciencia revolucionaria" y se publica *Ese músico que llevo dentro*, Tomos I, II, III. Selección de Zoila Gómez. (La Habana, Editorial Letras Cubanas, 1980).

[7] *La isla que se repite. El caribe y la perspectiva posmoderna*, Hanover, NH, Ediciones del Norte, 1989.

RAFAEL E. SAUMELL

"internacionalismo proletario" europeo y marxista. Luego ofrece un listado "de grandes hombres". Lo encabeza Francisco de Miranda y lo concluye "el comandante Fidel Castro, otra egregia figura", heredero, por supuesto, de José Martí. Se trata de un proceso de narrativa lineal el cual va a "culminar en la Revolución cubana, que pudo celebrar este año el vigésimo aniversario de su *irreversible afirmación...*" (188). [cursivas mías]

Según Carpentier, vivimos un presente históricamente sincrético, deudor de un pasado que no lo fue menos, si bien el aquí y el ahora son inamovibles. La "egregia figura" de Castro se ha encargado de ponerle punto final a la historia antigua, asegurándose así de evitar que se repita, precisamente, el pasado. El logos revolucionario de 1959 sella el destino de Cuba. Acierta Rafael Rojas cuando estipula que este "discurso identificatorio y teleológico del nacionalismo revolucionario se rige por una lógica del cierre: el cierre de la nación en el espacio de la isla y el cierre de su historia en el tiempo de la Revolución" (10). [8] Le confiere razón de ser a lo acontecido y se establece como garantía de la futuridad del país. En el mismo sentido se ha manifestado Enrico Mario Santí al analizar los usos dados a Martí antes y después de 1959: "Es precisamente la fragmentación –o al menos su apariencia– los sucesivos y frustrados intentos de independencia a través de movimientos revolucionarios, lo que evoca tal teleología y acredita su formulación."[9]

Dicho destino, repito, arranca en 1959, cuando para gran sorpresa de muchos, Carpentier incluido, triunfa la revolución, declarada marxista-leninista por Castro en 1961. Ese año finaliza abrupta y habilidosamente *La consagración de la primavera*, cuando la co-protagonista Vera vuelve a depositar la zapatilla de Anna Pávlova en la vitrina, al lado de las Cartas sobre la danza del maestro Noverre.

En Playa Girón, el personaje Enrique, devenido miliciano, cumple con uno de los sacramentos de la revolución: pelear con las armas y

---

[8] *Isla sin fin. Contribución a la crítica del nacionalismo cubano.*, Miami, Florida, Ediciones Universal, 1998. Rojas abunda más en la definición de teleología: "el discurso que organiza esta representación cerrada del tiempo y la identidad...el enunciado que asegura el devenir de ese sujeto. Sujeto que es la nación misma y cuya teleología está asegurada por la Revolución, es decir, por el momento en que cristaliza la esencia de la nacionalidad en la historia, por la travesía de una identidad nacional desde su origen hasta su destino": 9.

[9] "José Martí y la Revolución Cubana". *Vuelta* 11.121 (Diciembre 1986): 23-27.

arriesgar la vida en aras de la patria. Así se redime de un bache político compartido con muchos intelectuales de su tiempo: la falta de un probado historial de luchas entre 1953 y 1959. No participaron, directamente, en el derrocamiento del régimen batistiano. Tampoco arribaron a la revolución con credenciales de haber redactado una enciclopedia encaminada a la destrucción del "ancien régime" y la fundación del vigente.

Recuérdese que desde 1953, en ocasión del juicio por el asalto al cuartel Moncada, e incluso hoy, Castro ha señalado a Martí como el único "autor intelectual" del movimiento revolucionario.[10] A partir de 1959 se ha gastado mucha tinta para explicar el complejo de "culpabilidad" padecido por Enrique y los intelectuales y artistas que no lucharon ni en la sierra ni en el llano. Ernesto "Che" Guevara afirmó que ellos no eran "auténticamente revolucionarios". También dijo: "No hay artistas de gran autoridad que, a su vez, tengan gran autoridad revolucionaria".[11] De ahí que personajes como Enrique y personas como Carpentier, a quienes el cambio protagonizado por Castro los sorprende en Venezuela, optaran por "reconstruirse" y "convertirse" al proceso en marcha.

En el ensayo "*Biografía de un cimarrón* and the Novel of the Cuban Revolution", Roberto González Echevarría (GE), aborda este problema y hace unas cuantas preguntas: "¿Es la conversión un tópico literario o un reflejo del proceso histórico? Asimismo, ¿dicha conversión ha sido acompañada por una nueva y original literatura revolucionaria?; ¿se trata de una estrategia literaria la cual forma parte de lo que en general llamaríamos modernidad literaria? (112). Antes había indicado: "Ser revolucionario antes de la primavera de 1961, cuando la revolución aún no había sido declarada socialista, era una cosa, pero ser revolucionario después de aquel momento se convirtió en un asunto distinto" (111)[12] [mi traducción].

---

[10] Fidel Castro, "La historia me absolverá", *La Revolución Cubana*, Selección y notas de Adolfo Sánchez Rebolledo, México, Era, 1972, 20-70.

[11] "El socialismo y el hombre en Cuba", En *Obra revolucionaria*, Editada por Roberto Fernández Retamar, México, Ediciones Era, 1967, 627-639.

[12] "Is conversion a literary topic, or does it reflect the historical process? Also, has conversion been accompanied by or has it generated a new, distinctly revolutionary literature, or is conversion still a literary strategy that is part of what could broadly be called

En el capítulo 26 de *La consagración*, Vera narra los acontecimientos vinculados al "asalto al cuartel Moncada" que "tantas repercusiones habría de tener sobre muchas existencias"(268). Gaspar Blanco, trompetista, comunista de la primera hornada republicana, amigo de ella y de Enrique desde la guerra civil española, le dice a éste: "Tú conocías, sin embargo, la existencia de Fidel Castro". Enrique responde: "Es el único nombre que *me dice algo*, ya que quienes lo acompañaron en lo del Moncada son, para mí en todo caso, *perfectamente desconocidos*" (270-271). [mi énfasis]. Se infiere que en 1953 Carpentier apenas estaba al tanto de quien se convertirá con la guerra del tiempo en "egregia figura".

Por este desconocimiento de los asaltantes y por no haber realizado casi nada en contra de Batista, Enrique/Carpentier sabe que no tiene "autoridad revolucionaria", aunque por su obra publicada sí goza de "autoridad artística".[13] Tan pronto como pone sus pies en Cuba se dedica a labrar la primera. Con *La consagración*, y citando a GE, Carpentier entra en "la tendencia autobiográfica en la novela de la Revolución Cubana" pues "había que explicar y justificar vidas que de pronto se veían fuera del juego, pero ansiosas de entrar en él" (122).[14]

El regreso tiene lugar en octubre de 1959, "mes de bruscas mutaciones en el clima de Cuba", dice Enrique en *La consagración* mediante el uso de recursos intertextuales tomados de *Écue-Yamba-O* (1933) y de *El*

---

literary modernity?" (112). "To be a revolutionary before the spring of 1961, when the Revolution was declared to be socialist, was one thing. It was another to be a revolutionary after that." *The Voice of the Masters. Writing and Authority in Modern Latin American Literature.*, Austin, TX, University of Texas Press, 1985.

[13] Cuando Carpentier donó al gobierno el dinero recibido por los premios Cino del Duca y Cervantes, Castro le escribió una carta de agradecimiento, donde éste menciona la "autoridad artística" del autor, conseguida antes de 1959: "Usted, sin embargo, *ya era una gloria de las letras, de reconocido prestigio, cuando todavía faltaban largos años para que triunfara nuestra causa.* Esta circunstancia subraya en todo su valor moral, humano y *revolucionario,* el sentimiento que la impulsa, en la hora de un altísimo reconocimiento a la obra literaria de su vida entera, a compartir ese merecido honor con todos los compatriotas". Citado por Marta Rojas. "A los 20 años de la muerte de Alejo Carpentier". *Granma,* 24 de abril de 2000. Edición digital. http://www.granma.cubaweb.cu/24abr00/cultura/articulol.html. [mi énfasis]

[14] "Últimos viajes del peregrino". *Revista Iberoamericana.* Vol. LVII (Enero-Marzo 1991), No. 154: 119-134.

siglo de las luces (1962).[15] A renglón seguido explica: "Yo estaba resuelto a *mudar de piel y comenzar una vida nueva*" (435).[16] Claro, no fue el único en experimentar un calculado y repentino cambio epidérmico. En ese vasto proceso de "trans-substanciación", la palabra usada por Enrique, participó "toda la burguesía cubana [que] se volvió revolucionaria. Y se dieron todos a alabar la Revolución" (441).

Claro, Enrique y millones al igual que él tampoco imaginaron que entraría a la isla un huracán de tamaña fuerza. En un momento del larguísimo "cuéntame-tu-vida" que le hace a Vera al conocerla en España, aquél reconoce "que los marxistas eran demasiado optimistas al creer que, a noventa millas de unos Estados Unidos que por mucho menos habían desembarcado en la Nicaragua de Sandino, iban a tolerar los yanquis que en puertas se les alzara un bastión del anti-imperialismo" (65). Páginas más tarde insiste en que "tampoco creía que un socialismo fuese posible en un país situado a noventa millas de las costas norteamericanas" (70) y por eso "había que buscar una tercera solución [...] que tampoco podía ser [...] Por lo tanto me resolví a esperar..." (70).

Mientras aguardaban en Baracoa y en Venezuela, respectivamente, a Vera y a Enrique los agarra la llegada de la revolución. De cara a los hechos, ella medita: "Al menos, si no he estado con la Revolución, no he estado contra ella prefiriendo ignorarla. Pero se terminaron para mí los tiempos de la ignorancia [...] Y pregunto al fin, con la timidez del neófito amedrentado de antemano por los misterios de una prueba iniciática: "¿Qué hay que hacer para estar con la revolución?" Y me contestan: "Nada, estar con ella" (420-421). Ésa fue la mejor respuesta que recibió Carpentier al reinstalarse en La Habana.

---

[15] En el primer caso leer el capítulo I. Infancia ("Temporal a, b, c, d): 36-45. En el segundo, el capítulo primero (VII): 130-135, de la edición preparada por Fornet. En el mismo sitio, ver Capítulo cuarto (XXXIII). Ahí se lee: "Aquel mes de octubre –un octubre aciclonado, con violentas lluvias nocturnas, calores intolerables en las mañanas, súbitas borrascas de mediodía que no hacían sino espesar el bochorno con evaporaciones olientes a barro, a ladrillo, a ceniza mojada... (306).

[16] Para consultar un excelente estudio del "camuflaje" en la obra de Carpentier propongo leer a James J. Pancrazio *en The Logic of Fetishism. Alejo Carpentier and the Cuban Tradition*, Lewisburg, Bucknell University Press, 2004. En particular recomiendo los capítulos 2 y 3: "Autobiography and the Transvestite" (82-118) y "The Mask of Repentance" (119-148), respectivamente.

Sin embargo, para fortalecerse en tanto que sujeto teleológico y con el fin de disfrutar de la doble virtud guevariana –la artística y la revolucionaria–, Carpentier acude al recurso de abanderarse en una genealogía políticamente correcta y de destacar su temprana vida en el campo. Todo esto con el objetivo de vincularse con el tipo de narración impuesto por la "egregia figura", cuyo nombre ahora sí le dice algo y donde nadie que sea importante le puede resultar perfectamente desconocido. De su inagotable repertorio intertextual toma y manipula al personaje Odiseo para reconstituirse como rebelde en el machadato, guerrero en España, revolucionario peregrino, en fin héroe y poeta de una nueva épica, merecedor de autoridad artística y revolucionaria.

En el discurso "Conciencia e identidad" pronunciado en Venezuela hay un instante donde Carpentier apela a las sirenas de *La Odisea* con el fin moldear ese tipo de autobiografía: "Pero había voces que me llamaban. Voces que habían vuelto a alzarse sobre la tierra que las había sepultado"(8).[17] Como Odiseo, tampoco se puso cera en los oídos, pero al contrario del griego no se dejó atar. Se marchó de Venezuela donde, no obstante, se hallaba "tan feliz... estando tan incorporado a la vida venezolana... para regresar repentinamente a mi país" (8). Identifica cuáles son las voces sepultadas y cuáles las vivas: a) Julio Antonio Mella, Rubén Martínez Villena, Pablo de la Torriente Brau; b) Marinello, Nicolás Guillén, Raúl Roa. Enseguida da crédito a sus maestros, a los autores de su discursividad revolucionaria: Mella, Martínez Villena, Marinello: "Con tales maestros anduve y junto a ellos aprendí a pensar" (7).

En cuanto a su niñez, informa en "Un camino de medio siglo" haber tenido una infancia completamente campesina pero no exenta de un largo viaje a Europa. Hizo su primer aprendizaje en colegios cubanos y no en París; visitó la Rusia prerrevolucionaria en 1913, pasó días en Bakú –de donde proceden la madre de Carpentier y Vera–, estuvo al frente de una finca en los alrededores de La Habana hasta los 17 años. En la capital frecuenta y se incorpora a las vanguardias hasta llegar

---

[17] Circe la dice a Odiseo: "Aquél que imprudentemente se acerca a ellas y *oye su voz...pues ellas le hechizan con su sonoro canto, sentadas en una pradera y teniendo a su alrededor un enorme montón de huesos de hombres putrefactos cuya piel se va consumiendo...*" Homero. *La Odisea*, México, Salvat Mexicana de Ediciones, S.A. de C.V., 1979, 106.

a la "época del socialismo" donde tiene cosas "por cumplir en el Reino de Este Mundo" (11-37).

Las trayectoria de Enrique está marcada por dos tendencias narrativas comparables a las que GE expone en su ensayo sobre Barnet y la novela de la revolución: 1) la marginal, es decir, la dedicada a la "petite histoire", a la vida cotidiana, a la historia cultural y 2) la "épica", porque tiene que ver con las guerras (la revolución mexicana, la primera guerra mundial, la revolución rusa, la guerra civil española, la segunda guerra mundial, la guerra de guerrillas en las ciudades y en los frentes de El Escambray y de la Sierra Maestra, la violenta lucha de clases posterior al '59 (116).

La huida a Venezuela es un ejemplo de la tendencia marginal. Lo paradójico consiste en que allá está en vigor otra dictadura, la de Marcos Pérez Jiménez (1952-1958), "un generalillo gordezuelo" (371). No obstante, su comportamiento político contradice la tesis del "humanismo caribe": "la dictadura pesaba menos que la de Batista, sentida en carne propia" (371). Más relevancia le da al encuentro "en cuanto a lo físico/sentimental... [con] la magnífica y nada alienante compañía de una Irene...cuyo cuerpo se ajustaba, para mi gusto, a los mejores patrones de la sección de oro pitagórica"(427). Pero al arquitecto Enrique le interesa poco el filósofo-matemático de Samos. Se parece más a Odiseo, rey de Ítaca, exguerrero y peregrino, experto en el trato con mujeres sabias y hermosas. Irene intenta retenerlo para que se olvide de su isla y de Vera/Penélope: "Pero mi amiga, dando una dimensión nueva a *su papel de Calipso*, trataba de aplazar indefinidamente la fecha de mi partida" (433) [mi énfasis]. En Baracoa, Cuba, "en lo último" aunque fue "la primera población fundada por los españoles" radica la esposa (377).

Enrique se despide de Irene pues intuye que su inmortalidad no le será conferida por esta heredera de Calipso. Prefiere el epos insular antes que el eros continental. Sabía que a causa de sus anteriores devaneos se había mostrado pusilánime durante la ocasión épica más reciente. Por ejemplo, al día siguiente de los sucesos del 13 de marzo de 1957, Vera, notando el malhumor de su esposo le comenta: "¡Tal parece que hubieses tomado parte en el asalto al Palacio!". Enrique le responde con el siguiente remordimiento: "¡Ojalá hubiese tenido los cojones de hacerlo! Pero, hasta eso me falta. Soy un mierda" (329).

En pleno triunfo de la revolución Enrique repite ese lamento y se hace una autocrítica: "**otros** habían hecho lo que era necesario que se hiciera; **otros**, habían llevado a la acción lo que yo, a veces, hubiese anhelado, sin pasar del anhelo; **otros**, habían actuado, combatido, sufrido, caído, vencido en mi lugar...**otros**, habían logrado una victoria, dejándome fuera de esa victoria" (432). [énfasis del original] Aquí veo a Enrique haciéndole un guiño intertextual a Roberto Fernández Retamar en cuyo poema "El otro" la voz poética expresa: "Nosotros, los sobrevivientes/¿a quiénes debemos la sobrevida?/¿Quién se murió por mí en la ergástula?/¿quién recibió la bala mía,/la para mí en su corazón?".[18] [énfasis del original]

Otro de los guiños va dirigido a Nicolás Guillén y su célebre "Tengo". Cuando Enrique llega a su casa de La Habana Vieja de vuelta de Venezuela, se topa con la negra Camila, la antigua doméstica. La ve vestida de blanco siguiendo la promesa a la Virgen de las Mercedes y las normas de la santería. Camila le habla de igualdad racial, de visitas a los "Yat-clú", de la eliminación de las exclusiones en las playas y en los restaurantes. Trata a Enrique de "compañero" (436)[19]. El guiño final se lo hace a su autor. Enrique aplaude el fin de la publicidad comercial y la clausura de periódicos, cuya censura antes del 59 había condenado. Se vanagloria de que "los antiguos talleres pasaron a ser una Imprenta Nacional de donde salen ediciones del Quijote, Balzac, Galdós, Martí, tirados a cien mil ejemplares"(454).

Ésta es una de las partes más flojas de la novela. Se notan la prisa, los lugares comunes, el apego a las coyunturas políticas. En "Últimos viajes", GE señala cuál es el punto débil de Carpentier: "la representación de lo inmediato, de lo presente, no sólo en sentido temporal" (124)[20].

---

[18] Citado por Francisco López Segrera, *Cuba: Cultura y Sociedad,* La Habana, Editorial Letras Cubanas, 1989, 261.

[19] "*sino decirle compañero como se dice en español.* /...nadie me puede detener/a la puerta de un dancing o de un bar.../Tengo que como tengo la tierra tengo el mar, /no country, /no jailáif, /no tennis y no yacht, /sino de playa en playa y ola en ola". "Nicolás Guillén". En *El autor y su obra. Literatura cubana,* edición Lic. Arnaldo Pérez Portela, Ciudad de La Habana, Editorial Pueblo y Educación, 1987, 312-313. [mi énfasis]

[20] En una entrevista con Rafael Bassi Labarrera, Leonardo Acosta hace esta valoración sobre dos novelas de Carpentier: "...Alejo nunca acertó con La Habana de su tiempo, ni en *El acoso* ni en *La consagración de la primavera,* novela que nunca debió haber escrito". "Descargando con Leonardo Acosta". *Anapapaya.* http://www.anapapaya.com/especial/e_lacosta.html

En *La consagración* sobran las páginas donde Enrique no cesa de contar las efemérides de la revolución: la huida a los Estados Unidos por un sector de la alta burguesía; la intervención de las empresas extranjeras y nacionales; el cambio de moneda y la nacionalización de la banca, el estreno de la tenaz escasez de todo, el cierre de su propio negocio, el sabojate al buque "La Cöubre", el nacimiento de la consigna "Patria o Muerte", la ruptura de relaciones diplomáticas con los Estados Unidos, un Che Guevara despabilado y a cargo del Banco Nacional, unido al anacronismo de citar la teoría del "hombre nuevo" antes de que ese comandante publicara "El socialismo y el hombre en Cuba" en 1965.

Sobreabundan las frases altisonantes, la prosa torpe, parecida a la de aquellos oradores republicanos que Enrique aborrecía y ahora imita cuando se vale de calificativos al estilo de "egregia figura". Un botón de muestra extraído de *La consagración*: "Vivimos un momento trascendente en días de pasmosas transformaciones. Un hombre nuevo nos está naciendo ante los ojos. Un hombre que, pase lo que pase, ha perdido el miedo al *mañana*" (451). [énfasis del original]

Enrique nunca llegará a ser el hombre nuevo. Justamente y en concordancia con la postura que asumirían algunos colegas suyos en el campo literario, este arquitecto, en vez de prepararse para diseñar las viviendas del presente y del futuro, decide especializarse en lo que "Che" Guevara denomina el "pasado muerto (por tanto no peligroso)". En lugar de poner en práctica, según había proclamado, una "arquitectura de verdad, que no fuese arquitectura-para-negocios, sino arquitectura-para-la-Arquitectura" (456), se inclina por "algo más acorde con mis aficiones: se estaba trabajando mucho, ahora, en *restaurar* las mansiones, fortalezas, palacios, iglesias antiguas de La Habana, Santiago, Trinidad, y otras ciudades, que por la incuria de sus propietarios estaban al borde de la ruina" (450).

Desde esa perspectiva, la única alternativa para Enrique consiste en viajar a la semilla, "recuperar las fuentes" del pasado y de esta labor hacer la profesión de un presente supuestamente "irreversible". Por ello *La consagración* es una novela incompleta, o mejor, que deja en suspenso el ciclo de las futuras estaciones. El autor no se aventura a ir más allá de la primavera de Playa Girón. A través de Vera, Carpentier nos entrega la clave para entender por qué en esta novela el telón cae pero no cae en 1961. En Baracoa, ciudad primada en lo histórico, aquejada por sus escasos caminos para entrar y salir de ella, la rusa arriba a la siguiente conclusión: "Escribes unas memorias que a nadie se destinan y que, por la imposibilidad de decirlo *todo* a partir de ciertas experiencias compartidas, se detendrán en el umbral de los actos más significantes…" (392) [énfasis en el original].

Bibliografía

Acosta, Leonardo. "Descargando con Leonardo Acosta". Entrevista hecha por Rafael Bassi Labarrera. *Anapapaya*. http://www.anapapaya.com/especial/e_lacosta.html.

Benítez Rojo, Antonio, *La isla que se repite. El Caribe y la perspectiva posmoderna*, Hanover, NH, Ediciones del Norte, 1989.

Carpentier, Alejo, *Écue-Yamba-O*. Novela afrocubana, La Habana, Editorial Arte y Literatura, 1977.

————, *La consagración de la primavera*, La Habana:, Editorial Letras Cubanas, 1979.

————, *Razón de ser*, Ciudad de La Habana, Editorial Letras Cubanas, 1980.

————, *Ese músico que llevo dentro*, Tomos I,II,III, La Habana, Editorial Letras Cubanas, 1980.

————, *La novela latinoamericana en vísperas de un nuevo siglo y otros ensayos*, México, Siglo XXI Editores, 1981, 177-189.

————, *El siglo de las luces*, edición de Ambrosio Fornet, Madrid, Cátedra, Letras Hispánicas, 1982.

Castro, Fidel, "La historia me absolverá", *La Revolución Cubana*, Selección y notas de Adolfo Sánchez Rebolledo, México, Era, 1972, 20-70.

González Echevarría, Roberto, *The Voice of the Masters. Writing and Authority in Modern Latin American Literature*, Austin, TX, U of Texas Press, 1985.

————, "Últimos viajes del peregrino", *Revista Iberoamericana*, Vol. LVII (enero-marzo 1991), No. 154: 119-134.

Guevara, Ernesto "Che", "El socialismo y el hombre en Cuba", *Obra revolucionaria*, editada por Roberto Fernández Retamar, México, Ediciones Era, 1967.

Guillén, Nicolás, "Tengo", *El autor y su obra. Literatura Cubana*, Edición Lic. Arnaldo Pérez Portela, Ciudad de La Habana, Editorial Pueblo y Educación, 1987.

Homero, *La Odisea*, México, Salvat Mexicana de Ediciones, S.A. de C.V., 1979.

López Segrera, Francisco, *Cuba: Cultura y Sociedad*, La Habana, Editorial Letras Cubanas, 1989.

Pancrazio, James J., *The Logic of Fetishism. Alejo Carpentier and the Cuban Tradition*, Lewisburg, Bucknell UP, 2004.

Rama, Ángel, "Los productivos años setenta de Alejo Carpentier", *Latin American Research Review*, Vol. 16, No. 2 (1981): 224-245.

Roa, Raúl, *El fuego de la semilla en el surco*, La Habana, Editorial Letras Cubanas, 1982.

Rojas, Marta, "A los 20 años de la muerte de Alejo Carpentier", *Granma*, 24 de abril de

2000. Edición digital. http://www.granma.cubaweb.cu/24abr00/cultura/articulo.html.

Rojas, Rafael, *Isla sin fin. Contribución a la crítica del nacionalismo cubano*, Miami, Florida, Ediciones Universal, 1998.

Santí, Enrico Mario, "José Martí y la Revolución Cubana", *Vuelta* 11.121 (diciembre 1986): 23-27.

Pasos encontrados:
bibliografía selecta de Alejo Carpentier

ÁNGEL ESTEBAN
Universidad de Granada

Siguiendo las huellas de la crítica sobre el escritor cubano, enseguida notamos que es uno de los autores más comentados de la literatura cubana y, en general, de todo el ámbito de la literatura hispanoamericana contemporánea. Su concepto de *lo barroco*, su teorización acerca de *lo real maravilloso*, la continua erudición, tanto en las novelas como en los cuentos, su profundo sentido de la Historia, su enorme talento para imbricar historias inventadas con sucesos reales de diferentes siglos, su conocimiento de la música, la cultura antillana en el más amplio sentido de la palabra, su pasión por las huellas europeas en todo el contorno de occidente, y el dominio de los textos literarios clásicos de diversas tradiciones, hacen de él uno de los escritores más atractivos de las letras del siglo XX en lengua española. El *Diccionario de la literatura cubana*, publicado en 1980 por el Instituto de Lingüística y Literatura de La Habana, aporta varios cientos de entradas bibliográficas hasta la mitad de los setenta, por lo que se refiere a la bibliografía pasiva del autor, y el libro de Patricia Rubio de Lértora y Richard A. Young, *Carpentier ante la crítica. Bibliografía comentada*, de 1985, incluye casi 1700 textos críticos sobre Carpentier, entre libros, artículos, homenajes, misceláneas y estudios en manuales, antologías, libros de referencia, etc.

En el presenta trabajo voy a proponer solamente una guía para conocer los mejores libros publicados hasta 2004 –año del Centenario de su nacimiento– por la crítica más autorizada, aquellos que han gozado de mejor aceptación por parte de los lectores y han sido citados continuamente en estudios posteriores. No citaré, por tanto, artículos de fondo en revistas especializadas, ni capítulos de manuales de literatura o diccionarios literarios donde, lógicamente, Carpentier ocupa un lugar destacado dentro del ámbito hispanoamericano. Añadiré, asimismo, un breve comentario a los textos más sobresalientes, aquellos que han incluido novedades o visiones originales en la interpretación de la obra carpenteriana.

ACOSTA, LEONARDO, *Música y épica en la novela de Alejo Carpentier*, La Habana, Editorial Letras Cubanas, Colección Crítica, 1981. Consta de cinco capítulos, en los que destaca uno sobre la estructura de los relatos a la luz de la epopeya clásica, la música y la adaptación americana del tema picaresco, y otro sobre lo primitivo, el sincretismo y la supervivencia en América de formas culturales ya desaparecidas en Europa, así como un análisis de *Concierto barroco* alrededor de los anacronismos, referencias musicales y su relación con algunos textos épicos.

ARIAS, SALVADOR, *Recopilación de textos sobre Alejo Carpentier*, La Habana, casa de las Américas, 1977. La mayoría de los textos recopilados por Arias son reseñas de varios autores sobre las obras fundamentales. Hay también una bibliografía final.

ÁVILA, PABLO LUIS, *Storia-Letteratura, Atti del congreso internazionale Alejo Carpentier*, Catania, Tringale Editores, 1990.

BARROSO, JUAN, *Realismo mágico y lo real maravilloso en* El reino de este mundo *y* El siglo de las luces, Miami, Ediciones Universal, 1977.

CHAO, RAMÓN, *Palabras en el tiempo de Alejo Carpentier*, Barcelona, Argos Vergara, 1984. Extenso e interesante texto expuesto en forma de conversación o entrevista al autor, entresacado de sus ensayos, declaraciones, entrevistas previas, etc., y presentado como un todo homogéneo, dividido por temas y preocupaciones que el mismo Carpentier resuelve. Obra reconocida por el cubano como fiel a su pensamiento.

CHIAMPI, IRLEMAR, *El realismo maravilloso: forma e ideología en la novela hispanoamericana*, Caracas, Monte Ávila, 1983.

DURÁN LUZIO, JUAN, *Lectura histórica de la novela:* El recurso del método *de Alejo Carpentier*, Heredia, Costa Rica, Editorial de la Universidad Nacional, 1982. Compara la dictadura ficticia de la novela con la del costarricense Federico Tinoco y sugiere que el dictador centroamericano pudo ser una de las fuentes del cubano.

FAMA, ANTONIO, *Las últimas obras de Alejo Carpentier*, Caracas, La Casa de Bello, 1995.

FERNÁNDEZ ROBAINA, TOMÁS, *El negro en Cuba: 1902-1958*, La Habana, Editorial de Ciencias Sociales, 1994.

FLORES, JULIO, *El realismo mágico de Alejo Carpentier*, Valparaíso, Ediciones Orellana, 1971. Estudios de varios autores recopilados por Flores.

GARCÍA-CARRANZA, ARACELI, *Bibliografía de Alejo Carpentier*, La Habana, Letras Cubanas, 1984.

GIACOMAN, HELMY F., *Homenaje a Alejo Carpentier: variaciones interpretativas en torno a su obra*, New York, Las Américas Publishing, 1970. Uno de los mejores libros de conjunto sobre la narrativa de Carpentier.

GONZÁLEZ, EDUARDO, *Alejo Carpentier: el tiempo del hombre*, Caracas, Monte Ávila, 1978. Analiza el tema de la recuperación de los orígenes en varias obras, la dialéctica entre el azar y la aventura, la estructura circular de algunos relatos, etc. Se trata de una versión impresa de su tesis doctoral.

GONZÁLEZ ECHEVARRÍA, ROBERTO, y MÜLLER-BERGH, KLAUS, *Bibliographical guide/Guía bibliográfica*, Connecticut/Londres, Greenwood Press, 1983.

GONZÁLEZ ECHEVARRÍA, ROBERTO, *Alejo Carpentier: el peregrino en su patria*, Madrid, Gredos,

2004. Uno de los textos más lúcidos sobre la narrativa carpenteriana, que explora la trayectoria intelectual del autor, la función de la historia en su obra y su peso en el ámbito de la literatura hispanoamericana contemporánea. El libro fue publicado primero en inglés, en 1977, en Cornell University Press, de Ithaca (New York, USA). Más tarde se tradujo al español y se amplió, en México (1993), y ahora se ha publicado la edición definitiva, corregida y aumentada, coincidiendo con el centenario.

JANNEY, FRANK, *Alejo Carpentier and his Early Works*, London, Tamesis Books, 1981. Trata de señalar la coherencia temática y estilística del primer Carpentier: sus relatos y sus primeras novelas. Incluye dos cuentos: "Oficio de tinieblas" e "Histoire des lunes".

LÓPEZ CALAHORRO, INMACULADA, *De la tarea del hombre y otras maravillas: una lectura de Alejo Carpentier desde el mundo clásico*, Granada, Universidad, 2001. Tesis doctoral en que se parte de que para Carpentier la novela hispano americana debe ser épica, lo que hace que Ulises ocupe un lugar fundamental dentro de toda su narrativa. Por otro lado, el autor utiliza la tragedia clásica como eje sobre el que articula gran parte de su producción. Desde esta perspectiva se analiza el conjunto de su obra bajo la distinción aristotélica de los efectos que debe producir la tragedia clásica en el espectador: temor, compasión y purificación, y se tratan todas las referencias al mundo clásico.

MÁRQUEZ RODRÍGUEZ, ALEXIS, *La obra narrativa de Alejo Carpentier*, Caracas, Ediciones de la Universidad Central de Venezuela, 1970. En la primera parte aborda el tema fundamental de cada obra, y en la segunda presenta una visión de conjunto de los temas, técnica y estilo.

MÁRQUEZ RODRÍGUEZ, ALEXIS, *Lo barroco y lo real-maravilloso en la obra de Alejo Carpentier*, México, Siglo XXI, 1982. Se trata de una sección de las obras completas del cubano editadas en México. Propone al autor como iniciador de la nueva narrativa contemporánea y como uno de los que más influencia ha tenido en autores posteriores. Trata lo real maravilloso como diferenciado del realismo mágico y el surrealismo, y analiza las novelas con respecto a ese concepto y al del barroco americano.

MÁRQUEZ RODRÍGUEZ, ALEXIS, *Ocho veces Alejo Carpentier*, Caracas, Grijalbo, 1992.

MAZZIOTTI, NORA, *Historia y mito en la obra de Alejo Carpentier*, Buenos Aires, Fernando García Cambeiro, 1972. Una antología de ensayos críticos de diversa procedencia.

MOCEGA-GONZÁLEZ, ESTHER, *La narrativa de Alejo Carpentier: el concepto del tiempo como tema fundamental*, New York, Eliseo Torres, 1975. Refleja el concepto de tiempo en Carpentier, casi siempre ligado a las estructuras circulares.

MOCEGA-GONZÁLEZ, ESTHER, *Alejo Carpentier: estudios sobre su narrativa*, Madrid, Playor, 1980.

MÜLLER-BERGH, KLAUS, *Alejo Carpentier: estudio biográfico crítico*, New York, Las Américas Publishing, 1972. Además del recorrido biográfico, compila la mayoría de las fuentes de su obra narrativa y ensayística, así como los orígenes y desarrollos de sus obras.

NARVÁEZ, JORGE, *El idealismo en* El siglo de las luces *de Alejo Carpentier*, Concepción, Editorial Universitaria, 1972. Describe a Esteban como héroe del relato y examina tres elementos estructurales: el paralelismo entre las aventuras de Esteban y Sofía, los caracteres catedralicios de la descripción de la naturaleza y la dialéctica de los espacios abiertos y cerrados.

PADURA, LEONARDO, *Un camino de medio siglo: Alejo Carpentier y la narrativa de lo real maravilloso*, México, F.C.E., 2002. Ensaya un análisis de todo el pensamiento y la narrativa de Carpentier desde la perspectiva estética, ideológica y conceptual que significó su evolución en orden a la formación de lo real maravilloso americano y su desarrollo posterior, desde 1923, con el cuento sobre el vikingo Ulrico, hasta 1979, con la publicación de *El arpa y la sombra*.

PALERMO, ZULMA, *Historia y mito en la obra de Alejo Carpentier*, Buenos Aires, Fernando García Cambeiro, 1972.

PANCRAZIO, JAMES J., *The logic of fetichism. Alejo Carpentier and the Cuban Tradition*, Lewisburg, Bucknell University Press, 2004. Original e interesantísimo ensayo, fruto de una tesis doctoral, que partiendo de las teorías del psicoanálisis y de los estudios de género, trata de demostrar que la transgresión, en la narrativa carpenteriana, está escrita dentro de un código netamente cubano, cruzando las fronteras de la matriz de la literatura y cultura cubanas, a través de un cierto travestismo.

PICKENHAYN, JORGE ÓSCAR, *Para leer a Alejo Carpentier*, Buenos Aires, Plus Ultra, 1978.

PUISSET, GEORGES, *Structures anthropocosmiques de l'univers d'Alejo Carpentier*, Montpellier, Centre d'Etudes et de Recherches Sociocritiques, 2 vols, s/f. Aborda el problema de la unidad y la diversidad, su pensamiento filosófico en relación con la heterogeneidad, la idea del artista como mediador y revelador de la realidad que selecciona. Trata, además, los diferentes niveles de realidad en *Los pasos perdidos*, la naturaleza y la historia en *El siglo de las luces*, y las relaciones entre hombre e historia en *El recurso del método*.

REIN, MERCEDES, *Cortázar y Carpentier*, Buenos Aires, Ediciones de Crisis, 1974. Enfoca el texto, subtexto y los contextos en *El acoso*, estableciendo una cronología lógica de la acción, caracterizando temas y personajes, y examinando las dimensiones subjetiva, espacial e histórica de la obra.

RUBIO DE LÉRTORA, PATRICIA, y YOUNG, RICHARD A., *Carpentier ante la crítica. Bibliografía comentada*, Xalapa, Universidad Veracruzana, 1985. Uno de los mejores compendios bibliográficos –quizá el mejor– hasta 1985. Con comentarios útiles acerca de algunas obras. Divide la recopilación en bibliografías, homenajes y premios, escritos misceláneos, biografías, entrevistas, estudios generales, libros, tesis, reseñas, estudios sobre obras concretas y estudios temáticos.

SÁNCHEZ-BOUDY, JOSÉ, *La temática novelística de Alejo Carpentier*, Miami, Ediciones Universal, 1969. Alude al trasfondo histórico de algunas de sus novelas pero concluye que algunas de ellas se elevan por encima de la época y reflejan la búsqueda por parte del hombre de sus raíces universales.

SHAW, DONALD, *Alejo Carpentier*, Boston, Twayne Publishers, 1985.

SPERATI-PIÑERO, EMMA SUSANA, *Pasos hallados en* El reino de este mundo, México, El Colegio de México, 1981. Se centra en las fuentes de la obra, y las clasifica en declaradas y calladas. También analiza las tradiciones religiosas africanas en las que se basa.

VELAYOS ZURDO, ÓSCAR, *El diálogo con la historia de Alejo Carpentier*, Barcelona, Península, 1985.

VELAYOS ZURDO, ÓSCAR, *Historia y utopía en Alejo Carpentier*, Salamanca, Universidad, 1990. Interesante estudio del contexto histórico de cada obra y de los mitos fundamentales que se dan cita en las narraciones carpenterianas, como el de la Tierra prometida, el de un mundo mejor o el del Paraíso perdido, así como el acercamiento al hecho religioso.

VILA SELMA, JOSÉ, *El último Carpentier*, Las Palmas, Mancomunidad de Cabildos, 1978. Estudia el americanismo del cubano para interpretar el proceso de transculturación en América Hispánica y afirmar que el continente ha tomado voz propia en la escala de valores del mundo occidental.

V.V.A.A., *Coloquio sobre Alejo Carpentier*, La Habana, Ediciones Unión, 1985.

V.V.A.A., *Alejo Carpentier, premio de literatura en lengua castellana "Miguel de Cervantes" 1977*, Barcelona, Anthropos, 1988. Aproximaciones generales a su vida y obra, concebidas como un homenaje por la recepción del máximo galardón literario en lengua española.

 ENSAYO

ANTONIO ENRÍQUEZ GÓMEZ:
Sansón Nazareno (Ed. crítica de María del
Carmen Artigas).

G. ARETA, H. LE CORRE, M. SUÁREZ y
D. VIVES (Editores):
Poesía hispanoamericana: ritmo(s) /
métrica(s)/ruptura(s).

CONSUELO TRIVIÑO ALZOLA:
Pompeu Gener y el Modernismo.

JOSÉ MANUEL LÓPEZ DE ABIADA y
AUGUSTA LÓPEZ BERNASOCCHI (Editores):
Territorio Reverte. Ensayos sobre la obra
de Arturo Pérez-Reverte.

RAQUEL ROMEU:
Voces de mujeres en las letras cubanas.

MIGUEL MARTINÓN:
Espejo de Aire. Voces y visiones literarias.

RAMÓN DÍAZ-SOLÍS:
Filosofía de arte y de vivir.

MANUEL MORENO FRAGINALS,
J. L. PRIETO BENAVENT, RAFAEL ROJAS et
alii:
Cien años de historia de Cuba
(1898-1998).

JOSÉ LEZAMA LIMA:
La posibilidad infinita Archivo de
José Lezama Lima.

NILO PALENZUELA:
Los hijos de Nemrod. Babel y los
escritores del Siglo de Oro.

ALEJANDRO HERRERO-OLAIZOLA:
Narrativas híbridas: Parodia y
posmodernismo en la ficción
contemporánea de las Américas.

JAVIER HUERTA CALVO,
EMILIO PERAL VEGA y
JESÚS PONCE CÁRDENAS (Editores):
Tiempo de burlas. En torno a la
literatura burlesca del Siglo de Oro.

RICARDO MIGUEL ALFONSO (Editor):
Historia de la teoría y la crítica
literaria en EE. UU.

JOSÉ MANUEL LÓPEZ DE ABIADA,
HANS-JÖRG NEUSCHÄFER y
AUGUSTA LÓPEZ BERNASOCCHI (Editores):
Entre el ocio y el negocio:
Industria editorial y literatura en la
España de los 90.

ROBERTO GONZÁLEZ ECHEVARRÍA:
La voz de los maestros. Escritura y
autoridad en la literatura
latinoamericana contemporánea.

WILLIAM LUIS:
Lunes de Revolución. Literatura y cultura
en los primeros años de la Revolución
Cubana.

ROLF EBERENZ (Editor):
Diálogo y oralidad en la narrativa
hispánica moderna.

NILO PALENZUELA:
El Hijo Pródigo y los exiliados españoles.

LUIS SÁINZ DE MEDRANO (Coordinador):
Antología de la literatura
hispanoamericana (Vol. I).

ISABEL GARCÍA-MONTÓN:
Viaje a la modernidad: la visión de los
EE.UU. en la España finisecular.

ADRIANA MÉNDEZ RODENAS:
Cuba en su imagen: Historia e identidad
en la literatura cubana.

LUIS PUELLES ROMERO:
La estética de Gaston Bachelard.
Una filosofía de la imaginación creadora.

RICARDO LOBATO MORCHÓN:
El teatro del absurdo en Cuba
(1948-1968).

JOSÉ LEZAMA LIMA:
Poesía y prosa. Antología.

ENRIQUE PÉREZ-CISNEROS:
El reformismo español en Cuba.

ANTONIO LASTRA (Editor):
La filosofía y el cine.

VIRGILIO LÓPEZ LEMUS:
Eros y Thanatos: La obra poética de Justo
Jorge Padrón.

ANTONIO RÓMINGUEZ REY:
Limos del verbo (José Ángel Valente).

RUTH A. COTTÓ (Editora):
La mujer puertorriqueña en su contexto
literario y social.

LUIS T. GONZÁLEZ DEL VALLE:
La canonización del Diablo.
Baudelaire y la estética moderna en
España.

PEDRO M. HURTADO VALERO:
Eduardo Benot: Una aventura gramatical.

IRENE ANDRES-SUÁREZ, MARCO KUNZ E
INÉS D'ORS:
La inmigración en la literatura española
contemporánea.

ARMANDO LÓPEZ CASTRO:
Luis Cernuda en su sombra.

LEOPOLDO FORNÉS:
Cuba. Cronología.

JOSÉ SANTIAGO FERNÁNDEZ VÁZQUEZ:
Reescrituras postcoloniales del
Bildungsroman.

MODESTA SUÁREZ:
Espacio pictórico y espacio poético en la
obra de Blanca Varela.

REYES E. FLORES:
Onetti: Tres personajes y un autor.